LA DUCHESSE DE LANGEAIS

BALZAC

La Duchesse de Langeais

INTRODUCTION, NOTES ET DOSSIER
PAR CONSTANCE CAGNAT-DEBŒUF

LE LIVRE DE POCHE
Classiques

Cet ouvrage a été publié
sous la direction de Michel Simonin

ISBN : 978-2-253-09629-0 – 1re publication – LGF

INTRODUCTION

« Moi seul sais ce qu'il y a d'horrible dans *La Duchesse de Langeais*[1]. » Certes, on est loin, dans ce second épisode de l'*Histoire des Treize,* des terrifiantes machinations qui avaient fait trembler les lecteurs de *Ferragus*[2]. Même l'enlèvement de la duchesse, au cœur du roman, et la fameuse scène où Montriveau menace de la marquer au fer rouge, ne suffisent pas à ressusciter l'atmosphère mystérieuse et policière du premier épisode. Car la puissance n'est plus détenue ici par les hommes, mais par une femme, la violence déployée n'est plus physique, mais morale, et les Treize[3], au lieu de l'exercer, la subissent, en la personne de l'un d'entre eux, le marquis de Montriveau. Un tel renversement devait d'ailleurs amener Balzac en 1839 à préférer, au titre primitif *Ne touchez pas à la hache,* celui de *La Duchesse de Langeais* : le roman noir était devenu roman d'analyse.

« L'un des plus grands chagrins de ma vie »

À cette intériorisation du drame d'un épisode à l'autre, il est une raison aujourd'hui bien connue : Balzac a trans-

---

1. Lettre à Louise, vers le 20 mars 1836 (H. de Balzac, *Correspondance,* Garnier frères, 1962, t. III, p. 55). — **2.** *Ferragus* est le premier épisode de l'*Histoire des Treize,* publié en mars et avril 1833 dans la *Revue de Paris.* Il sera suivi de *La Duchesse de Langeais* et de *La Fille aux yeux d'or.* — **3.** Société secrète composée de treize individus animés d'un même désir : la toute-puissance. Chaque épisode de l'*Histoire des Treize* a pour protagoniste un membre de cette société, ici Montriveau.

La duchesse de Castries
par Candide Blaise, 1826.

posé, dans ce second roman, une aventure toute personnelle, son amour déçu pour la marquise de Castries.

En septembre 1831, alors qu'il vient de publier *La Physiologie du mariage* et *La Peau de chagrin,* Balzac reçoit une lettre d'une inconnue qui lui reproche la peinture que ces deux dernières œuvres dressent de la femme. Intrigué en même temps que flatté par la démarche de l'inconnue, Balzac s'empresse de répondre pour se justifier. Quelques mois s'écoulent avant que sa correspondante ne lève le masque : il s'agit d'Henriette de Maillé, marquise de Castries. Née en 1796 dans une famille de la haute aristocratie, elle fut, durant les premières années de la Restauration, l'une des reines du faubourg Saint-Germain, appréciée pour sa beauté et son esprit. Six ans après son mariage en 1816 avec le marquis de Castries qui ne semble pas lui avoir procuré le bonheur espéré, elle devient la maîtresse du prince Victor de Metternich[1], dont elle a un fils en 1827. Deux ans plus tard, son amant, atteint de phtisie, meurt dans ses bras en Italie. Aussi, lorsque Balzac fait sa connaissance en 1831, s'est-elle séparée de son mari pour mener une vie retirée dans son hôtel du faubourg Saint-Germain. Fidèle au souvenir de son amant, diminuée physiquement à la suite d'une grave chute de cheval, elle ne reçoit chez elle que ses amis intimes et quelques hommes de lettres. Devenu l'un de ses familiers au printemps 1832, Balzac ne va pas tarder à s'éprendre de la marquise. En août, celle-ci l'invite à venir la rejoindre à Aix-les-Bains et à passer l'hiver avec elle en Suisse et en Italie. À son amie Zulma Carraud, Balzac ne cache pas sa crainte d'être trompé : « Il faut que j'aille grimper à Aix en Savoie, courir après quelqu'un qui se moque de moi peut-être ; [...] une de ces beautés angéliques auxquelles on prête une belle âme ; la vraie duchesse, bien dédaigneuse, bien aimante, fine, spirituelle, coquette, rien de ce que j'ai encore vu ! [...] Une de ces femmes qu'il faut absolument adorer à genoux quand elles le veulent, et qu'on a tant de plaisir à conquérir.

---

1. Il s'agit du fils aîné du célèbre homme d'État autrichien (1773-1859), ministre des Affaires étrangères et chancelier de l'Empereur.

« *Une de ces beautés angéliques auxquelles on prête une belle âme...* »
Lithographie de Devéria, 1831.

La femme des rêves[1] !... » Entre la marquise et l'écrivain,
se noue au fil de ces semaines une grande intimité. « Madame de Castries », raconte-t-il à sa mère, « est pleine d'attentions très aimables pour moi. J'ai tant à travailler que je
ne puis voir personne. Ma seule distraction est donc ma
petite soirée près d'elle[2]. » Balzac, trompé par les faveurs
que lui accordait la marquise, devint sans doute plus pres-
sant. Il se vit alors opposer le refus le plus net, et l'idylle
se dénoua brutalement le 18 octobre à Genève. Balzac s'en
retourne profondément blessé. Les lettres écrites à cette
période sont amères : « Une froideur inouïe succède graduellement à ce que j'ai cru passion chez une femme qui
était venue à moi assez noblement[3]. » À Mme Hanska, il
écrit au mois de janvier 1833 : « J'ai rencontré une Fœdora,
mais celle-là je ne la peindrai pas[4]. »

Une promesse qu'heureusement il ne tiendra pas.
L'aventure devait se révéler aussi féconde pour le romancier qu'elle avait été douloureuse pour l'homme : par trois
fois, Balzac allait la transposer dans son œuvre. Dès ce
même mois d'octobre 1832, semble-t-il, lui vint l'idée
de prêter à Benassis, le héros du *Médecin de campagne,*
l'histoire de sa propre déconvenue. Ce roman devait à
l'origine relater « l'histoire d'un homme fidèle à un amour
méconnu, à une femme qui ne l'aime pas, qui l'a brisé par
une coquetterie [...]. Au lieu de se tuer, cet homme laisse
sa vie comme un vêtement, prend une autre existence, et,
au lieu de se faire chartreux, il se fait la sœur de charité
d'un pauvre canton, qu'il civilise[5]. » Au cœur du roman,
prenait place la confession du héros[6], le récit de ses
amours déçues pour une femme dont il n'est pas difficile
de reconnaître l'original : « Sa grâce, son esprit, sa beauté

---

1. Lettre à Zulma Carraud, du 3 juillet 1832 (*Correspondance,* t. II,
pp. 36-37). — **2.** Lettre à Mme B.-F. Balzac, du 1er septembre 1832
(*Correspondance,* t. II, p. 104). — **3.** Lettre à Zulma Carraud, du
1er janvier 1833 (*Correspondance,* t. II, p. 216). — **4.** Lettre à
Mme Hanska de janvier 1833 (*Lettres à Mme Hanska,* Bouquins, éd.
R. Laffont, 1990, Paris, t. I, p. 25). Fœdora est l'héroïne sans cœur de
La Peau de chagrin. — **5.** Lettre à Mme Hanska, du 24 février 1833
(*op. cit.,* t. I, p. 28). — **6.** De cette confession, il existe deux versions :
nous reproduisons la seconde (la plus développée) dans le dossier sur
la genèse de l'œuvre.

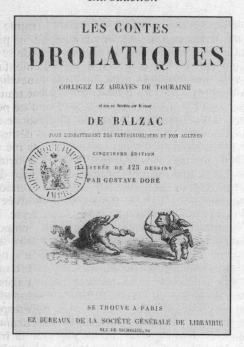

LES CONTES
DROLATIQUES
COLLIGEZ EZ ABBAYES DE TOURAINE
et mis en lumière par le sieur
DE BALZAC
POUR L'ESBATTEMENT DES PANTAGRUELISTES ET NON AULTRES
CINQUIESME ÉDITION
ILLUSTRÉE DE 425 DESSINS
PAR GUSTAVE DORÉ

SE TROUVE A PARIS
EZ BUREAUX DE LA SOCIÉTÉ GÉNÉRALE DE LIBRAIRIE
RUE DE RICHELIEU, 52

l'avaient [...] rendue célèbre dans le monde [...]. La nature
l'avait douée de cette coquetterie douce et naïve qui, chez
la femme, est, en quelque sorte, la conscience de son pouvoir. » Et le crime est bien le même : « elle me promit et
me donna tout ce qu'une femme peut donner en restant
chaste et pure. Ce fut alors l'infini des cieux, l'amour des
anges, des délices que je n'ai pas même aujourd'hui le
courage de lui reprocher. Mais que sont toutes ces choses
sans la confiance qui les éternise, sans le témoignage
sacré qui rend l'amour indissoluble ? » Or ce « dernier
témoignage qui n'est rien et dont le monde fait tout »,
Benassis se l'est vu brutalement refuser. Il avoue avoir
d'abord songé à la vengeance : « Pendant quelques heures
le démon de la vengeance m'a tenté. Je pouvais la faire
haïr du monde entier, la livrer à tous les regards, attachée
à un poteau d'infamie [...] et jeter la terreur dans l'âme

de toutes les femmes, en leur donnant la crainte de lui ressembler. » Mais « elle ne méritait rien : ni pitié, ni amour, ni vengeance même ». Il choisit alors de se retirer dans un canton de Savoie et d'en devenir le bienfaiteur.

Écrite très peu de temps après l'épisode genevois, cette première confession est donc l'histoire à peine transposée de ce que vient de vivre Balzac : l'adoption d'un point de vue masculin et l'emploi de la première personne se prêtaient à une telle identification. Aussi sa détresse s'y exprime-t-elle comme nulle part ailleurs : « je me renfermai pour pleurer comme un enfant. » Ce texte demeurera inédit, Balzac ayant finalement renoncé à l'idée de faire vivre son échec amoureux à son héros : dans la version définitive du roman, l'action de Benassis est motivée par le remords qu'il éprouve pour une faute de jeunesse. Mais il est remarquable d'y trouver déjà les trois composantes majeures du scénario que reproduiront les deux textes à venir, à savoir les tromperies d'une coquette, la vengeance de son amant (qui n'est présente ici qu'à l'état de tentation), et l'ascension spirituelle d'un des deux personnages.

La seconde transposition que fit Balzac de son aventure est d'un ton très différent, puisque *Dézespérance d'amour*[1] appartient au recueil des *Contes drolatiques*, cette « littérature spéciale » qui renoue avec la tradition française du rire. Quinze jours, un mois au plus, ont séparé, semble-t-il, la rédaction du conte de celle de la confession du *Médecin de campagne*. Et, hormis le cadre ancien, le langage archaïque et quelques taches de couleur locale qui relèvent de la loi du genre, l'histoire est à peu près la même. Un jeune sculpteur florentin, Angelo Cappara, venu à la cour du roi Charles VIII pour participer à la décoration du château d'Amboise, suscite l'intérêt d'une dame de « hault lignaige », laquelle l'invite à la venir voir un soir chez elle. L'artiste, « s'engluant à petits pas dedans les voyes fleuries de l'amour », s'éprend de la dame. Celle-ci lui concède facilement « bon compte » de baisers, mais jamais davantage, invoquant le retour de son mari pour l'empêcher d'aller plus avant. Pendant un mois, le jeune Cappara livre chaque soir « la bataille de

---

1. À lire dans le dossier sur la genèse de l'œuvre.

Honoré de Balzac.
Lithographie d'après Le Seul.

la iuppe ». En vain : car sa dame, « voyant ce dezir escript ez yeulx de son sculpteur, entamoyt querelles et noizes sans fin ». La lumière finit par se faire dans l'esprit du jeune Cappara, qui « vid bien que ce ne estoyt poinct ung noble amour ». Il décide aussitôt de se venger. Un soir, ayant chargé des complices de retenir le mari en chemin, il met une dernière fois sa maîtresse à l'épreuve, et convaincu qu'elle avait bien l'« asme feslonne », la punit d'une estafilade à la joue gauche. En voyant « cet homme flambant de raige », la dame se met à l'aimer. Mais Cappara, après avoir échappé *in extremis* à la pendaison, choisit de se faire religieux, demeurant toutefois « de tout poinct acquis à sa dame dont il ne pouvoyt chasser le soubvenir ».

La peinture est à la fois plus crue et plus stylisée qu'elle ne l'était dans la confession de Benassis. Mais certains motifs ont évolué dans une direction qui annonce *La Duchesse de Langeais*. D'abord la scène de la vengeance a gagné en réalité et en efficacité, puisque c'est là que la femme aimée se convertit à l'amour. On remarquera ensuite la présence de ces « bons compaignons » auxquels Cappara fait appel pour l'aider dans sa vengeance. Enfin, l'amoureux trompé sublime ici son amour dans la vie religieuse.

Cinq mois plus tard, en avril et mai 1833, paraissaient dans *L'Écho de la jeune France* les deux premiers chapitres de *Ne touchez pas à la hache*. Une troisième fois, Balzac transposait donc sa « cruelle aventure ». Si Antoinette de Langeais fait songer à la marquise de Castries par son appartenance à la haute aristocratie comme par sa séparation d'avec son mari, il est tout aussi évident que Montriveau, avec sa tête « grosse et carrée », son « abondante chevelure noire » et « son cou de taureau », est un reflet idéalisé de son créateur. Pourtant, force est de constater que la transposition est poussée plus loin dans le roman que dans les deux textes qui l'ont précédé. Le centre d'intérêt du roman s'est déplacé : du héros blessé, il a glissé vers la figure d'Antoinette. Car c'est elle qui à présent connaît la souffrance d'aimer et l'ascension spirituelle. C'est sa conversion à l'amour, au cœur du roman, et les accents sublimes qu'elle trouve pour dire sa passion que retiendra cette fois le lecteur.

Comment s'explique une telle évolution ? Sans doute faut-il y voir un effet du temps, et plus encore du bonheur enfin trouvé dans l'amour partagé avec Mme Hanska. La date par laquelle Balzac signe la fin du roman, le 26 janvier 1834, est à cet égard hautement symbolique, puisqu'il s'agit du « jour inoubliable » où Mme Hanska est devenue sa maîtresse. Mais ont pu également favoriser cette évolution les différents souvenirs dont Balzac semble s'être nourri pour concevoir son roman. De nombreux critiques[1] ont souligné ce que *La Duchesse de Langeais* devait à des œuvres parues depuis peu : les scènes qui ont lieu au couvent de Majorque entretiennent ainsi certaines similitudes avec un roman anonyme, paru en 1826, *Éléonore, anecdote de la guerre d'Espagne en 1813,* ainsi qu'avec *Fragoletta* (1830), dont l'auteur, Henri de Latouche (1785-1851), fut, avant qu'ils ne se brouillent, un proche ami de Balzac. Le héros de *Fragoletta,* d'Hauteville, est, comme le père de Montriveau, « un de ces *ci-devant* qui servirent noblement la République ». La femme qu'il aime s'est, comme Antoinette, retirée dans un couvent situé sur une colline élevée et battu par les embruns. Une nuit, il parvient à pénétrer à l'intérieur du couvent et, ayant, à sa voix, reconnu celle qu'il cherche, lui parle au travers de la grille du parloir : il lui déclare son amour, mais la jeune femme refuse de le suivre. Elle mourra, un peu plus tard, après avoir exprimé le désir que son corps soit jeté à la mer : ce sera le sort réservé par les Treize à la dépouille d'Antoinette. Les réminiscences sont donc nombreuses et précises. Peut-être Balzac s'est-il également inspiré pour son dénouement de l'aventure arrivée quelques années plus tôt à l'écrivain Ulric Guttinguer[2] : celui-ci, de 1826 à 1828, avait eu une liaison avec une jeune femme de la bonne

---

1. Voir par exemple P. Citron, « Situations balzaciennes avant Balzac », *L'Année balzacienne,* 1960, pp. 149-160, et R. Fortassier, « Préface », *Histoire des Treize,* dans *La Comédie humaine,* Gallimard, coll. la Pléiade, t. V, 1982, pp. 758-765. — **2.** Voir G. Thouvenin, « La composition de *La Duchesse de Langeais* », *Revue d'histoire littéraire de la France,* oct.-déc. 1947, pp. 331-347.

société rouennaise, qui se déroba brusquement à son amant pour venir chercher refuge dans un couvent parisien. Guttinguer, qui ignorait le lieu de sa retraite, la chercha pendant de longs mois, et l'ayant découverte, ne put la résoudre à en sortir. Entre toutes ces influences possibles, il n'est pas nécessaire de trancher. L'essentiel est de constater qu'elles ont amené le romancier à donner le beau rôle à celle qui, jusque-là, faisait figure de bourreau.

Ainsi on ne saurait voir dans ce roman une vengeance publique que Balzac aurait voulu infliger à sa belle marquise. La meilleure preuve en est d'ailleurs le rôle qu'il lui fit jouer au moment de la réception du roman : « Je reviens de chez Mme de Castries que je ne veux point pour ennemie à l'occasion de mon livre, et le meilleur moyen de m'en faire un défenseur contre le faubourg Saint-Germain est de lui faire approuver l'œuvre par avance. Et elle l'a fort approuvée [1]. » Si vengeance il y a, la cible qu'elle vise n'est pas la marquise, mais bien le milieu auquel elle appartient, l'aristocratique faubourg Saint-Germain.

La critique du faubourg Saint-Germain [2]

Depuis la fin de l'année 1831, et son article intitulé *Le Départ* (sur le départ de Charles X en exil), Balzac passait pour royaliste. Aussi qu'il ait choisi de publier les premiers numéros de *Ne touchez pas à la hache* dans *L'Écho de la jeune France,* organe légitimiste, n'était-il pas pour surprendre. Mais quelle ne fut pas la stupéfaction des abonnés, au deuxième numéro, de lire, au lieu de l'aventure amoureuse d'Armand de Montriveau et d'Antoinette de Langeais, une critique sévère du faubourg Saint-Germain, principal soutien du légitimisme ! « Des cris unanimes de protestation l'ont accueilli », écrit-on à Balzac.

Il faut dire que la critique est sanglante. Si les premières pages, qui justifient le *fait* de l'inégalité et l'exis-

---

1. Lettre à Mme Hanska, du 18 février 1834 (*op. cit.*, t. I, p. 139). — 2. Pour une analyse plus détaillée, voir B. Guyon, *La Pensée politique et sociale de Balzac,* A. Colin, 1969.

tence d'une aristocratie privilégiée (elle est « en quelque sorte la pensée d'une société, comme la bourgeoisie et les prolétaires en sont l'organisme et l'action »), paraissent s'adresser aux libéraux, c'est bien à ses amis politiques que Balzac destine la suite de ses analyses. L'aristocratie, explique-t-il, doit mériter ses privilèges par « une valeur réelle », par une « supériorité complète ». Ce sont là « les obligations de son existence », et c'est pour n'avoir pas su les remplir que le faubourg Saint-Germain fut défait en 1830. Des erreurs que Balzac diagnostique dans le comportement de l'aristocratie sous la Restauration, la principale est le repli sur soi : n'avoir pas su s'ouvrir à certains éléments de la bourgeoisie, ne pas avoir développé de talents dans le domaine artistique, scientifique ou économique, avoir exclu la jeunesse des affaires, avoir été davantage animé par le sentiment personnel que par un esprit de caste, autant de fautes qui ont empêché le faubourg Saint-Germain de devenir une aristocratie moderne. Si le constat n'était certes pas fait pour plaire aux lecteurs, certaines formules de Balzac paraissent encore plus délibérément provocantes : le faubourg Saint-Germain, écrit-il, « péchait par un défaut d'instruction et par un manque total de vue sur l'ensemble de ses intérêts ». Ailleurs le jugement frise l'insulte : « Au lieu de se montrer protecteur comme un Grand, le faubourg Saint-Germain fut avide comme un parvenu. » Une telle virulence rend manifeste l'implication personnelle de Balzac dans ces pages : autant que d'expliquer la duchesse par une présentation générale du faubourg, il s'agit pour lui de régler ses comptes avec l'aristocratie, à qui il n'adresse en fait qu'un reproche : ne pas avoir su reconnaître l'importance des intellectuels, et en particulier de l'un d'entre eux, Honoré de Balzac.

Balzac a donc utilisé son roman pour exposer les divergences qui l'opposaient aux gens de son parti, et, s'il s'est montré politiquement maladroit en publiant ces pages dans un organe légitimiste, il s'est également révélé peu soucieux de ménager l'intérêt dramatique de son roman. Il a beau justifier à plusieurs reprises cette longue digression, en particulier par sa théorie du type – le faubourg explique Antoinette, présentée comme « le type le plus

Molière, *Le Misanthrope* (1666).
Gravure par Staal et Delannoy.

complet [...] de sa caste » –, il reste que ces pages sont perçues par le lecteur impatient comme un obstacle à la bonne marche du récit.

*« C'est, en fait de femme, ce que j'aurai fait
jusqu'à présent de plus grand[1]. »*

Membre de la plus haute aristocratie par sa naissance comme par son mariage, Antoinette de Navarreins, duchesse de Langeais, incarne la grande dame du faubourg Saint-Germain. « Reine de la mode », elle fuit le vide de son existence dans la représentation mondaine,

---

1. « Allons, ange à moi, décidément tu tressailleras, tu palpiteras en lisant *Ne touchez pas à la hache,* car c'est, en fait de femme, ce que j'aurai fait jusqu'à présent de plus grand. Aucune femme de ce faubourg ne peut ressembler à cela. » Lettre à Mme Hanska, du 20 février 1834 (*op. cit.*, t. I, p. 140).

où ses talents d'actrice lui donnent la première place. Elle s'entoure d'une cour de jeunes gens dont elle s'amuse à exciter les passions, mais, ne cherchant dans l'amour d'autrui que le signe de sa propre supériorité, et « semblable à l'avare satisfait de savoir que ses caprices peuvent être exaucés, elle n'allait peut-être même plus jusqu'au désir ». C'est d'ailleurs bien comme « une fantaisie, pur caprice de duchesse », que Balzac nous présente sa décision de faire de Montriveau l'un de ses amants : elle voit en lui l'homme à la mode dont les hommages lui sont nécessaires pour jouir d'une reconnaissance universelle. Et l'on assiste alors au manège de cette nouvelle Célimène [1], qui déploie, pour celui qu'elle entend séduire, tous ses artifices de coquette. Ses principales armes résident dans un physique charmant, qu'elle sait habilement mettre en valeur à travers ses poses, ses toilettes ou de savants jeux de lumière, mais aussi dans une rhétorique brillante qui témoigne de son habitude des conversations mondaines. Face à elle, le marquis reste muet : « Quand vous vous tortillez sur votre divan, dans votre boudoir, je ne trouve pas de mots pour mes idées », lui reprochera-t-il lors de la vengeance. Rendre Armand passionnément amoureux n'est pour la duchesse qu'un jeu d'enfant. Mais sa tâche se complique lorsqu'il n'est plus question que de se refuser à lui. Antoinette oppose successivement aux désirs du marquis des considérations d'ordre mondain, comme son mari ou sa réputation (c'est « l'époque civile » de la résistance), puis des scrupules d'ordre religieux, qui lui permettent de résister trois mois de plus (« l'époque religieuse »), pour finalement livrer « Dieu pieds et poings liés à son amant ». Montriveau, que ces combats avaient d'abord réjoui, puis inquiété, « résolut alors de vouloir plus, de vouloir tout ». Si jusque-là la conduite d'Antoinette semblait fausse et cruelle, les accents qu'elle trouve ce soir-là pour justifier son refus éclairent le personnage d'un jour nouveau. Ses revendications sont celles d'une féministe : elle dénonce l'égoïsme masculin (« Votre égoïste amour ne vaut pas

---

1. Héroïne de Molière dans *Le Misanthrope* (1666), exemple célèbre de coquetterie féminine.

tant de sacrifices »), et réclame de son amant une complète aliénation (« Et que veux-tu donc ? – Ton obéissance et ma liberté »). La coquetterie d'Antoinette hérite ainsi d'une première justification : elle est l'arme choisie par une femme pour lutter contre l'oppression des hommes [1]. Et Balzac de souligner lui-même la justesse des arguments développés par l'héroïne : le marquis, nous dit-il, « éprouvait une sorte de honte en se souvenant d'avoir involontairement fait les calculs dont les odieuses pensées lui étaient reprochées ».

Mais là n'est pas la seule excuse dont dispose Antoinette, que Balzac nous présente comme la victime de son milieu. Elle l'est en effet, pour trois raisons. D'abord, parce qu'elle a été corrompue (« à la surface du cœur », prendra soin d'ajouter Balzac) « par les maximes de ceux qui l'entouraient ». C'est le monde dans lequel elle vit qui a fait d'elle une coquette : elle « apprit, jeune encore, qu'une femme pouvait se laisser aimer ostensiblement sans être complice de l'amour, sans l'approuver, sans le contenter autrement que par les plus maigres redevances de l'amour, et plus d'une sainte nitouche lui révéla les moyens de jouer ces dangereuses comédies ». Victime, elle l'est aussi par son mariage avec le duc de Langeais, mariage de convention qui a uni « les deux caractères les plus antipathiques du monde ». Antoinette, que son époux a profondément blessée, ignore tout de l'amour, et cette ignorance explique en partie la résistance acharnée qu'elle oppose à Montriveau : « Ne connaissant pas les éclatantes délices de la lumière, elle se complaisait à rester dans les ténèbres. » Enfin, sa dernière justification réside dans la petitesse de l'époque. Car cette femme, que Balzac nous présente « pleine de sentiments élevés » et « susceptible d'héroïsme », n'a connu, avant sa soirée

---

1. Déjà Stendhal dans *De l'amour* (1822) justifiait ainsi la coquetterie : « La plupart des hommes sollicitent une preuve d'amour qu'ils regardent comme dissipant tous les doutes ; les femmes ne sont pas assez heureuses pour pouvoir trouver une telle preuve ; et il y a ce malheur dans la vie, que ce qui fait la sécurité et le bonheur de l'un des amants, fait le danger et presque l'humiliation de l'autre. [...] Un homme est humilié de la longueur du siège ; elle fait au contraire la gloire d'une femme » (Stendhal, *De l'amour,* chapitre VIII).

chez Mme de Fontaine où elle voit pour la première fois Montriveau, que « les plus pauvres êtres qui se soient rencontrés, des fats sans esprit, des hommes dont le mérite consistait dans une jolie figure et pour lesquels toutes les femmes se compromettaient sans profit, de véritables idoles de bois doré ». C'est donc faute d'avoir rencontré un homme grand qu'elle a mené si longtemps l'existence superficielle des coquettes : « Maître pour maître, je voulais un homme grand », avouera-t-elle.

Cet homme, Antoinette le rencontre en la personne d'Armand de Montriveau [1]. Dès leur première rencontre, n'est-elle pas attirée à lui par la peur qu'il lui inspire ? Et c'est quand elle le voit dressé devant elle comme un bourreau, prêt à la marquer au fer rouge, que la jeune femme découvre combien elle l'aime. Le lecteur attentif n'aura pas, lui, attendu cette scène pour comprendre que la coquette s'est laissé prendre à son propre piège : ne prenait-elle pas déjà un « plaisir excessif » à leurs tendres tête-à-tête et aux « émotions inaccoutumées » que lui donnait la passion du marquis ? Et si elle utilisait alors « les discussions théologiques et politiques » pour calmer les ardeurs amoureuses de Montriveau, n'était-ce pas aussi pour fuir son propre trouble que, s'arrachant à « l'air chargé de désirs » de son boudoir, elle courait se mettre au piano ? Ces dérobades ne sont pas simples ruses de coquette : elles trahissent la peur de la jeune femme devant le sentiment inconnu que le marquis a fait naître dans son cœur, auparavant vide et indifférent. De cet amour, il lui restera seulement à prendre clairement conscience, et ce sera le premier effet de la vengeance : « Mais je t'aime ! mais je suis à toi ! »

Dès lors, dès qu'apparaît « la femme vraie », Antoinette n'a plus rien de commun avec les gens de son milieu. L'atteste la scène du conseil de famille, où elle ne peut comprendre les reproches qui lui sont faits. Elle, qui

---

1. Du moins le croira-t-elle. L'auteur, lui, semble en douter : « D'ailleurs, qu'étaient ces hommes devant celui qu'elle aimait véritablement et dont le caractère avait repris les proportions gigantesques momentanément amoindries par elle mais qu'alors *elle grandissait peut-être outre mesure* ? » (c'est nous qui soulignons).

prônait jadis à son amant le respect des convenances, conjugue maintenant son amour sur le mode du sacrifice et choisit de se déshonorer aux yeux du public en envoyant sa voiture stationner à la porte de Montriveau[1]. L'héroïsme du personnage apparaît dans cette logique du tout ou rien (« Je veux être aimée irrésistiblement ou laissée impitoyablement »), dans son choix des solutions extrêmes. Car, non contente d'avoir sacrifié à son amant son existence mondaine et sa réputation, Antoinette, assoiffée d'absolu, décide d'entrer au Carmel, si Armand, après avoir reçu sa dernière lettre, ne lui ouvre pas sa porte. Seul le sacré offrait à la jeune femme l'issue héroïque qu'elle cherchait : « Après m'être entièrement donnée à vous en pensée, à qui donc me donner ?... à Dieu. » Si, par cet ultime sacrifice, son amour atteint au sublime, Antoinette de Langeais est heureuse de servir aussi sa gloire : « la fierté de mon désespoir garantira ma mémoire de toute injure, et ma fin sera digne de mon amour. » À la manière des grandes dames du XVIIe siècle, Antoinette conserve ainsi jusque dans sa démarche de conversion l'orgueil qui l'habitait lorsqu'elle régnait sur le faubourg Saint-Germain[2].

À l'ascension spirituelle d'Antoinette, s'oppose l'itinéraire de Montriveau, marqué par les échecs successifs. La lumière se fait progressivement sur ce personnage, d'abord auréolé du prestige de ses expéditions scientifiques en Orient et de son appartenance au groupe des Treize. Pourtant, plutôt que par l'énergie, le personnage paraît souvent animé par une violence qui n'a rien de noble. Avant même que ne vienne l'heure de la vengeance, dont le raffinement atteste une certaine férocité, les indices de cette violence latente sont déjà nombreux :

---

1. Un geste peut-être inspiré par celui de Mirabeau (1749-1791) : alors que Mlle de Marignane était déjà fiancée à un autre, Mirabeau résolut de l'épouser ; cherchant à provoquer un scandale, il décida de faire stationner de nuit sa voiture sous sa fenêtre. — 2. Une fois encore, une réflexion de *De l'amour* éclaire la psychologie du personnage : « Une femme à caractère généreux sacrifiera mille fois sa vie pour son amant, et se brouillera à jamais avec lui pour une querelle d'orgueil, à propos d'une porte ouverte ou fermée » (*De l'amour*, chap. XXVIII, « De l'orgueil féminin »).

dans le désert, il manque de tuer son guide dont il soup-
çonne, à tort, qu'il l'a trahi. Quant à son appartenance au
groupe des Treize, n'est-elle pas motivée, chez cet
homme blessé par la vie, par un obscur désir de vengeance sur l'ordre social ? Plus précisément, ne trouve-
t-il pas en Antoinette de Langeais, née Navarreins, l'occasion de régler ses comptes avec une aristocratie restée
parfaitement pure à la différence de la sienne qui servit la
République et l'Empire ? Ainsi s'expliquerait la violence
sous-jacente de leur relation. Dès qu'il la rencontre, il se
jure, non sans vulgarité, « d'avoir cette femme ». Plus
tard, celle-ci lui reprochera la brutalité de son désir
(« vous avez exigé brutalement ma personne »). N'est-il
pas allé jusqu'à menacer de la violer (« Quand je voudrai
sérieusement ce dont nous parlions tout à l'heure, je l'aurai ») ? Aussi son amour ne peut-il se comparer à celui
d'Antoinette : alors qu'elle est allée chercher le déshonneur par amour pour lui, Armand ne sait « supporter ni le
dédain ni la raillerie ». Et lorsqu'il la retrouve au couvent,
son entreprise semble moins motivée par un amour véritable que par le désir « de la disputer à Dieu, de la lui
ravir, projet téméraire qui plut à cet homme audacieux ».
Le sort se chargera de châtier l'orgueil du personnage.
Car à celui qui déclarait au cœur du roman : « Je
m'entends avec la Fatalité ; je puis, socialement
parlant, l'avancer ou la retarder à ma fantaisie, comme
on fait d'une montre », le destin réservait ironiquement
d'échouer à deux reprises pour être arrivé trop tard !

« Ce n'est plus qu'un poème. »

 Les deux protagonistes suivent donc dans le roman des
trajectoires inverses. Pourtant, dans cette « époque froide,
mesquine et sans poésie » où Balzac a choisi de situer le
début de l'intrigue, ils provoquent tous deux un certain
dépaysement, source de poésie. Armand de Montriveau
introduit ainsi dans les salons lambrissés du Paris aristocratique un Orient mystérieux. Deux anecdotes circulent
sur le personnage, qui contribuent à le grandir auprès
d'Antoinette : sa traversée du désert en compagnie d'un

guide nubien et sa captivité dans une tribu arabe. L'Orient, pour Antoinette, est synonyme d'étrangeté, d'inconnu, de rêve : « La duchesse, déjà frappée par l'aspect de ce poétique personnage, le fut encore bien plus en apprenant qu'elle voyait en lui le marquis de Montriveau, de qui elle avait rêvé pendant la nuit. S'être trouvée dans les sables brûlants du désert avec lui, l'avoir eu pour compagnon de cauchemar, n'était-ce pas chez une femme de cette nature un délicieux présage d'amusement ? » En réalité, si ce rêve se révèle prophétique, c'est parce qu'il annonce une autre scène du roman, où reparaît le thème oriental, associé, de la même façon, à une sensation de cauchemar : l'épisode de la vengeance. Cette scène, où Montriveau fumant son cigare menace de marquer la duchesse au fer rouge pendant que le reste des Treize s'agite dans l'ombre, peut être taxée d'invraisemblance : mais n'est-ce pas adopter un point de vue réaliste là où le texte invite à un déchiffrement plus symbolique ? L'épisode est remarquablement introduit par Balzac : « Il était alors environ minuit. » Si cette première information nous entraîne déjà dans l'univers des contes, si proche de celui des rêves, la scène est en outre encadrée par les deux trajets en voiture qu'effectue nuitamment Antoinette : le voyage en voiture est un véritable *topos* du récit extraordinaire qui permet les changements les plus brusques de décor et de lieu[1], surtout lorsqu'il est vécu, comme ici par Antoinette, dans une sorte de rêve (« elle tomba dans une rêverie assez naturelle »). Quand Antoinette revient à elle, elle croit sombrer en plein cauchemar : « la terreur qu'Armand lui inspirait fut augmentée par une de ces sensations pétrifiantes, analogues aux agitations sans mouvement ressenties dans le cauchemar. » Le terme fait écho au rêve prémonitoire d'Antoinette, comme le décor oriental de la chambre de Montriveau qui rappelle « l'immensité des déserts où cet homme avait longtemps erré ». L'onirisme de cet épisode est confirmé par le symbolisme des objets : on reviendra plus loin sur la pendule qui orne la commode du général, mais reste ce cigare que

---

1. Comme dans « Cendrillon » ou *Le Grand Meaulnes*, Balzac utilisera à nouveau ce procédé dans *La Fille aux yeux d'or* avec l'enlèvement de Henri de Marsay.

La duchesse de La Vallière
(1644-1710).

fume trop ostensiblement Montriveau pour que l'on n'y
voie pas le symbole d'une virilité enfin retrouvée.

Si Armand de Montriveau nous fait sortir de Paris,
Antoinette, elle, nous entraîne loin du XIXᵉ siècle. À bien
des égards, Antoinette de Langeais rappelle en effet les
grandes figures féminines du XVIIᵉ siècle. Balzac suggère
le rapprochement à deux reprises. Dans l'entrevue qui suit
le conseil de famille, sa tante, Mme de Chauvry, lui fait
de l'anachronisme de sa conduite un doux reproche : « Tu
es de deux siècles en arrière avec ta fausse grandeur. »
Et Antoinette elle-même, dans sa lettre à Montriveau, se
compare à Louise de La Vallière, la maîtresse de
Louis XIV[1] : c'est le même itinéraire en effet qu'accom-
plissent ces deux femmes, qu'un amour humain a

_____

1. Louise de La Vallière (1644-1710), maîtresse de Louis XIV dont
elle eut quatre enfants, se retira chez les carmélites en 1674.

conduites au Carmel et à l'amour de Dieu. Mais c'est
surtout à *La Princesse de Clèves,* le roman de Mme de
La Fayette (1678), que fait songer Antoinette de Langeais. Les arguments qu'elle oppose à Montriveau rappel-
lent étrangement ceux par lesquels Mme de Clèves se
refusait au duc de Nemours. En particulier, les deux
femmes partagent une même peur, celle de n'être pas
aimée pour toujours, et une même incertitude touchant la
véritable personnalité de l'homme qu'elles aiment : sa
prétention à être l'homme d'un seul amour est-elle autre
chose qu'une simple ruse de séducteur [1] ?

De ces deux existences poétiques, l'une effacera l'autre
dans la mémoire du lecteur. Cette supériorité d'Antoinette
est consacrée par la curieuse épitaphe que lui décerne
Montriveau, aux dernières lignes du roman : « Ce n'est
plus qu'un poème. » Si la formule prête au personnage
un détachement si surprenant que Balzac dut le justifier
auprès de Mme Hanska (« vous sentez bien qu'un XIII
doit être un homme de bronze [2] »), n'était-elle pas aussi
pour le romancier une manière de désigner à l'attention
de ses lecteurs son propre roman, et les beautés poétiques
qu'il recèle ?

« *C'est colossal de travail...* »

Le 19 février 1834, Balzac écrivait à Mme Hanska :
« Travail enragé. *La Duchesse de Langeais* me coûte plus
que je ne saurais te dire. À mon avis, c'est colossal de
travail, mais ce sera peu apprécié de la foule [3]. » Première
originalité du roman, sa structure. On sait, par l'étude du
manuscrit, que Balzac avait d'abord prévu de commencer
son roman par le début, c'est-à-dire par le chapitre intitulé
« L'amour dans la paroisse de Saint-Thomas d'Aquin ».

---

1. Même les dénouements de ces deux romans ne sont pas sans
rapport : l'héroïne de Mme de La Fayette se retire dans une maison
religieuse, d'où le héros tentera de la faire sortir. Mais contrairement à
la duchesse de Langeais, la princesse de Clèves choisit de ne pas s'exposer aux dangers d'une dernière entrevue. — 2. Lettre à
Mme Hanska, du 28 avril 1834 (*op. cit.*, t. I, p. 157). — 3. Lettre à
Mme Hanska, du 19 février 1834 (*op. cit.*, t. I, p. 139).

Puis lui vint l'idée de commencer plutôt par le dénouement, mais il songeait alors à le donner dans sa totalité
pour opérer ensuite un simple retour en arrière avec le récit
des faits survenus cinq ans plus tôt à Paris. La composition
finale – où le dénouement comprend deux moments (les
retrouvailles, dans le parloir d'un couvent espagnol, d'une
religieuse et d'un officier français, puis l'enlèvement de
cette religieuse par le héros) entre lesquels se situe l'intrigue amoureuse – est donc le fruit d'une profonde
réflexion. Le retour en arrière amorcé au chapitre II sert
dans un premier temps à redoubler la curiosité du lecteur
pour la première histoire. Mais celui-ci découvre bientôt
qu'il s'est laissé duper par l'auteur, et que c'est dans la
seconde intrigue que réside le véritable drame du roman.
En outre, cette seconde histoire est elle-même retardée par
les pages consacrées à l'analyse du faubourg Saint-Germain au début du chapitre II : le retour en arrière est alors
d'autant plus accusé qu'il se double d'un changement de
registre. Autant la scène au couvent plongeait le lecteur en
plein romanesque, autant les pages sur l'aristocratie « faubourg-saint-germanesque » s'adressent à la raison, à l'esprit scientifique du lecteur. Le retour en arrière hérite ainsi
d'une double justification : s'il est un procédé heureux de
la part d'un feuilletoniste désireux de tenir en haleine ses
lecteurs, il est plus encore la marque de l'écrivain réaliste
cherchant à faire suivre le récit d'un événement de l'exposé
de ses causes profondes.

Mais une structure aussi complexe n'était pas sans
mettre en péril l'unité du roman. Aussi sera-t-on sensible
aux nombreux échos qui se répercutent d'une partie du
texte à l'autre, et dont la rumeur à peine perceptible fonde
la véritable unité du roman. De ces différents motifs, la
musique est sans doute le plus évident, ne serait-ce que
par la dédicace du roman à Franz Liszt. La scène initiale
où la sœur Thérèse se fait reconnaître de Montriveau par
l'improvisation qu'elle fait à l'orgue, improvisation où
s'entrecroisent, contre toute vraisemblance, des souvenirs
du *Mose* de Rossini, de vieilles chansons françaises, et
l'air de *Fleuve du Tage* (la romance de Pollet très à la
mode dans les années 1820), appelait nécessairement son
pendant dans la période parisienne du roman. On le

trouve, dans le chapitre II, lorsque Antoinette, pour fuir le trouble que fait naître en elle la tendresse de Montriveau, se réfugie auprès de son piano. Les « célestes accords » qui s'élèvent sont sa première déclaration d'amour : « Hé, mon ami, dit-elle en lui jetant pour la première fois un regard de femme amoureuse, vous ne savez pas [...] que je vous aime. » Cet aveu explique les premières pages du roman, où la musique à nouveau délivre à Montriveau cette douce certitude : « Il était toujours aimé. » La musique réunit donc les amants, mieux que le langage, qui, du boudoir de la duchesse jusqu'au parloir du couvent, ne cessera de les opposer.

Autre motif récurrent, la chambre, disons plutôt la cellule, où celui qui aime vient cacher sa souffrance. Quand Antoinette, lors de son enlèvement, découvre la chambre d'Armand, elle est heureuse de pouvoir la comparer « à la cellule d'un moine ». C'est là que Montriveau venait trouver le réconfort après chaque refus que lui opposait la duchesse : « Vous m'avez fait répandre, sur ce canapé, bien des pleurs que je cachais à tous les yeux. » Puis lorsque la souffrance et l'amour sont devenus le lot d'Antoinette, on la voit qui se débat dans son lit : « Sentant alors la solitude de son lit voluptueux où la volupté n'avait pas encore mis ses pieds chauds, elle s'y roulait, s'y tordait. » Mais ce n'est que dans sa cellule de religieuse, où pénètre Armand à la dernière page du roman, qu'elle sublimera son amour humain : « *Adoremus in aeternum* » (« Adorons pour l'éternité ») est la devise qui en marque l'accès.

Mais l'un des motifs les plus surprenants, et dont la forte récurrence suggère l'importance qu'il devait revêtir aux yeux de Balzac, est l'image de la décapitation. On se souvient bien sûr du titre d'origine, et de la réplique qui l'avait inspiré : « Ne touchez pas à la hache », déclare Montriveau à la duchesse, lors du bal chez la comtesse de Sérizy. Il cite ici la phrase prononcée par le roi d'Angleterre Charles Ier, quelques instants avant sa décapitation en 1649. Mais cette allusion n'est pas la première. Déjà, dans la sévère critique du faubourg Saint-Germain qui ouvre le deuxième chapitre du roman, on trouvait l'image à trois reprises : « Si par hasard une nation fait

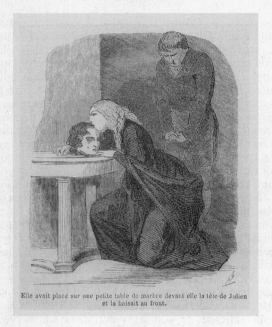

Elle avait placé sur une petite table de marbre devant elle la tête de Julien
et la baisait au front.

Illustration pour *Le Rouge et le Noir* de Stendhal.

tomber son chef à ses pieds, elle s'aperçoit tôt ou tard
qu'elle s'est suicidée. Comme les nations ne veulent pas
mourir, elles travaillent alors à se refaire une tête. » Dans
ce même passage, la révolution de 1830 est présentée
comme le « coup de hache » qui permit de « trancher le
fil de [la] vie agonisante » de l'aristocratie. Enfin,
Louis XVIII est traité de « Louis XI moins la hache » :
une expression étonnante qui fait allusion aux nombreuses décapitations qu'ordonna Louis XI, surnommé
par l'Histoire « le plus terrible roi qui fût jamais en
France ». Plus loin, sera encore évoquée cette noblesse
« heureuse d'obéir au Roi en expirant sous la hache de
Richelieu, et méprisant la guillotine de 89 ». Mais un
grand nombre d'occurrences de cette même image sont à
mettre au compte de Montriveau, qui ressent une sorte de

délectation à imaginer Antoinette menacée par la décollation. Ainsi, dès que naît en lui le désir de vengeance, on l'entend murmurer : « S'il n'y a pas de bourreaux pour de semblables crimes [...], je te prendrai par le chignon du cou, Madame la duchesse, et t'y ferai sentir un fer plus mordant que ne l'est le couteau de la Grève. Acier contre acier, nous verrons quel cœur sera plus tranchant. » En présence d'Antoinette, il évoquera le criminel allongé « sur la planche où la loi veut qu'un assassin soit couché pour perdre la tête ». De même qu'après son enlèvement, Antoinette, assaillie par tant d'allusions menaçantes, déclare sur un ton faussement badin : « Quoique ce soit une plaisanterie, je vais aller voir si sa hache de Londres me troublera jusque dans mon sommeil », de même le lecteur ne peut qu'être troublé dans sa lecture par ces signes dont Balzac a jalonné son texte. Il est, à la récurrence de cette image [1], plusieurs explications : la peine de mort en ces années postrévolutionnaires est devenue un thème littéraire qu'ont traité les écrivains les plus célèbres [2] et qui semble avoir particulièrement obsédé Balzac [3]. Mais le motif de la décapitation est lié ici à l'un des principaux enjeux du livre, à savoir la critique de l'aristocratie. Il réactualise la menace de 1789 à l'intention d'une classe qui, pour Balzac, n'a peut-être jamais autant mérité son châtiment qu'en 1830. À l'égard d'Antoinette, qui apparaît pendant la première époque du roman comme une femme *de tête* (« ta duchesse est tout tête, elle ne sent que par sa tête, elle a un cœur dans la tête, une voix de tête, elle est friande par la tête », répétera Ronquerolles à Montriveau), il s'agit peut-être, par cette image, de rendre sensible la dualité du personnage, à l'es-

---

1. On pourra ajouter cette image au nombre des similitudes qui permettent de rapprocher *Le Rouge et le Noir* (1830) et *La Duchesse de Langeais* (voir R. Fortassier, « Préface », *Histoire des Treize,* dans *La Comédie humaine,* Gallimard, coll. la Pléiade, t. V, 1982, pp. 764-765). — **2.** Voir par exemple *Le Dernier Jour d'un condamné* d'Hugo, *Cinq-Mars* de Vigny, *L'Âne mort* de Janin, ou *Le Rouge et le Noir* de Stendhal. — **3.** Voir par exemple les *Mémoires de Samson, Fœdora* (1823), poème inachevé, dont l'héroïne découvre, en passant par hasard sur la place des exécutions, que l'homme qu'elle aime n'est autre que le bourreau, ou encore *La Peau de chagrin* (1831).

prit corrompu par les maximes du monde, mais dont le cœur est resté intact. Lui retrancher *la tête,* c'est vouloir l'arracher au monde pour la rendre à plus de vérité. Mais ce goût de Montriveau à s'ériger en bourreau pourrait bien éclairer également la signification qu'il convient de donner au personnage. Car « le bourreau, dans nos sociétés, est pire qu'un criminel. [...] il est, personnellement, le réprouvé, Satan sur terre [1] ».

Aussi convient-il pour finir de revenir sur l'ironie du sort par laquelle Montriveau échoue d'arriver toujours trop tard, lui qui se vante de régler le destin « comme on fait d'une montre ». Si l'image passe inaperçue à sa première occurrence, l'insistance avec laquelle, dans la suite du roman, revient ce motif de la pendule, doit éveiller l'attention du lecteur. On voit ainsi réapparaître cette curieuse montre à l'heure de la vengeance (« Montriveau tira froidement sa montre et vérifia l'heure avec une conviction réellement effrayante »), ainsi que dans la chambre du marquis, où la mention d'un réveil étonne d'autant plus que la description insiste par ailleurs sur le dépouillement de la pièce. C'est la montre en effet, et non la hache, qui est le véritable instrument de la vengeance de Montriveau, car nulle part la souffrance d'Antoinette n'est aussi pathétique que lorsqu'elle attend en vain, des heures durant, la visite de celui qu'elle aime : « Dans ce recueillement, les pulsations de sa pendule lui furent odieuses, elles étaient une sorte de bavardage sinistre qu'elle arrêta. Minuit sonna dans le salon. » Et, à la porte de Montriveau dont elle guette un dernier geste d'amour, elle « attendit que huit heures sonnassent. L'heure expira. Cette malheureuse femme se donna dix minutes, un quart d'heure ; enfin, elle voulut voir une nouvelle humiliation dans ce retard, et la foi l'abandonna ». En réalité, nous dira Balzac, la pendule de Montriveau retardait. L'excuse est mince, car attend-on la dernière minute pour sauver l'être aimé ? Aussi ne s'étonnera-t-on pas de voir l'objet symbolique réapparaître une dernière fois au dénouement, pour sanctionner l'échec du marquis : « L'horloge sonna trois heures », précise Balzac, au moment où Montriveau

---

1. P. Barbéris, *Balzac et le mal du siècle,* p. 599.

et de Marsay parviennent aux cellules des religieuses. La gratuité de cette indication est peut-être le meilleur indice de son importance : parce que Montriveau, tout au long du roman, fait figure de révolté[1], parce qu'à plusieurs reprises il s'érige en rival de Dieu (« Dieu ! Dieu ! je dois être seul dans votre cœur », crie-t-il à Antoinette), parce que sa présence au couvent cette nuit-là n'est justifiée que par son désir de « la disputer à Dieu », ces trois coups ne doivent-ils pas être entendus comme la manifestation d'un Dieu courroucé, venu revendiquer son œuvre au dénouement[2] ?

C. CAGNAT-DEBŒUF.

---

1. Voir sur ce point l'article d'A. Michel, « *La Duchesse de Langeais* et le romanesque balzacien », *Figures féminines et roman,* Université de Picardie, Paris, P.U.F., 1982, p. 99. — 2. Outre le titre du dernier chapitre, « Dieu fait les dénouements », Balzac a écrit dans la « Postface » à la première édition de *La Duchesse de Langeais,* à propos des deux premières histoires des Treize : « En ces deux épisodes de leur histoire, la puissance des Treize n'a rencontré d'autres empêchements que l'obstacle éternellement opposé par la nature aux volontés humaines : *la mort* et *Dieu.* »

HISTOIRE DU TEXTE

Balzac avait publié *Ferragus,* le premier épisode de l'*Histoire des Treize,* dans la *Revue de Paris.* Mais n'ayant pu obtenir du directeur une augmentation de ses droits d'auteur, il cessa sa collaboration et choisit *L'Écho de la jeune France* pour y publier sa seconde histoire, dont il commença la rédaction au mois de mars 1833. Le titre en était *Ne touchez pas à la hache.* Dès le mois d'avril suivant, paraissait, dans *L'Écho de la jeune France,* le premier chapitre, « La sœur Thérèse », suivi, en mai, du second, « L'amour dans la paroisse de Saint-Thomas d'Aquin ». Mais Balzac se brouilla alors avec le rédacteur en chef qui ne lui avait pas permis d'apporter, avant la parution du second chapitre, ses dernières corrections. La publication fut donc interrompue, et le roman ne fut terminé qu'en mars 1834. Il parut cette même année dans *Études de mœurs au XIXe siècle.* Dans cette première édition, le texte était divisé en quatre chapitres. La division disparaîtra dans l'édition suivante, celle de Charpentier en 1839, et le titre du roman devint alors *La Duchesse de Langeais.* La troisième édition parut en 1843, dans *La Comédie humaine,* publiée par Furne.

Le texte qui a été ici retenu est celui de l'édition Furne. Il tient compte des quelques corrections notées par Balzac dans les marges de son exemplaire personnel. Toutefois, certaines variantes intéressantes sont indiquées en note, et la division en chapitres qu'avait adoptée le romancier dans l'édition originale a été rétablie.

REPÈRES BIOGRAPHIQUES

1799. Naissance, le 20 mai, à Tours, d'Honoré Balzac dans une famille bourgeoise. Son père, Bernard-François Balzac, a fait carrière dans l'administration des subsistances militaires (en 1802, il deviendra M. de Balzac). Trois autres enfants naîtront : Laure en 1800, Laurence en 1802, Henri en 1807.

1807. Entrée au collège des Oratoriens de Vendôme. Six ans d'internat.

1813. Atteint de troubles attribués à un excès de lecture, Honoré doit quitter le collège.

1814-1816. Honoré redouble durant l'été sa troisième au lycée de Tours. En novembre 1814, installation de la famille Balzac à Paris. Pensionnaire dans une institution, il suit les cours du lycée Charlemagne.

1816. En novembre, il s'inscrit à la faculté de droit et devient clerc de notaire.

1819. Honoré obtient le premier examen de baccalauréat de droit, mais ne passe pas le second. Il décide de devenir homme de lettres et s'installe dans une mansarde rue Lesdiguières, alors que le reste de la famille quitte Paris pour Villeparisis. Il projette plusieurs pièces de théâtre.

1820. Sa tragédie *Cromwell* ayant été accueillie très froidement par son entourage, il rédige ses premiers romans : *Falthurne,* roman historique à la Walter Scott, et *Sténie, ou les Erreurs philosophiques,* qu'il laisse inachevés. Sa sœur Laure se marie avec E. Surville. À la fin de l'année, il rejoint sa famille à Villeparisis.

1821. Début de la collaboration littéraire avec Auguste Lepoitevin. Sa sœur Laurence se marie avec Armand de Montzaigle.

1822. Écrit plusieurs romans en collaboration qui sont publiés sous des pseudonymes (Lord R'Hoone et Horace de Saint-Aubin). Début de sa liaison avec Mme de Berny (1777-1836), laquelle est deux fois plus âgée que Balzac et qui exercera sur lui une grande influence. Il l'appelle Laure ou *la Dilecta,* mais son prénom usuel est Antoinette.

1823. Son mélodrame, *Le Nègre,* est refusé par le théâtre de la Gaîté. En mai, publication du roman *La Dernière Fée,* signé Horace de Saint-Aubin. Écrit un poème intitulé *Fœdora* et travaille à un *Traité de la prière.*

1824. Collaboration à de petits journaux. Publication d'*Annette et le criminel,* signé Horace de Saint-Aubin.

1825. Balzac se lance dans le commerce des livres, et édite les *Œuvres complètes* illustrées de Molière et de La Fontaine. Début de la liaison avec la duchesse d'Abrantès (1784-1838), veuve du général Junot. Mort de sa sœur Laurence. Publication anonyme du roman *Wann-Chlore,* attribué ensuite à Horace de Saint-Aubin.

1826. Balzac s'endette pour acheter une imprimerie. Installé rive gauche, dans l'actuelle rue Visconti, il consacre ses premiers travaux d'imprimeur à une première version de la *Physiologie du mariage.*

1827. Entre en relation avec les écrivains du Cénacle (Victor Hugo, Alfred de Vigny).

1828. Déroute commerciale : Balzac liquide l'imprimerie et reste lourdement endetté. Il se réfugie chez son ami Latouche (1785-1851) et retourne à la littérature.

1829. Fréquente les salons à la mode, ceux de Mme Récamier, de Sophie Gay, du baron Gérard. Début de la correspondance avec Zulma Carraud (1796-1889), qui lui sera une amie fidèle. Mort de son père. Publication du *Dernier Chouan (Les Chouans),* premier roman signé Honoré Balzac, et de la *Physiologie du mariage.*

1830. Activités journalistiques : Balzac collabore à la *Revue de Paris* et à la *Revue des Deux Mondes.* De nombreuses publications ont lieu cette année-là : les premiers « Contes philosophiques » (*Les Deux Rêves, L'Élixir de longue vie...*), et les *Scènes de la vie privée.* Brouillé avec Latouche, il se lie avec des personnalités du monde littéraire, comme Émile de Girardin (1806-1881) et Eugène Sue (1804-1857), et avec des peintres, Auguste Borget, sans doute Delacroix. Il rencontre aussi des aristocrates de haut rang comme le duc de Fitz-James.

1831. En août, paraît *La Peau de chagrin* dont une nouvelle édition, augmentée de divers contes (*Le Chef-d'œuvre inconnu...*), sort à l'automne sous le titre *Romans et Contes philosophiques.* Ambitions politiques et vie mondaine. Fait connaissance de Jules Sandeau, de George Sand, et entre en relation avec la marquise de Castries (1796-1861), nièce du duc de Fitz-James. En décembre, *Le Départ,* évocation de l'exil de Charles X, marque le ralliement de Balzac à la cause légitimiste.

1832. Entre en relation épistolaire avec Mme Ève Hanska (1805 ou 1806-1882) qui est l'épouse d'un riche propriétaire terrien d'Ukraine. Effectue des séjours à Saché, à Angoulême chez ses amis Carraud. À l'automne, échec amoureux auprès de Mme de Castries. Balzac commence *Le Médecin de campagne* et continue à publier dans des revues (*La Femme de trente ans, Le Colonel Chabert...*) comme en librairie (le premier dixain des *Contes drolatiques*).

1833. Liaison secrète avec Maria du Fresnay (1809-1892). Correspondance très active avec Mme Hanska qu'il rencontre en septembre à Neuchâtel, puis à Noël à Genève. Paraissent en mars-avril, dans la *Revue de Paris, Ferragus* ; en avril-mai, dans *L'Écho de la jeune France*, les premiers chapitres de *Ne touchez pas à la hache* ; et, dans *L'Europe littéraire,* la *Théorie de la démarche* ; *Le Médecin de campagne, Eugénie Grandet, L'Illustre Gaudissart.*

1834. Le 26 janvier est pour Balzac le « jour inoubliable » où Mme Hanska est devenue sa maîtresse. C'est aussi à cette période que Balzac, prenant conscience de l'unité de son œuvre, la groupe en trois ensembles (*Études de mœurs au XIXᵉ siècle, Études philosophiques* et *Études analytiques*) et commence à pratiquer le retour des mêmes personnages d'un roman à l'autre. Il publie les *Scènes de la vie privée* (tomes III-

IV), où figure *La Recherche de l'absolu,* et les *Scènes de la vie parisienne* (tomes X-XI) qui contiennent la fin de *Ne touchez pas à la hache* (*La Duchesse de Langeais*) et le début de *La Fille aux yeux d'or.* À la fin de l'année, Balzac recueille Jules Sandeau avec qui il cohabite rue Cassini jusqu'en 1836.

1835. En mars, paraît en librairie *Le Père Goriot.* Balzac se fait installer rue des Batailles à Chaillot un domicile secret, où se trouve le boudoir qu'il décrit dans *La Fille aux yeux d'or.* Liaison avec la comtesse Guidoboni-Visconti (1804-1883). En mai, paraît la fin de *La Fille aux yeux d'or* dans le quatrième volume des *Scènes de la vie parisienne.* Départ pour Vienne où il va retrouver Mme Hanska, qu'il ne verra plus avant 1843. Un éditeur achète le droit de publier ses œuvres de jeunesse sous le titre *Œuvres complètes d'Horace de Saint-Aubin.* Balzac acquiert *La Chronique de Paris,* journal politique et littéraire dont il prend la direction.

1836. Entre en relation avec « Louise » dont l'identité reste mystérieuse. En juin, Balzac gagne un procès contre la *Revue de Paris* au sujet du *Lys dans la vallée.* En juillet, liquidation de *La Chronique de Paris* et mort de Mme de Berny qu'il apprendra au retour d'un voyage à Turin.

Le Lys dans la vallée, Facino Cane, L'Interdiction, La Messe de l'athée.

1837. Long voyage en Italie (février-mai). Graves difficultés financières : poursuivi, il se réfugie chez la comtesse Guidoboni qui paie sa dette pour lui éviter la prison. Paraissent en librairie *La Vieille Fille, César Birotteau,* la première partie des *Illusions perdues.* Achète une maisonnette et des terrains à Sèvres où il veut élire domicile.

1838. Voyage en Sardaigne où il rêve de faire fortune, et en Italie. En juillet, installation à Sèvres, dans la propriété des Jardies.

La Femme supérieure [*Les Employés*], *La Maison Nucingen.* Début de *Splendeurs et misères des courtisanes.*

1839. Grande activité littéraire : *Une fille d'Ève, Gambara, Béatrix ou les Amours forcés, Le Cabinet des*

Antiques, Une princesse parisienne [*Les Secrets de la
princesse de Cadignan*]. En septembre, mène une campagne inutile en faveur du notaire Peytel, condamné à
mort pour le meurtre de sa femme et d'un domestique.
En décembre, candidat à l'Académie française, il se
désiste en faveur de Victor Hugo qui ne sera pas élu.

1840. Vautrin est monté à la Porte-Saint-Martin : la pièce
est aussitôt interdite par le ministère de l'Intérieur.
Lance la *Revue parisienne* qu'il rédige presque seul.
Abandon des Jardies pour raisons financières et installation à Passy (actuelle « maison de Balzac »).
Pierrette. Z. Marcas. Les Fantaisies de Claudine [*Un
prince de la Bohême*].

1841. Signature du contrat avec Furne pour la publication
de *La Comédie humaine* qui paraîtra en 17 volumes
(1842-1848) et un volume posthume (1855).
Paraissent en feuilletons : *Une ténébreuse affaire,
Mémoires de deux jeunes mariées, Ursule Mirouët.* En
librairie : *Le Curé de village, Physiologie de l'employé.*

1842. Nouvel échec théâtral avec *Les Ressources de Qui-
nola* à l'Odéon. Début de la publication de *La Comédie
humaine.*
Albert Savarus. Un début dans la vie. Les Deux Frères
[*La Rabouilleuse*].

1843. De juillet à octobre, séjour à Saint-Pétersbourg,
auprès de Mme Hanska, veuve depuis 1841. *Paméla
Giraud,* montée en l'absence de Balzac à la Gaîté, ne
remporte pas un grand succès.
La Muse du département. Honorine. Illusions perdues.

1844. Balzac espère épouser Mme Hanska : il lui écrit
presque quotidiennement.
Modeste Mignon. Début des *Paysans.*

1845. Séjour à Dresde avec Mme Hanska et sa fille Anna :
il voyage en leur compagnie en Allemagne, en France,
en Hollande, en Belgique, et les laisse en Italie. Seconde
candidature infructueuse à l'Académie française.

1846. Séjour à Rome et en Suisse avec Mme Hanska. En
Allemagne, Balzac est témoin au mariage d'Anna
Hanska. Achète une maison à Paris rue Fortunée en vue
de son mariage avec Mme Hanska. Celle-ci met au

monde un enfant mort-né, au grand désespoir de Balzac.
La Cousine Bette, début du *Cousin Pons.*

1847. Séjour de Mme Hanska à Paris. Il fait d'elle sa légataire universelle, et à la fin de l'année, la rejoint en Ukraine.

Le Cousin Pons. Fin de *Splendeurs et misères des courtisanes.*

1848. De retour à Paris, Balzac assiste aux premières journées de la Révolution. Il nourrit plusieurs projets d'adaptations théâtrales. Séjourne à Saché, où il ressent les premiers symptômes d'une grave maladie de cœur, puis en Ukraine où il retrouve Mme Hanska qu'il ne quittera plus.

1849. Avec Mme Hanska, il passe l'année en Ukraine. Sa santé s'altère : crises cardiaques répétées. Deux nouveaux échecs à l'Académie.

1850. Mariage avec Mme Hanska en mars. Retour à Paris en mai. Balzac meurt le 18 août.

1869-1876. Édition définitive des *Œuvres complètes* de Balzac en vingt-quatre volumes chez Michel Lévy, puis Calmann-Lévy.

INDICATIONS BIBLIOGRAPHIQUES

P. Bertault, *Balzac et la musique religieuse,* Naert, 1929.

T. Bodin, « Du côté de chez Sand », *L'Année balzacienne*, 1972, pp. 239-257.

R. Chollet, « De *Dézespérance d'amour* à *La Duchesse de Langeais* », *L'Année balzacienne,* 1965, pp. 93-120.

R. Chollet, « Trophées de têtes chez Balzac », *L'Année balzacienne*, 1990, pp. 257-272.

P. Citron, « Situations balzaciennes avant Balzac », *L'Année balzacienne*, 1960, pp. 149-160.

D. Delecole, « Le Rocher de Calpe et le couvent de la duchesse de Langeais », *L'Année balzacienne*, 1967, pp. 349-351.

L. Finas, *« La Duchesse de Langeais* : un dénouement à décrochements ou du bon usage de la corde », Seminari Pasquali di Bagni di Lucca, 1987, pp. 35-69.

R. Fortassier, *Les Mondains de* La Comédie humaine, Klincksieck, 1974.

F. Frangi, « Sur *La Duchesse de Langeais.* Un essai de lecture stylistique », *L'Année balzacienne*, 1971, pp. 235-252.

H. Gauthier, « Un projet d'*Étude de femme* : *Les Amours d'une laide* », *L'Année balzacienne*, 1961, pp. 111-136.

B. Guyon, *La Pensée politique et sociale de Balzac,* 2ᵉ éd., A. Colin, 1969.

L. de Laguerenne, « Des variations religieuses pour orgue de *La Duchesse de Langeais* à la sonate de Vinteuil », *L'Année balzacienne*, 1995, pp. 83-97.

D. L. DE LENTENGRE, « Les scandales de la duchesse », Seminari Pasquali di Bagni di Lucca, 1987, pp. 51-62.

A. MICHEL, « La duchesse de Langeais et le romanesque balzacien », *Figures féminines et roman,* Université de Picardie, Paris, P.U.F., 1982, pp. 89-108.

D. PISTONE, « Pianos et pianistes balzaciens. De l'art des sons à l'art des mots », *L'Année balzacienne*, 1996, pp. 55-68.

E. ROY-REVERZY, « *La Duchesse de Langeais* : un romanesque de la séparation ? », *L'Année balzacienne*, 1995, pp. 63-81.

G. THOUVENIN, « La composition de *La Duchesse de Langeais* », *Revue d'histoire littéraire de la France,* 1947, pp. 331-347.

A. VANONCINI, « *La Duchesse de Langeais* ou la mise à mort de l'objet textuel », *Travaux de littérature*, 1991, pp. 209-215.

On pourra également consulter les introductions des éditions suivantes :

La Comédie humaine, éd. Rencontre, Lausanne, t. VI, 1959, introduction par R. CHOLLET.

Histoire des Treize, Garnier frères, 1966, introduction de P.-G. CASTEX.

La Comédie humaine, Seuil, t. IV, 1966, introduction par P. CITRON.

La Comédie humaine, Club de l'honnête homme, t. IX, 1969, introduction par M. BARDÈCHE.

La Duchesse de Langeais. La Fille aux yeux d'or, Gallimard, coll. Folio, 1976, introduction par R. FORTASSIER.

La Comédie humaine, Gallimard, coll. la Pléiade, t. V, 1982, introduction par R. FORTASSIER.

La Duchesse de Langeais, GF-Flammarion, 1988, introduction par M. LICHTLÉ.

LA DUCHESSE DE LANGEAIS

À Franz Liszt [1]

---

1. Franz Liszt (1811-1886), pianiste et compositeur hongrois. Il composa de nombreuses œuvres pour piano, ainsi que de la musique religieuse. Si cette dédicace se justifie par l'importance de la musique dans le roman, elle fut surtout pour Balzac une manière de remercier Liszt de s'être fait son messager auprès de Mme Hanska. Il regrettera cette dédicace, Liszt ayant profité de cette mission pour faire la cour à Mme Hanska.

Franz Liszt (1811-1886).

CHAPITRE PREMIER

LA SŒUR THÉRÈSE [1]

Il existe, dans une ville espagnole située sur une île de la Méditerranée [2], un couvent de Carmélites Déchaussées où la règle de l'ordre institué par sainte Thérèse [3] s'est conservée dans la rigueur primitive de la réformation due à cette illustre femme. Ce fait est vrai, quelque extraordinaire qu'il puisse paraître. Quoique les maisons religieuses de la péninsule et celles du continent aient été presque toutes détruites ou bouleversées par les éclats de la révolution française et des guerres napoléoniennes, cette île ayant été constamment protégée par la marine anglaise, son riche couvent et ses paisibles habitants se trouvèrent à l'abri des troubles et des spoliations géné-

---

1. La division en chapitres fut supprimée par Balzac en 1839. Dans l'édition originale, le titre du chapitre était suivi de l'épigraphe suivante : « C'est une chose merveilleuse que de voir combien cet amour est cordial [tient au cœur] et véhément ; combien de larmes il fait répandre ; combien d'oraisons il coûte ; quel soin on prend de recommander à Dieu la personne aimée ; quel désir presse le cœur de la voir heureuse ; combien de mécontentements et de peines on ressent si, l'ayant trouvée en avant, on l'aperçoit après, tournée en arrière. On est toujours dans la crainte que cette âme, qu'on chérit tant, ne prenne un mauvais chemin, et que, venant à se perdre, on en soit séparé pour jamais. C'est, comme j'ai dit, un amour sans peu ni beaucoup de propre intérêt, tout ce qu'on veut, c'est de voir cette âme riche des dons du ciel » (Sainte Thérèse, *Le Chemin de la perfection*, chap. VII : traduction du R.P. Cyprien de la Nativité de la Vierge, carme déchaussé, 1650). — **2.** Peut-être Majorque, la plus grande des îles Baléares. — **3.** Religieuse et mystique espagnole du XVIᵉ siècle, sainte Thérèse d'Avila fonda de nombreux monastères et réforma l'ordre des carmélites. On appelle cet ordre réformé les carmélites déchaussées parce que les religieuses vont pieds nus.

Extase de sainte Thérèse d'Avila.
Gravure du XVIIe siècle.

rales. Les tempêtes de tout genre qui agitèrent les quinze premières années du dix-neuvième siècle se brisèrent donc devant ce rocher, peu distant des côtes de l'Andalousie[1]. Si le nom de l'Empereur[2] vint bruire jusque sur cette plage, il est douteux que son fantastique cortège de gloire et les flamboyantes majestés de sa vie météorique[3] aient été comprises par les saintes filles agenouillées dans ce cloître. Une rigidité conventuelle que rien n'avait altérée recommandait cet asile dans toutes les mémoires du monde catholique. Aussi la pureté de sa règle y attirat-elle, des points les plus éloignés de l'Europe, de tristes femmes dont l'âme, dépouillée de tous liens humains, soupirait après ce long suicide accompli dans le sein de

---

1. Région du sud de l'Espagne. — **2.** Napoléon. — **3.** Dont la durée est aussi brève que le passage d'un météore.

Dieu. Nul couvent n'était d'ailleurs plus favorable au détachement complet des choses d'ici-bas, exigé par la vie religieuse. Cependant, il se voit sur le continent un grand nombre de ces maisons magnifiquement bâties au gré de leur destination. Quelques-unes sont ensevelies au fond des vallées les plus solitaires ; d'autres suspendues au-dessus des montagnes les plus escarpées, ou jetées au bord des précipices ; partout l'homme a cherché les poésies de l'infini, la solennelle horreur du silence ; partout il a voulu se mettre au plus près de Dieu : il l'a quêté sur les cimes, au fond des abîmes, au bord des falaises, et l'a trouvé partout. Mais nulle autre part que sur ce rocher à demi européen, africain à demi, ne pouvaient se rencontrer autant d'harmonies différentes qui toutes concourussent à si bien élever l'âme, à en égaliser les impressions les plus douloureuses, à en attiédir les plus vives, à faire aux peines de la vie un lit profond. Ce monastère a été construit à l'extrémité de l'île, au point culminant du rocher, qui, par un effet de la grande révolution du globe, est cassé net du côté de la mer, où, sur tous les points, il présente les vives arêtes de ses tables [1] légèrement rongées à la hauteur de l'eau, mais infranchissables. Ce roc est protégé de toute atteinte par des écueils dangereux qui se prolongent au loin, et dans lesquels se joue le flot brillant de la Méditerranée. Il faut donc être en mer pour apercevoir les quatre corps du bâtiment carré dont la forme, la hauteur, les ouvertures ont été minutieusement prescrites par les lois monastiques. Du côté de la ville, l'église masque entièrement les solides constructions du cloître, dont les toits sont couverts de larges dalles qui les rendent invulnérables aux coups de vent, aux orages et à l'action du soleil. L'église, due aux libéralités d'une famille espagnole, couronne la ville. La façade hardie, élégante, donne une grande et belle physionomie à cette petite cité maritime. N'est-ce pas un spectacle empreint de toutes nos sublimités terrestres que l'aspect d'une ville dont les toits pressés, presque tous disposés en amphi-

---

1. Partie culminante d'un plateau et de dimension réduite.

Le duc d'Angoulême saluant le roi Ferdinand VII,
après la prise de Cadix, le 1ᵉʳ octobre 1823.

théâtre[1] devant un joli port, sont surmontés d'un magnifique portail à triglyphe[2] gothique, à campaniles[3], à tours menues, à flèches découpées ? La religion dominant la vie, en en offrant sans cesse aux hommes la fin et les moyens, image tout espagnole d'ailleurs ! Jetez ce paysage au milieu de la Méditerranée, sous un ciel brûlant ; accompagnez-le de quelques palmiers, de plusieurs arbres rabougris, mais vivaces qui mêlaient leurs vertes frondaisons agitées aux feuillages sculptés de l'architecture immobile. Voyez les franges de la mer blanchissant les récifs, et s'opposant au bleu saphir des eaux ; admirez les galeries, les terrasses bâties en haut de chaque maison et où les habitants viennent respirer l'air du soir parmi les fleurs, entre la cime des arbres de leurs petits jardins.

---

1. De manière étagée et semi-circulaire. — **2.** Ornement d'une frise présentant trois entailles profondes et verticales. — **3.** Tour légère et ajourée servant de clocher, et souvent détachée du corps de l'église.

Puis, dans le port, quelques voiles. Enfin, par la sérénité
d'une nuit qui commence, écoutez la musique des orgues,
le chant des offices[1], et les sons admirables des cloches
en pleine mer. Partout du bruit et du calme ; mais plus
souvent le calme partout. Intérieurement, l'église se parta-
geait en trois nefs sombres et mystérieuses. La furie des
vents ayant sans doute interdit à l'architecte de construire
latéralement ces arcs-boutants[2] qui ornent presque partout
les cathédrales, et entre lesquels sont pratiquées des cha-
pelles, les murs qui flanquaient les deux petites nefs et
soutenaient ce vaisseau n'y répandaient aucune lumière.
Ces fortes murailles présentaient à l'extérieur l'aspect de
leurs masses grisâtres, appuyées, de distance en distance,
sur d'énormes contreforts[3]. La grande nef et ses deux
petites galeries latérales étaient donc uniquement éclai-
rées par la rose à vitraux coloriés, attachée avec un art
miraculeux au-dessus du portail, dont l'exposition favorable avait permis le luxe des dentelles de pierre et des
beautés particulières à l'ordre improprement nommé
gothique[4]. La plus grande portion de ces trois nefs était
livrée aux habitants de la ville, qui venaient y entendre la
messe et les offices. Devant le chœur, se trouvait une
grille derrière laquelle pendait un rideau brun à plis nombreux, légèrement entrouvert au milieu, de manière à ne
laisser voir que l'officiant[5] et l'autel. La grille était séparée, à intervalles égaux, par des piliers qui soutenaient
une tribune intérieure et les orgues. Cette construction, en
harmonie avec les ornements de l'église, figurait extérieurement, en bois sculpté, les colonnettes des galeries sup-
portées par les piliers de la grande nef. Il eût donc été
impossible à un curieux assez hardi pour monter sur
l'étroite balustrade de ces galeries de voir dans le chœur
autre chose que les longues fenêtres octogones et colo-

---

1. La journée des religieuses est rythmée par différents temps de
prières, appelés offices. — 2. Murs terminés en demi-arc et servant à
soutenir un autre mur. — 3. Murs servant d'appui à un autre mur.
— 4. Le style *gothique* (plus proprement appelé style ogival) ne pro-
vient pas, malgré son nom, des Goths. C'est pourquoi Balzac dénonce
l'emploi du terme *gothique* comme impropre. — 5. Le prêtre.

riées qui s'élevaient par pans égaux, autour du maître-
autel [1].

Lors de l'expédition française faite en Espagne pour
établir l'autorité du roi Ferdinand VII [2], et après la prise
de Cadix, un général français, venu dans cette île pour y
faire reconnaître le gouvernement royal, y prolongea son
séjour, dans le but de voir ce couvent, et trouva moyen
de s'y introduire. L'entreprise était certes délicate. Mais
un homme de passion, un homme dont la vie n'avait été,
pour ainsi dire, qu'une suite de poésies en action et qui
avait toujours fait des romans au lieu d'en écrire, un
homme d'exécution surtout, devait être tenté par une
chose en apparence impossible. S'ouvrir légalement les
portes d'un couvent de femmes ? À peine le pape ou l'archevêque métropolitain [3] l'eussent-ils permis. Employer
la ruse ou la force ? en cas d'indiscrétion, n'était-ce pas
perdre son état, toute sa fortune militaire, et manquer le
but ? Le duc d'Angoulême [4] était encore en Espagne, et
de toutes les fautes que pouvait impunément commettre
un homme aimé par le généralissime [5], celle-là seule l'eût
trouvé sans pitié. Ce général avait sollicité sa mission afin
de satisfaire une secrète curiosité, quoique jamais curiosité n'ait été plus désespérée. Mais cette dernière tentative
était une affaire de conscience. La maison de ces Carmélites était le seul couvent espagnol qui eût échappé à ses
recherches. Pendant la traversée, qui ne dura pas une
heure, il s'éleva dans son âme un pressentiment favorable
à ses espérances. Puis, quoique du couvent il n'eût vu que
les murailles, que de ces religieuses il n'eût pas même
aperçu les robes, et qu'il n'eût écouté que les chants de
la Liturgie, il rencontra sous ces murailles et dans ces
chants de légers indices qui justifièrent son frêle espoir.

----

1. Autel principal dans une église. — **2.** Ferdinand VII (1784-1833)
fut contraint à abdiquer par Napoléon. Restauré en 1814, il vit à nouveau son pouvoir compromis par la révolte de Cadix, en 1820. La
France fut chargée de restaurer en Espagne le pouvoir absolu du roi
Ferdinand VII. Cadix capitula devant l'armée française en octobre
1823. — **3.** Archevêque dont dépendent plusieurs évêques. — **4.** Le
duc d'Angoulême est le fils aîné de Charles X. C'est lui qui dirigeait
l'expédition française en Espagne. — **5.** Titre du duc d'Angoulême,
général commandant en chef des troupes françaises.

Enfin, quelque légers que fussent des soupçons si bizarrement réveillés, jamais passion humaine ne fut plus violemment intéressée que ne l'était alors la curiosité du général. Mais il n'y a point de petits événements pour le cœur ; il grandit tout ; il met dans les mêmes balances la chute d'un empire de quatorze ans et la chute d'un gant de femme, et presque toujours le gant y pèse plus que l'empire. Or, voici les faits dans toute leur simplicité positive. Après les faits viendront les émotions.

Une heure après que le général eut abordé cet îlot, l'autorité royale y fut rétablie. Quelques Espagnols constitutionnels[1], qui s'y étaient nuitamment réfugiés après la prise de Cadix, s'embarquèrent sur un bâtiment que le général leur permit de fréter pour s'en aller à Londres. Il n'y eut donc là ni résistance ni réaction. Cette petite Restauration insulaire n'allait pas sans une messe, à laquelle durent assister les deux compagnies commandées pour l'expédition. Or, ne connaissant pas la rigueur de la clôture[2] chez les Carmélites Déchaussées, le général avait espéré pouvoir obtenir, dans l'église, quelques renseignements sur les religieuses enfermées dans le couvent, dont une d'elles peut-être lui était plus chère que la vie et plus précieuse que l'honneur. Ses espérances furent d'abord cruellement déçues. La messe fut, à la vérité, célébrée avec pompe. En faveur de la solennité, les rideaux qui cachaient habituellement le chœur furent ouverts, et en laissèrent voir les richesses, les précieux tableaux et les châsses[3] ornées de pierreries, dont l'éclat effaçait celui des nombreux *ex-voto*[4] d'or et d'argent attachés par les marins de ce port aux piliers de la grande nef. Les religieuses s'étaient toutes réfugiées dans la tribune de l'orgue. Cependant, malgré ce premier échec, durant la messe d'actions de grâces, se développa largement le drame le plus secrètement intéressant qui jamais ait fait battre un cœur d'homme. La sœur qui touchait l'orgue

---

1. On appelait ainsi les révoltés de Cadix qui voulaient imposer au roi d'Espagne une constitution libérale. — 2. Loi interdisant ou limitant l'entrée et la sortie d'un couvent cloîtré. — 3. Coffrets en pierre, en bois ou en métal, où l'on garde les reliques des saints. — 4. Tableaux ou plaques avec inscription, placés dans une église en mémoire d'un vœu.

excita un si vif enthousiasme qu'aucun des militaires ne
regretta d'être venu à l'office. Les soldats même y trouvèrent du plaisir, et tous les officiers furent dans le ravisse-
ment. Quant au général, il resta calme et froid en
apparence. Les sensations que lui causèrent les différents
morceaux exécutés par la religieuse sont du petit nombre
de choses dont l'expression est interdite à la parole, et la
rend impuissante, mais qui, semblables à la mort, à Dieu,
à l'Éternité, ne peuvent s'apprécier que dans le léger point
de contact qu'elles ont avec les hommes. Par un singulier
hasard, la musique des orgues paraissait appartenir à
l'école de Rossini[1], le compositeur qui a transporté le
plus de passion humaine dans l'art musical, et dont les
œuvres inspireront quelque jour, par leur nombre et leur
étendue, un respect homérique[2]. Parmi les partitions dues
à ce beau génie, la religieuse semblait avoir plus particulièrement étudié celle du *Mose*[3], sans doute parce que le
sentiment de la musique sacrée s'y trouve exprimé au
plus haut degré. Peut-être ces deux esprits, l'un si glorieusement européen, l'autre inconnu, s'étaient-ils rencontrés
dans l'intuition d'une même poésie. Cette opinion était
celle de deux officiers, vrais *dilettanti*[4], qui regrettaient
sans doute en Espagne le théâtre Favart[5]. Enfin, au *Te
Deum*[6], il fut impossible de ne pas reconnaître une âme
française dans le caractère que prit soudain la musique.
Le triomphe du Roi Très Chrétien[7] excitait évidemment
la joie la plus vive au fond du cœur de cette religieuse.
Certes elle était française. Bientôt le sentiment de la patrie
éclata, jaillit comme une gerbe de lumière dans une
réplique des orgues où la sœur introduisit des motifs qui
respirèrent toute la délicatesse du goût parisien, et auxquels se mêlèrent vaguement les pensées de nos plus
beaux airs nationaux. Des mains espagnoles n'eussent pas

---

1. Rossini (1792-1868), compositeur italien. — 2. Se dit de quelque
chose de fabuleux (en référence à Homère et aux poèmes qu'on lui
attribue). — 3. *Mose in Egitto (Moïse en Égypte)* est une œuvre de
Rossini, adaptée pour l'opéra en 1827. — 4. Amateurs passionnés de
musique. — 5. Le théâtre Favart, sur l'emplacement de l'actuel Opéra-
Comique, abritait la troupe des chanteurs italiens. Il fut pendant un
temps dirigé par Rossini. — 6. Hymne d'action de grâces. — 7. C'est-
à-dire le roi de France.

mis, à ce gracieux hommage fait aux armes victorieuses, la chaleur qui acheva de déceler l'origine de la musicienne.

« Il y a donc de la France partout ? » dit un soldat.

Le général était sorti pendant le *Te Deum*, il lui avait été impossible de l'écouter. Le jeu de la musicienne lui dénonçait une femme aimée avec ivresse, et qui s'était si profondément ensevelie au cœur de la religion et si soigneusement dérobée aux regards du monde, qu'elle avait échappé jusqu'alors à des recherches obstinées adroitement faites par des hommes qui disposaient et d'un grand pouvoir et d'une intelligence supérieure. Le soupçon réveillé dans le cœur du général fut presque justifié par le vague rappel d'un air délicieux de mélancolie, l'air de *Fleuve du Tage*[1], romance[2] française dont souvent il avait entendu jouer le prélude[3] dans un boudoir de Paris à la personne qu'il aimait, et dont cette religieuse venait alors de se servir pour exprimer, au milieu de la joie des triomphateurs, les regrets d'une exilée. Terrible sensation ! Espérer la résurrection d'un amour perdu, le retrouver encore perdu, l'entrevoir mystérieusement, après cinq années pendant lesquelles la passion s'était irritée dans le vide, et agrandie par l'inutilité des tentatives faites pour la satisfaire !

Qui, dans sa vie, n'a pas, une fois au moins, bouleversé son chez-soi, ses papiers, sa maison, fouillé sa mémoire avec impatience en cherchant un objet précieux, et ressenti l'ineffable plaisir de le trouver, après un jour ou deux consumés en recherches vaines ; après avoir espéré, désespéré de le rencontrer ; après avoir dépensé les irritations les plus vives de l'âme pour ce rien important qui causait presque une passion ? Eh bien, étendez cette espèce de rage sur cinq années ; mettez une femme, un cœur, un amour à la place de ce rien ; transportez la passion dans les plus hautes régions du sentiment ; puis sup-

---

1. Mélodie de Pollet (1753-1823), très à la mode dans les années 1820, et dont voici le premier couplet :

Fleuve du Tage, / Je fuis tes bords heureux ! / A ton rivage / J'adresse mes adieux. / Rochers, bois de la rive, / Écho, nymphe plaintive, / Adieu, je vais / vous quitter pour jamais ! — **2.** Chanson tendre, divisée en couplets. — **3.** Introduction musicale.

posez un homme ardent, un homme à cœur et face de lion, un de ces hommes à crinière qui imposent et communiquent à ceux qui les envisagent une respectueuse terreur ! Peut-être comprendrez-vous alors la brusque sortie du général pendant le *Te Deum*, au moment où le prélude d'une romance jadis écoutée avec délices par lui, sous des lambris[1] dorés, vibra sous la nef de cette église marine.

Il descendit la rue montueuse qui conduisait à cette église, et ne s'arrêta qu'au moment où les sons graves de l'orgue ne parvinrent plus à son oreille. Incapable de songer à autre chose qu'à son amour, dont la volcanique éruption lui brûlait le cœur, le général français ne s'aperçut de la fin du *Te Deum* qu'au moment où l'assistance espagnole descendit par flots. Il sentit que sa conduite ou son attitude pouvaient paraître ridicules, et revint prendre sa place à la tête du cortège, en disant à l'alcade[2] et au gouverneur de la ville qu'une subite indisposition l'avait obligé d'aller prendre l'air. Puis, afin de pouvoir rester dans l'île, il songea soudain à tirer parti de ce prétexte d'abord insouciamment donné. Objectant l'aggravation de son malaise, il refusa de présider le repas offert par les autorités insulaires aux officiers français ; il se mit au lit, et fit écrire au major général pour lui annoncer la passagère maladie qui le forçait de remettre à un colonel le commandement des troupes. Cette ruse si vulgaire, mais si naturelle, le rendit libre de tout soin pendant le temps nécessaire à l'accomplissement de ses projets. En homme essentiellement catholique et monarchique, il s'informa de l'heure des offices et affecta le plus grand attachement aux pratiques religieuses, piété qui, en Espagne, ne devait surprendre personne.

Le lendemain même, pendant le départ de ses soldats, le général se rendit au couvent pour assister aux vêpres[3]. Il trouva l'église désertée par les habitants qui, malgré

---

1. Revêtements de menuiserie ou de stuc appliqués sur les murs d'une pièce. — **2.** En Espagne, officier de justice. — **3.** Office religieux célébré en fin d'après-midi.

leur dévotion, étaient allés voir sur le port l'embarcation [1]
des troupes. Le Français, heureux de se trouver seul dans
l'église, eut soin d'en faire retentir les voûtes sonores du
bruit de ses éperons ; il y marcha bruyamment, il toussa,
il se parla tout haut à lui-même pour apprendre aux religieuses, et surtout à la musicienne, que, si les Français
partaient, il en restait un. Ce singulier avis fut-il entendu,
compris ?... le général le crut. Au *Magnificat*[2], les orgues
semblèrent lui faire une réponse qui lui fut apportée par
les vibrations de l'air. L'âme de la religieuse vola vers
lui sur les ailes de ses notes, et s'émut dans le mouvement
des sons. La musique éclata dans toute sa puissance ; elle
échauffa l'église. Ce chant de joie, consacré par la
sublime liturgie de la Chrétienté romaine pour exprimer
l'exaltation de l'âme en présence des splendeurs du Dieu
toujours vivant, devint l'expression d'un cœur presque
effrayé de son bonheur, en présence des splendeurs d'un
périssable amour qui durait encore et venait l'agiter au-
delà de la tombe religieuse où s'ensevelissent les femmes
pour renaître épouses du Christ.

L'orgue est certes le plus grand, le plus audacieux, le
plus magnifique de tous les instruments créés par le génie
humain. Il est un orchestre entier, auquel une main habile
peut tout demander, il peut tout exprimer. N'est-ce pas,
en quelque sorte, un piédestal sur lequel l'âme se pose
pour s'élancer dans les espaces lorsque, dans son vol, elle
essaie de tracer mille tableaux, de peindre la vie, de parcourir l'infini qui sépare le ciel de la terre ? Plus un poète
en écoute les gigantesques harmonies, mieux il conçoit
qu'entre les hommes agenouillés et le Dieu caché par les
éblouissants rayons du sanctuaire les cent voix de ce
chœur terrestre peuvent seules combler les distances, et
sont le seul truchement[3] assez fort pour transmettre au
ciel les prières humaines dans l'omnipotence[4] de leurs
modes, dans la diversité de leurs mélancolies, avec les
teintes de leurs méditatives extases, avec les jets impétueux de leurs repentirs et les mille fantaisies de toutes

---

1. Au sens d'embarquement. — **2.** Cantique de la Vierge qu'on
chante aux vêpres et qui commence par ce mot. — **3.** Interprète.
— **4.** Toute-puissance.

les croyances. Oui, sous ces longues voûtes, les mélodies
enfantées par le génie des choses saintes trouvent des
grandeurs inouïes dont elles se parent et se fortifient. Là,
le jour affaibli, le silence profond, les chants qui alternent
avec le tonnerre des orgues, font à Dieu comme un voile
à travers lequel rayonnent ses lumineux attributs. Toutes
ces richesses sacrées semblèrent être jetées comme un
grain d'encens sur le frêle autel de l'Amour à la face du
trône éternel d'un Dieu jaloux et vengeur. En effet, la joie
de la religieuse n'eut pas ce caractère de grandeur et de
gravité qui doit s'harmonier[1] avec les solennités du
Magnificat ; elle lui donna de riches, de gracieux développements, dont les différents rythmes accusaient une gaieté
humaine. Ses motifs eurent le brillant des roulades[2] d'une
cantatrice qui tâche d'exprimer l'amour, et ses chants sautillèrent comme l'oiseau près de sa compagne. Puis, par
moments, elle s'élançait par bonds dans le passé pour y
folâtrer, pour y pleurer tour à tour. Son mode changeant
avait quelque chose de désordonné comme l'agitation de
la femme heureuse du retour de son amant. Puis, après
les fugues flexibles du délire et les effets merveilleux de
cette reconnaissance fantastique, l'âme qui parlait ainsi
fit un retour sur elle-même. La musicienne, passant du
majeur au mineur[3], sut instruire son auditeur de sa situation présente. Soudain elle lui raconta ses longues mélancolies et lui dépeignit sa lente maladie morale. Elle avait
aboli chaque jour un sens, retranché chaque nuit quelque
pensée, réduit graduellement son cœur en cendres. Après
quelques molles ondulations, sa musique prit, de teinte en
teinte, une couleur de tristesse profonde. Bientôt les échos
versèrent les chagrins à torrents. Enfin tout à coup les
hautes notes firent détonner[4] un concert de voix angéliques, comme pour annoncer à l'amant perdu, mais non
pas oublié, que la réunion des deux âmes ne se ferait plus
que dans les cieux : touchante espérance ! Vint l'*Amen*.
Là, plus de joie ni de larmes dans les airs ; ni mélancolie,
ni regrets. L'*Amen* fut un retour à Dieu ; ce dernier accord

---

   1. S'harmoniser. — **2.** Gammes montantes ou descendantes chan-
tées sur une seule syllabe. — **3.** Le mode mineur est plus mélancolique
que le mode majeur. — **4.** *Détonner* : se détacher.

fut grave, solennel terrible. La musicienne déploya tous les crêpes [1] de la religieuse, et, après les derniers grondements des basses, qui firent frémir les auditeurs jusque dans leurs cheveux, elle sembla s'être replongée dans la tombe d'où elle était pour un moment sortie. Quand les airs eurent, par degrés, cessé leurs vibrations oscillatoires, vous eussiez dit que l'église, jusque-là lumineuse, rentrait dans une profonde obscurité.

Le général avait été rapidement emporté par la course de ce vigoureux génie, et l'avait suivi dans les régions qu'il venait de parcourir. Il comprenait, dans toute leur étendue, les images dont abonda cette brûlante symphonie, et pour lui ces accords allaient bien loin. Pour lui, comme pour la sœur, ce poème était l'avenir, le présent et le passé. La musique, même celle du théâtre, n'est-elle pas, pour les âmes tendres et poétiques, pour les cœurs souffrants et blessés, un texte qu'ils développent au gré de leurs souvenirs ? S'il faut un cœur de poète pour faire un musicien, ne faut-il pas de la poésie et de l'amour pour écouter, pour comprendre les grandes œuvres musicales ? La Religion, l'Amour et la Musique ne sont-ils pas la triple expression d'un même fait, le besoin d'expansion dont est travaillée toute âme noble ? Ces trois poésies vont toutes à Dieu, qui dénoue toutes les émotions terrestres. Aussi cette sainte Trinité humaine participe-t-elle des grandeurs infinies de Dieu, que nous ne configurons jamais sans l'entourer des feux de l'amour, des sistres [2] d'or de la musique, de lumière et d'harmonie. N'est-il pas le principe et la fin de nos œuvres ?

Le Français devina que, dans ce désert, sur ce rocher entouré par la mer, la religieuse s'était emparée de la musique pour y jeter le surplus de passion qui la dévorait. Était-ce un hommage fait à Dieu de son amour, était-ce le triomphe de l'amour sur Dieu ? questions difficiles à décider. Mais, certes, le général ne put douter qu'il ne retrouvât en ce cœur mort au monde une passion tout aussi brûlante que l'était la sienne. Les vêpres finies, il

---

1. Tissus légers de couleur noire portés d'ordinaire en signe de deuil. — **2.** Anciens instruments de musique à percussion, en usage dans l'ancienne Égypte.

*« Il n'avait pu d'abord soutenir l'écrasante émotion
qui s'éleva comme un tourbillon dans son cœur. »*

revint chez l'alcade, où il était logé. Restant d'abord en
proie aux mille jouissances que prodigue une satisfaction
longtemps attendue, péniblement cherchée, il ne vit rien
au-delà. Il était toujours aimé. La solitude avait grandi
l'amour dans ce cœur, autant que l'amour avait été grandi
dans le sien par les barrières successivement franchies et
mises par cette femme entre elle et lui. Cet épanouisse-
ment de l'âme eut sa durée naturelle. Puis vint le désir de
revoir cette femme, de la disputer à Dieu, de la lui ravir,
projet téméraire qui plut à cet homme audacieux. Après
le repas, il se coucha pour éviter les questions, pour être
seul, pour pouvoir penser sans trouble, et resta plongé
dans les méditations les plus profondes, jusqu'au lendemain matin. Il ne se leva que pour aller à la messe. Il vint
à l'église, il se plaça près de la grille ; son front touchait
le rideau ; il aurait voulu le déchirer, mais il n'était pas

seul : son hôte l'avait accompagné par politesse, et la moindre imprudence pouvait compromettre l'avenir de sa passion, en ruiner les nouvelles espérances. Les orgues se firent entendre, mais elles n'étaient plus touchées par les mêmes mains. La musicienne des deux jours précédents ne tenait plus le clavier. Tout fut pâle et froid pour le général. Sa maîtresse était-elle accablée par les mêmes émotions sous lesquelles succombait presque un vigoureux cœur d'homme ? Avait-elle si bien partagé, compris un amour fidèle et désiré, qu'elle en fût mourante sur son lit dans sa cellule ? Au moment où mille réflexions de ce genre s'élevaient dans l'esprit du Français, il entendit résonner près de lui la voix de la personne qu'il adorait, il en reconnut le timbre clair. Cette voix, légèrement altérée par un tremblement qui lui donnait toutes les grâces que prête aux jeunes filles leur timidité pudique, tranchait sur la masse du chant, comme celle d'une *prima donna*[1] sur l'harmonie d'un finale[2]. Elle faisait à l'âme l'effet que produit aux yeux un filet d'argent ou d'or dans une frise obscure. C'était donc bien elle ! Toujours Parisienne, elle n'avait pas dépouillé sa coquetterie, quoiqu'elle eût quitté les parures du monde pour le bandeau[3], pour la dure étamine[4] des Carmélites. Après avoir signé son amour la veille, au milieu des louanges adressées au Seigneur, elle semblait dire à son amant : « Oui, c'est moi, je suis là, j'aime toujours ; mais je suis à l'abri de l'amour. Tu m'entendras, mon âme t'enveloppera, et je resterai sous le linceul brun de ce chœur d'où nul pouvoir ne saurait m'arracher. Tu ne me verras pas. »

« C'est bien elle ! » se dit le général en relevant son front, en le dégageant de ses mains, sur lesquelles il l'avait appuyé ; car il n'avait pu d'abord soutenir l'écrasante émotion qui s'éleva comme un tourbillon dans son cœur quand cette voix connue vibra sous les arceaux[5], accompagnée par le murmure des vagues. L'orage était au-dehors, et le calme dans le sanctuaire. Cette voix si

---

1. Titre de la cantatrice qui tient le premier rôle dans un opéra. — **2.** Morceau d'ensemble terminant un acte d'opéra. — **3.** Bande de tissu qui couvre le front des religieuses. — **4.** Tissu léger qui sert à la confection des vêtements de religieux. — **5.** Courbures des voûtes.

riche continuait à déployer toutes ses câlineries, elle arrivait comme un baume sur le cœur embrasé de cet amant, elle fleurissait dans l'air, qu'on désirait mieux aspirer pour y reprendre les émanations d'une âme exhalée avec amour dans les paroles de la prière. L'alcade vint rejoindre son hôte, il le trouva fondant en larmes à l'élévation[1], qui fut chantée par la religieuse[2], et l'emmena chez lui. Surpris de rencontrer tant de dévotion dans un militaire français, l'alcade avait invité à souper le confesseur du couvent, et il en prévint le général, auquel jamais nouvelle n'avait fait autant de plaisir. Pendant le souper, le confesseur fut l'objet des attentions du Français, dont le respect intéressé confirma les Espagnols dans la haute opinion qu'ils avaient prise de sa piété. Il demanda gravement le nombre des religieuses, des détails sur les revenus du couvent et sur ses richesses, en homme qui paraissait vouloir entretenir poliment le bon vieux prêtre des choses dont il devait être le plus occupé. Puis il s'informa de la vie que menaient ces saintes filles. Pouvaient-elles sortir ? les voyait-on ?

« Seigneur, dit le vénérable ecclésiastique, la règle est sévère. S'il faut une permission de Notre Saint-Père[3] pour qu'une femme vienne dans une maison de Saint-Bruno[4], ici même rigueur. Il est impossible à un homme d'entrer dans un couvent de Carmélites Déchaussées, à moins qu'il ne soit prêtre et attaché par l'archevêque au service de la Maison. Aucune religieuse ne sort. Cependant LA GRANDE SAINTE (la mère Thérèse) a souvent quitté sa cellule. Le Visiteur[5] ou les Mères supérieures[6] peuvent seules permettre à une religieuse, avec l'autorisation de l'archevêque, de voir des étrangers, surtout en cas de maladie. Or nous sommes un chef d'ordre[7], et nous avons conséquemment une Mère supérieure au couvent. Nous

---

1. Moment de la messe où le prêtre élève l'hostie et le calice. — 2. Balzac se trompe : leur règle interdisait le chant aux carmélites. — 3. Le pape. — 4. Fondateur en 1084 de l'ordre des chartreux, connu pour son austérité. — 5. Religieux chargé d'inspecter certains couvents de son ordre. — 6. Religieuses qui dirigent une communauté. — 7. Maison principale d'un ordre, dont dépendent les autres.

avons, entre autres étrangères, une Française, la sœur
Thérèse, celle qui dirige la musique de la chapelle[1].

— Ah ! répondit le général en feignant la surprise. Elle
a dû être satisfaite du triomphe des armes de la maison
de Bourbon ?

— Je leur ai dit l'objet de la messe, elles sont toujours
un peu curieuses.

— Mais la sœur Thérèse peut avoir des intérêts en
France, elle voudrait peut-être y faire savoir quelque
chose, en demander des nouvelles ?

— Je ne le crois pas, elle se serait adressée à moi pour
en savoir.

— En qualité de compatriote, dit le général, je serais
bien curieux de la voir... Si cela est possible, si la Supérieure y consent, si...

— À la grille, et même en présence de la Révérende
Mère, une entrevue serait impossible pour qui que ce
soit ; mais en faveur d'un libérateur du trône catholique
et de la sainte religion, malgré la rigidité de la Mère, la
règle peut dormir un moment, dit le confesseur en cli-
gnant les yeux. J'en parlerai.

— Quel âge a la sœur Thérèse ? demanda l'amant qui
n'osa pas questionner le prêtre sur la beauté de la religieuse.

— Elle n'a plus d'âge », répondit le bonhomme avec
une simplicité qui fit frémir le général.

Le lendemain matin, avant la sieste, le confesseur vint
annoncer au Français que la sœur Thérèse et la Mère
consentaient à le recevoir à la grille du parloir[2], avant
l'heure des vêpres. Après la sieste, pendant laquelle le
général dévora le temps en allant se promener sur le port,
par la chaleur du midi, le prêtre revint le chercher, et l'introduisit dans le couvent ; il le guida sous une galerie qui lon-
geait le cimetière, et dans laquelle quelques fontaines,
plusieurs arbres verts et des arceaux multipliés entretenaient une fraîcheur en harmonie avec le silence du lieu.
Parvenus au fond de cette longue galerie, le prêtre fit entrer
son compagnon dans une salle partagée en deux parties par

---

1. Ensemble des religieuses chargées de la musique et du chant.
— 2. Dans les couvents, salle destinée à recevoir les visiteurs.

une grille couverte d'un rideau brun. Dans la partie en
quelque sorte publique, où le confesseur laissa le général,
régnait, le long du mur, un banc de bois ; quelques chaises
également en bois se trouvaient près de la grille. Le plafond
était composé de solives [1] saillantes, en chêne vert, et sans
nul ornement. Le jour ne venait dans cette salle que par
deux fenêtres situées dans la partie affectée aux religieuses,
en sorte que cette faible lumière, mal reflétée par un bois à
teintes brunes, suffisait à peine pour éclairer le grand Christ
noir, le portrait de sainte Thérèse et un tableau de la Vierge
qui décoraient les parois grises du parloir. Les sentiments
du général prirent donc, malgré leur violence, une couleur
mélancolique. Il devint calme dans ce calme domestique.
Quelque chose de grand comme la tombe le saisit sous ces
frais planchers. N'était-ce pas son silence éternel, sa paix
profonde, ses idées d'infini ? Puis, la quiétude et la pensée
fixe du cloître, cette pensée qui se glisse dans l'air, dans le
clair-obscur, dans tout, et qui, n'étant tracée nulle part, est
encore agrandie par l'imagination, ce grand mot : *la paix
dans le Seigneur*, entre, là, de vive force, dans l'âme la
moins religieuse. Les couvents d'hommes se conçoivent
peu ; l'homme y semble faible : il est né pour agir, pour
accomplir une vie de travail à laquelle il se soustrait dans
sa cellule. Mais dans un monastère de femmes, combien de
vigueur virile et de touchante faiblesse ! Un homme peut
être poussé par mille sentiments au fond d'une abbaye, il
s'y jette comme dans un précipice ; mais la femme n'y
vient jamais qu'entraînée par un seul sentiment : elle ne s'y
dénature pas, elle épouse Dieu. Vous pouvez dire aux religieux : Pourquoi n'avez-vous pas lutté ? Mais la réclusion
d'une femme n'est-elle pas toujours une lutte sublime ?
Enfin, le général trouva ce parloir muet et ce couvent perdu
dans la mer tout pleins de lui. L'amour arrive rarement à
la solennité ; mais l'amour encore fidèle au sein de Dieu,
n'était-ce pas quelque chose de solennel, et plus qu'un
homme n'avait le droit d'espérer au dix-neuvième siècle,
par les mœurs qui courent ? Les grandeurs infinies de cette
situation pouvaient agir sur l'âme du général, il était précisément assez élevé pour oublier la politique, les honneurs,

---

1. Poutres.

« Le rideau brun se tira ;
puis il vit dans la lumière une femme debout. »
Illustration de E. Lampsonius, pour *La Duchesse de Langeais*.

l'Espagne, le monde de Paris, et monter jusqu'à la hauteur de ce dénouement grandiose. D'ailleurs, quoi de plus véritablement tragique ? Combien de sentiments dans la situation des deux amants seuls réunis au milieu de la mer sur un banc de granit, mais séparés par une idée, par une barrière infranchissable ! Voyez l'homme se disant : « Triompherai-je de Dieu dans ce cœur ? » Un léger bruit fit tressaillir cet homme, le rideau brun se tira ; puis il vit dans la lumière une femme debout, mais dont la figure lui était cachée par le prolongement du voile plié sur la tête : suivant la règle de la maison, elle était vêtue de cette robe dont la couleur est devenue proverbiale [1]. Le général ne put apercevoir les pieds nus de la religieuse, qui lui en auraient attesté l'effrayante maigreur ; cependant, malgré les plis nombreux de la robe grossière qui couvrait et ne parait plus cette femme, il devina que les larmes, la prière, la passion, la vie solitaire l'avaient déjà desséchée.

La main glacée d'une femme, celle de la Supérieure sans doute, tenait encore le rideau ; et le général, ayant examiné le témoin nécessaire de cet entretien, rencontra le regard noir et profond d'une vieille religieuse, presque centenaire, regard clair et jeune, qui démentait les rides nombreuses par lesquelles le pâle visage de cette femme était sillonné.

« Madame la duchesse, demanda-t-il d'une voix fortement émue à la religieuse qui baissait la tête, votre compagne entend-elle le français ?

— Il n'y a pas de duchesse ici, répondit la religieuse. Vous êtes devant la sœur Thérèse. La femme, celle que vous nommez ma compagne, est ma Mère en Dieu, ma Supérieure ici-bas. »

Ces paroles, si humblement prononcées par la voix qui jadis s'harmoniait avec le luxe et l'élégance au milieu desquels avait vécu cette femme, reine de la mode à Paris, par une bouche dont le langage était jadis si léger, si moqueur, frappèrent le général comme l'eût fait un coup de foudre.

« Ma sainte Mère ne parle que le latin et l'espagnol, ajouta-t-elle.

---

1. La couleur carmélite est le brun pâle.

— Je ne sais ni l'un ni l'autre. Ma chère Antoinette, excusez-moi près d'elle. »

En entendant son nom doucement prononcé par un homme naguère si dur pour elle, la religieuse éprouva une vive émotion intérieure que trahirent les légers tremblements de son voile, sur lequel la lumière tombait en plein.

« Mon frère, dit-elle en portant sa manche sous son voile pour s'essuyer les yeux peut-être, je me nomme la sœur Thérèse... »

Puis elle se tourna vers la Mère, et lui dit, en espagnol, ces paroles que le général entendait parfaitement ; il en savait assez pour le comprendre, et peut-être aussi pour le parler :

« Ma chère Mère, ce cavalier vous présente ses respects, et vous prie de l'excuser de ne pouvoir les mettre lui-même à vos pieds ; mais il ne sait aucune des deux langues que vous parlez... »

La vieille inclina la tête lentement, sa physionomie prit une expression de douceur angélique, rehaussée néanmoins par le sentiment de sa puissance et de sa dignité.

« Tu connais ce cavalier ? lui demanda la Mère en lui jetant un regard pénétrant.

— Oui, ma Mère.

— Rentre dans ta cellule, ma fille ! » dit la Supérieure d'un ton impérieux.

Le général s'effaça vivement derrière le rideau, pour ne pas laisser deviner sur son visage les émotions terribles qui l'agitaient ; et, dans l'ombre, il croyait voir encore les yeux perçants de la Supérieure. Cette femme, maîtresse de la fragile et passagère félicité dont la conquête coûtait tant de soins, lui avait fait peur, et il tremblait, lui qu'une triple rangée de canons n'avait jamais effrayé. La duchesse marchait vers la porte, mais elle se retourna : « Ma Mère, dit-elle d'un ton de voix horriblement calme, ce Français est un de mes frères.

— Reste donc, ma fille ! » répondit la vieille femme après une pause.

Cet admirable jésuitisme [1] accusait tant d'amour et de

---

1. Mensonge rusé, hypocrisie.

regrets, qu'un homme moins fortement organisé[1] que ne l'était le général se serait senti défaillir en éprouvant de si vifs plaisirs au milieu d'un immense péril, pour lui tout nouveau. De quelle valeur étaient donc les mots, les regards, les gestes dans une scène où l'amour devait échapper à des yeux de lynx, à des griffes de tigre ! La sœur Thérèse revint.

« Vous voyez, mon frère, ce que j'ose faire pour vous entretenir un moment de votre salut, et des vœux que mon âme adresse pour vous chaque jour au ciel. Je commets un péché mortel[2]. J'ai menti. Combien de jours de pénitence pour effacer ce mensonge ! mais ce sera souffrir pour vous. Vous ne savez pas, mon frère, quel bonheur est d'aimer dans le ciel, de pouvoir s'avouer ses sentiments alors que la religion les a purifiés, les a transportés dans les régions les plus hautes, et qu'il nous est permis de ne plus regarder qu'à l'âme. Si les doctrines, si l'esprit de la sainte à laquelle nous devons cet asile ne m'avaient pas enlevée loin des misères terrestres, et ravie bien loin de la sphère où elle est, mais certes au-dessus du monde, je ne vous eusse pas revu. Mais je puis vous voir, vous entendre et demeurer calme...

— Hé bien, Antoinette, s'écria le général en l'interrompant à ces mots, faites que je vous voie, vous que j'aime maintenant avec ivresse, éperdument, comme vous avez voulu être aimée par moi.

— Ne m'appelez pas Antoinette, je vous en supplie. Les souvenirs du passé me font mal. Ne voyez ici que la sœur Thérèse, une créature confiante en la miséricorde divine. Et, ajouta-t-elle après une pause, modérez-vous, mon frère. Notre Mère nous séparerait impitoyablement, si votre visage trahissait des passions mondaines, ou si vos yeux laissaient tomber des pleurs. »

Le général inclina la tête comme pour se recueillir. Quand il leva les yeux sur la grille, il aperçut, entre deux barreaux, la figure amaigrie, pâle, mais ardente encore de la religieuse. Son teint, où jadis fleurissaient tous les enchantements de la jeunesse, où l'heureuse opposition d'un blanc mat contrastait avec les couleurs de la rose du

---

1. Constitué, trempé. — 2. Qui entraîne la damnation.

Bengale [1], avait pris le ton chaud d'une coupe de porcelaine sous laquelle est enfermée une faible lumière. La
belle chevelure dont cette femme était si fière avait été
rasée. Un bandeau ceignait son front et enveloppait son
visage. Ses yeux, entourés d'une meurtrissure due aux
austérités de cette vie, lançaient, par moments, des rayons
fiévreux, et leur calme habituel n'était qu'un voile. Enfin,
de cette femme il ne restait que l'âme.

« Ah ! vous quitterez ce tombeau, vous qui êtes devenue ma vie ! Vous m'apparteniez, et n'étiez pas libre de
vous donner, même à Dieu. Ne m'avez-vous pas promis
de sacrifier tout au moindre de mes commandements ?
Maintenant vous me trouverez peut-être digne de cette
promesse, quand vous saurez ce que j'ai fait pour vous.
Je vous ai cherchée dans le monde entier. Depuis cinq
ans, vous êtes ma pensée de tous les instants, l'occupation
de ma vie. Mes amis, des amis bien puissants, vous le
savez, m'ont aidé de toute leur force à fouiller les couvents de France, d'Italie, d'Espagne, de Sicile, de l'Amérique. Mon amour s'allumait plus vif à chaque recherche
vaine ; j'ai souvent fait de longs voyages sur un faux
espoir, j'ai dépensé ma vie et les plus larges battements
de mon cœur autour des murailles noires de plusieurs
cloîtres. Je ne vous parle pas d'une fidélité sans bornes,
qu'est-ce ? un rien en comparaison des vœux infinis de
mon amour. Si vous avez été vraie jadis dans vos
remords, vous ne devez pas hésiter à me suivre aujour-
d'hui.

— Vous oubliez que je ne suis pas libre.

— Le duc est mort », répondit-il vivement.

La sœur Thérèse rougit.

« Que le ciel lui soit ouvert, dit-elle avec une vive émotion, il a été généreux pour moi. Mais je ne parlais pas
de ces liens, une de mes fautes a été de vouloir les briser
tous sans scrupule pour vous.

— Vous parlez de vos vœux, s'écria le général en
fronçant les sourcils. Je ne croyais pas que quelque chose
vous pesât au cœur plus que votre amour. Mais n'en dou-

---

1. La rose du Bengale est de couleur rose ou rouge.

tez pas, Antoinette, j'obtiendrai du Saint-Père un bref[1]
qui déliera vos serments. J'irai certes à Rome, j'implore-
rai toutes les puissances de la terre ; et si Dieu pouvait
descendre, je le...

— Ne blasphémez pas.

— Ne vous inquiétez donc pas de Dieu ! Ah ! j'aime-
rais bien mieux savoir que vous franchiriez pour moi ces
murs ; que, ce soir même, vous vous jetteriez dans une
barque au bas des rochers. Nous irions être heureux je ne
sais où, au bout du monde ! Et, près de moi, vous revien-
driez à la vie, à la santé, sous les ailes de l'Amour.

— Ne parlez pas ainsi, reprit la sœur Thérèse, vous
ignorez ce que vous êtes devenu pour moi. Je vous aime
bien mieux que je ne vous ai jamais aimé. Je prie Dieu
tous les jours pour vous, et je ne vous vois plus avec les
yeux du corps. Si vous connaissiez, Armand, le bonheur
de pouvoir se livrer sans honte à une amitié pure que
Dieu protège ! Vous ignorez combien je suis heureuse
d'appeler les bénédictions du ciel sur vous. Je ne prie
jamais pour moi : Dieu fera de moi suivant ses volontés.
Mais vous, je voudrais, au prix de mon éternité, avoir
quelque certitude que vous êtes heureux en ce monde, et
que vous serez heureux en l'autre, pendant tous les
siècles. Ma vie éternelle est tout ce que le malheur m'a
laissé à vous offrir. Maintenant, je suis vieillie dans les
larmes, je ne suis plus ni jeune ni belle ; d'ailleurs vous
mépriseriez une religieuse devenue femme, qu'aucun sentiment, même l'amour maternel, n'absoudrait[2]... Que me
direz-vous qui puisse balancer les innombrables
réflexions accumulées dans mon cœur depuis cinq
années, et qui l'ont changé, creusé, flétri ? J'aurais dû le
donner moins triste à Dieu !

— Ce que je dirai, ma chère Antoinette ! je dirai que
je t'aime ; que l'affection, l'amour, l'amour vrai, le bonheur de vivre dans un cœur tout à nous, entièrement à
nous, sans réserve, est si rare et si difficile à rencontrer,
que j'ai douté de toi, que je t'ai soumise à de rudes épreu-
ves ; mais aujourd'hui je t'aime de toutes les puissances

---

1. Autorisation délivrée par le pape. — 2. L'édition Furne, que Balzac n'a pas corrigée ici, donne « n'absoudrait pas ». Nous corrigeons.

de mon âme : si tu me suis dans la retraite, je n'entendrai plus d'autre voix que la tienne, je ne verrai plus d'autre visage que le tien...

— Silence, Armand ! Vous abrégez le seul instant pendant lequel il nous sera permis de nous voir ici-bas.

— Antoinette, veux-tu me suivre ?

— Mais je ne vous quitte pas. Je vis dans votre cœur, mais autrement que par un intérêt de plaisir mondain [1], de vanité, de jouissance égoïste ; je vis ici pour vous, pâle et flétrie, dans le sein de Dieu ! S'il est juste, vous serez heureux...

— Phrases que tout cela ! Et si je te veux pâle et flétrie ? Et si je ne puis être heureux qu'en te possédant ? Tu connaîtras donc toujours des devoirs en présence de ton amant ? Il n'est donc jamais au-dessus de tout dans ton cœur ? Naguère, tu lui préférais la société, toi, je ne sais quoi ; maintenant, c'est Dieu, c'est mon salut. Dans la sœur Thérèse, je reconnais toujours la duchesse ignorante des plaisirs de l'amour, et toujours insensible sous les apparences de la sensibilité. Tu ne m'aimes pas, tu n'as jamais aimé...

— Ha, mon frère...

— Tu ne veux pas quitter cette tombe, tu aimes mon âme, dis-tu ? Eh bien, tu la perdras à jamais, cette âme, je me tuerai [2]...

— Ma Mère, cria la sœur Thérèse en espagnol, je vous ai menti, cet homme est mon amant ! »

Aussitôt le rideau tomba. Le général, demeuré stupide [3], entendit à peine les portes intérieures se fermant avec violence.

« Ah ! elle m'aime encore ! s'écria-t-il en comprenant tout ce qu'il y avait de sublime dans le cri de la religieuse, il faut l'enlever d'ici... »

Le général quitta l'île, revint au quartier général, il allé-

---

1. Mondain s'oppose ici à religieux. — **2.** Au XIXᵉ siècle, l'Église condamne sévèrement le suicide. Celui qui mettait fin à ses jours était considéré comme plus coupable qu'un meurtrier. — **3.** Paralysé par l'étonnement, interdit (emploi archaïque).

gua des raisons de santé, demanda un congé et retourna
promptement en France.

Voici maintenant l'aventure qui avait déterminé la
situation respective où se trouvaient alors les deux personnages de cette scène.

CHAPITRE II

L'AMOUR DANS LA PAROISSE
DE SAINT-THOMAS D'AQUIN [1]

Ce que l'on nomme en France le faubourg Saint-Germain [2] n'est ni un quartier, ni une secte, ni une institution, ni rien qui se puisse nettement exprimer. La place Royale [3], le faubourg Saint-Honoré [4], la Chaussée d'Antin [5] possèdent également des hôtels où se respire l'air du faubourg Saint-Germain. Ainsi, déjà tout le faubourg n'est pas dans le faubourg. Des personnes nées fort loin de son influence peuvent la ressentir et s'agréger à ce monde, tandis que certaines autres qui y sont nées peuvent en être à jamais bannies. Les manières, le parler, en un mot la tradition faubourg Saint-Germain est à Paris,

---

1. Dans l'édition originale, le titre du chapitre était suivi de l'épigraphe suivante : « Malheur à celle dont le premier attachement est moins l'effet du sentiment et du goût, que celui de l'effervescence et du caprice. Sans la peur du diable, Corinne eût été une Laïs ; le seul respect humain ne l'eût pas contenue » (*Doutes sur différentes opinions reçues dans la société*, par Mlle de Sommery). Mlle de Sommery animait au XVIIIᵉ siècle un salon brillant. Son ouvrage parut en deux volumes en 1782. Laïs est une prostituée grecque. Le personnage de Corinne n'a pas été identifié. — 2. Situé sur la rive gauche, le faubourg Saint-Germain était alors le quartier de Paris le plus prisé par l'aristocratie, qui y fit élever au XVIIIᵉ siècle de nombreux hôtels particuliers. Mais comme l'explique ici Balzac, il s'agit moins pour lui d'évoquer un quartier de Paris que sa population, la noblesse légitimiste qui vécut là sous la Restauration. — 3. Actuelle place des Vosges, habitée au XIXᵉ siècle par la noblesse de robe et la haute finance. — 4. Le faubourg Saint-Honoré, situé rive droite au nord des Champs-Élysées, était depuis le XVIIIᵉ siècle l'un des quartiers les plus élégants de Paris. — 5. Quartier neuf, allant de l'Opéra à la barrière de Clichy, et où résidait la grande bourgeoisie.

depuis environ quarante ans, ce que la Cour y était jadis, ce qu'était l'hôtel Saint-Paul [1] dans le quatorzième siècle, le Louvre [2] au quinzième, le Palais [3], l'hôtel Rambouillet [4], la place Royale [5] au seizième, puis Versailles au dix-septième et au dix-huitième siècle. À toutes les phases de l'histoire, le Paris de la haute classe et de la noblesse a eu son centre, comme le Paris vulgaire aura toujours le sien. Cette singularité périodique offre une ample matière aux réflexions de ceux qui veulent observer ou peindre les différentes zones sociales ; et peut-être ne doit-on pas en rechercher les causes seulement pour justifier le caractère de cette aventure, mais aussi pour servir à de graves intérêts, plus vivaces dans l'avenir que dans le présent, si toutefois l'expérience n'est pas un non-sens pour les partis comme pour la jeunesse. Les grands seigneurs et les gens riches, qui singeront toujours les grands seigneurs, ont, à toutes les époques, éloigné leurs maisons des endroits très habités. Si le duc d'Uzès se bâtit, sous le règne de Louis XIV, le bel hôtel à la porte duquel il mit la fontaine de la rue Montmartre, acte de bienfaisance qui le rendit, outre ses vertus, l'objet d'une vénération si populaire que le quartier suivit en masse son convoi, ce coin de Paris était alors désert. Mais aussitôt que les fortifications s'abattirent [6], que les marais situés au-delà des boulevards s'emplirent de maisons, la famille d'Uzès quitta ce bel hôtel, habité de nos jours par un banquier [7]. Puis la noblesse, compromise au milieu des boutiques,

---

1. Lieu de résidence des rois Charles V (1338-1380) et Charles VI (1368-1422), qui fut détruit au XVIe siècle pour percer l'actuelle rue Charles-V. — **2.** Le choix du Louvre comme résidence royale et son embellissement datent plutôt du XVIe siècle. — **3.** Le Palais-Cardinal, devenu par la suite le Palais-Royal, était le somptueux logis que se fit construire au début du XVIIe siècle le cardinal de Richelieu. — **4.** Cet hôtel fut, au début du XVIIe siècle, le centre d'une vie culturelle et mondaine particulièrement brillante. — **5.** La place Royale ne fut formée qu'en 1605 et inaugurée en 1612. — **6.** À la fin du XVIIe siècle, les murailles qui entouraient Paris au nord (de la Madeleine à la Bastille) sont abattues et les fossés comblés. On aménage à la place une large allée, appelée boulevard. Vers 1750, les boulevards deviennent à la mode : la finance et la noblesse y élèvent de beaux hôtels. — **7.** L'hôtel d'Uzès, situé 178, rue Montmartre, était habité en 1833 par le banquier Benjamin Delessert.

abandonna la place Royale, les alentours du centre parisien, et passa la rivière afin de pouvoir respirer à son
aise dans le faubourg Saint-Germain, où déjà des palais
s'étaient élevés autour de l'hôtel bâti par Louis XIV au
duc du Maine[1], le Benjamin[2] de ses légitimés. Pour les
gens accoutumés aux splendeurs de la vie, est-il en effet
rien de plus ignoble que le tumulte, la boue, les cris, la
mauvaise odeur, l'étroitesse des rues populeuses ? Les
habitudes d'un quartier marchand ou manufacturier[3] ne
sont-elles pas constamment en désaccord avec les habitudes des Grands ? Le Commerce et le Travail se cou-
chent au moment où l'aristocratie songe à dîner, les uns
s'agitent bruyamment quand l'autre se repose ; leurs calculs ne se rencontrent jamais, les uns sont la recette, et
l'autre est la dépense. De là des mœurs diamétralement
opposées. Cette observation n'a rien de dédaigneux. Une
aristocratie est en quelque sorte la pensée d'une société,
comme la bourgeoisie et les prolétaires en sont l'organisme et l'action. De là des sièges différents pour ces
forces ; et, de leur antagonisme, vient une antipathie
apparente que produit la diversité de mouvements faits
néanmoins dans un but commun. Ces discordances
sociales résultent si logiquement de toute charte constitu-
tionnelle, que le libéral le plus disposé à s'en plaindre,
comme d'un attentat envers les sublimes idées sous lesquelles les ambitieux des classes inférieures cachent leurs
desseins, trouverait prodigieusement ridicule à M. le
prince de Montmorency de demeurer rue Saint-Martin[4],
au coin de la rue qui porte son nom, ou à M. le duc
de Fitz-James, le descendant de la race royale écossaise,
d'avoir son hôtel rue Marie-Stuart[5], au coin de la rue

---

1. Fils légitimé de Louis XIV et de Mme de Montespan. Son hôtel
se trouvait rue de Bourbon (actuelle rue de Lille). — **2.** Au sens
d'« enfant préféré ». — **3.** Où se trouvent de nombreux ateliers d'arti-
sans. — **4.** La rue Saint-Martin, dans laquelle donne la rue de Montmorency, est bourgeoise et non aristocratique : elle serait donc indigne
du duc de Montmorency, membre de la haute noblesse. — **5.** Le duc
de Fitz-James, bien qu'il descende de la reine d'Écosse Marie Stuart,
ne saurait habiter rue Marie-Stuart, celle-ci étant située dans un quartier
mal famé.

Montorgueil. *Sint ut sunt, aut non sint* [1], ces belles paroles
pontificales peuvent servir de devise aux Grands de tous
les pays. Ce fait, patent à chaque époque, et toujours
accepté par le peuple, porte en lui des raisons d'état : il
est à la fois un effet et une cause, un principe et une loi.
Les masses ont un bon sens qu'elles ne désertent qu'au
moment où les gens de mauvaise foi les passionnent. Ce
bon sens repose sur des vérités d'un ordre général, vraies
à Moscou comme à Londres, vraies à Genève comme à
Calcutta. Partout, lorsque vous rassemblerez des familles
d'inégale fortune sur un espace donné, vous verrez se
former des cercles supérieurs, des patriciens [2], des première, seconde et troisième sociétés. L'égalité sera peut-
être un *droit*, mais aucune puissance humaine ne saura le
convertir en *fait*. Il serait bien utile pour le bonheur de la
France d'y populariser cette pensée. Aux masses les
moins intelligentes se révèlent encore les bienfaits de
l'harmonie politique. L'harmonie est la poésie de l'ordre,
et les peuples ont un vif besoin d'ordre. La concordance
des choses entre elles, l'unité, pour tout dire en un mot,
n'est-elle pas la plus simple expression de l'ordre ? L'architecture, la musique, la poésie, tout dans la France s'ap-
puie, plus qu'en aucun autre pays, sur ce principe, qui
d'ailleurs est écrit au fond de son clair et pur langage, et
la langue sera toujours la plus infaillible formule d'une
nation. Aussi voyez-vous le peuple y adoptant les airs les
plus poétiques, les mieux modulés ; s'attachant aux idées
les plus simples ; aimant les motifs incisifs qui contiennent le plus de pensées. La France est le seul pays où
quelque petite phrase puisse faire une grande révolution.
Les masses ne s'y sont jamais révoltées que pour essayer
de mettre d'accord les hommes, les choses et les principes. Or, nulle autre nation ne sent mieux la pensée
d'unité qui doit exister dans la vie aristocratique, peut-
être parce que nulle autre n'a mieux compris les néces-

---

1. « Qu'ils soient ce qu'ils sont ou qu'ils ne soient pas. » Réponse
attribuée tantôt au pape Clément XIII, tantôt au général des jésuites,
lorsque le gouvernement français, en 1762, exigea une réforme des
statuts de la Société de Jésus. — 2. À Rome, les patriciens étaient les
citoyens qui appartenaient au premier ordre de l'État. Par extension,
on appelle ainsi les membres de la noblesse.

sités politiques : l'histoire ne la trouvera jamais en arrière. La France est souvent trompée, mais comme une femme l'est, par des idées généreuses, par des sentiments chaleureux dont la portée échappe d'abord au calcul.

Ainsi déjà, pour premier trait caractéristique, le faubourg Saint-Germain a la splendeur de ses hôtels, ses grands jardins, leur silence, jadis en harmonie avec la magnificence de ses fortunes territoriales. Cet espace mis entre une classe et toute une capitale n'est-il pas une consécration matérielle des distances morales qui doivent les séparer ? Dans toutes les créations, la tête a sa place marquée. Si par hasard une nation fait tomber son chef[1] à ses pieds, elle s'aperçoit tôt ou tard qu'elle s'est suicidée. Comme les nations ne veulent pas mourir, elles travaillent alors à se refaire une tête. Quand la nation n'en a plus la force, elle périt, comme ont péri Rome, Venise et tant d'autres[2]. La distinction introduite par la différence des mœurs entre les autres sphères d'activité sociale et la sphère supérieure implique nécessairement une valeur réelle, capitale, chez les sommités aristocratiques. Dès qu'en tout État, sous quelque forme qu'affecte le *Gouvernement*, les patriciens manquent à leurs conditions de supériorité complète, ils deviennent sans force, et le peuple les renverse aussitôt. Le peuple veut toujours leur voir aux mains, au cœur et à la tête, la fortune, le pouvoir et l'action ; la parole, l'intelligence et la gloire. Sans cette triple puissance, tout privilège s'évanouit. Les peuples, comme les femmes, aiment la force en quiconque les gouverne, et leur amour ne va pas sans le respect ; ils n'accordent point leur obéissance à qui ne l'impose pas. Une aristocratie mésestimée est comme un roi fainéant, un mari en jupon ; elle est nulle avant de n'être rien. Ainsi, la séparation des Grands, leurs mœurs tranchées ; en un mot, le costume[3] général des castes patriciennes est tout à la fois le symbole d'une puissance réelle, et les raisons de leur mort quand elles ont perdu la puissance. Le faubourg Saint-Germain s'est laissé momentanément abattre

---

1. Tête. — **2.** L'empire romain succomba en 410 sous l'invasion des Wisigoths, et la république de Venise fut supprimée par Napoléon en 1797. — **3.** Au sens de « mœurs, usages ».

Panorama des rives de la Seine : la rive gauche vers 1830.

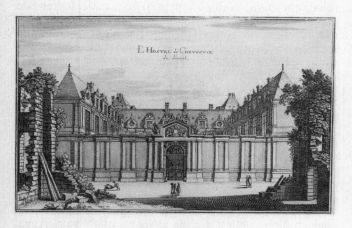

L'hôtel de Chevreuse.
*« Pour premier trait caractéristique, le faubourg Saint-Germain
a la splendeur de ses hôtels, ses grands jardins... »*

pour n'avoir pas voulu reconnaître les obligations de son existence qu'il lui était encore facile de perpétuer. Il devait avoir la bonne foi de voir à temps, comme le vit l'aristocratie anglaise, que les institutions ont leurs années climatériques [1] où les mêmes mots n'ont plus les mêmes significations, où les idées prennent d'autres vêtements, et où les conditions de la vie politique changent totalement de forme, sans que le fond soit essentiellement altéré. Ces idées veulent des développements qui appartiennent essentiellement à cette aventure, dans laquelle ils entrent, et comme définition des causes, et comme explication des faits.

Le grandiose des châteaux et des palais aristocratiques, le luxe de leurs détails, la somptuosité constante des ameublements, l'*aire* dans laquelle s'y meut sans gêne, et sans éprouver de froissement, l'heureux propriétaire, riche avant de naître ; puis l'habitude de ne jamais descendre au calcul des intérêts journaliers et mesquins de l'existence, le temps dont il dispose, l'instruction supérieure qu'il peut prématurément acquérir ; enfin les traditions patriciennes qui lui donnent des forces sociales que ses adversaires compensent à peine par des études, par une volonté, par une vocation tenaces ; tout devrait élever l'âme de l'homme qui, dès le jeune âge, possède de tels privilèges, lui imprimer ce haut respect de lui-même dont la moindre conséquence est une noblesse de cœur en harmonie avec la noblesse du nom. Cela est vrai pour quelques familles. Çà et là, dans le faubourg Saint-Germain, se rencontrent de beaux caractères, exceptions qui prouvent contre l'égoïsme général qui a causé la perte de ce monde à part. Ces avantages sont acquis à l'aristocratie française, comme à toutes les efflorescences [2] patriciennes qui se produiront à la surface des nations aussi longtemps qu'elles assiéront leur existence sur le *domaine* [3], le domaine-sol comme le domaine-argent, seule base solide d'une société régulière ; mais ces avantages ne demeurent aux patriciens de toute sorte qu'autant qu'ils maintiennent

---

1. Qui appartiennent à un âge de la vie regardé comme critique. — **2.** Fleurs produites au début de la floraison. — **3.** Au sens juridique de « possession d'un bien ».

les conditions auxquelles le peuple les leur laisse. C'est des espèces de fiefs moraux dont la *tenure*[1] oblige envers le souverain, et ici le souverain est certes aujourd'hui le peuple. Les temps sont changés, et aussi les armes. Le banneret[2] à qui suffisait jadis de porter la cotte de maille, le haubert[3], de bien manier la lance et de montrer son pennon[4], doit aujourd'hui faire preuve d'intelligence ; et là où il n'était besoin que d'un grand cœur, il faut, de nos jours, un large crâne. L'art, la science et l'argent forment le triangle social où s'inscrit l'écu[5] du pouvoir, et d'où doit procéder la moderne aristocratie. Un beau théorème vaut un grand nom. Les Rothschild, ces Fugger modernes[6], sont princes de fait. Un grand artiste est réellement un oligarque[7], il représente tout un siècle, et devient presque toujours une loi. Ainsi, le talent de la parole, les machines à haute pression de l'écrivain, le génie du poète, la constance du commerçant, la volonté de l'homme d'État qui concentre en lui mille qualités éblouissantes, le glaive du général, ces conquêtes personnelles faites par un seul sur toute la société pour lui imposer, la classe aristocratique doit s'efforcer d'en avoir aujourd'hui le monopole, comme jadis elle avait celui de la force matérielle. Pour rester à la tête d'un pays, ne faut-il pas être toujours digne de le conduire ; en être l'âme et l'esprit, pour en faire agir les mains ? Comment mener un peuple sans avoir les puissances qui font le commandement ? Que serait le bâton des maréchaux sans la force intrinsèque du capitaine qui le tient à la main ? Le faubourg Saint-Germain a joué avec des bâtons, en croyant qu'ils étaient tout le pouvoir. Il avait renversé les termes de la

---

1. Mode de possession d'un fief, le fief étant, au Moyen Âge, la terre (ou autre bien) qu'un vassal tenait d'un seigneur. — **2.** Seigneur féodal qui avait assez de vassaux pour posséder le droit de lever bannière. — **3.** Tunique de mailles des hommes d'armes au Moyen Âge. — **4.** Étendard triangulaire de la lance d'un chevalier. — **5.** Bouclier portant les armes d'un noble. — **6.** Les Rothschild, installés en France depuis 1812, étaient devenus sous la monarchie de Juillet (1830-1848) des banquiers particulièrement puissants. S'impose ainsi à Balzac le rapprochement avec les Fugger qui furent, au XVIe siècle, les banquiers de l'empereur Charles Quint. — **7.** Dans une oligarchie, le pouvoir est détenu par un petit groupe d'individus, appelés oligarques.

proposition qui commande son existence. Au lieu de jeter les insignes qui choquaient le peuple et de garder secrètement la force, il a laissé saisir la force à la bourgeoisie, s'est cramponné fatalement aux insignes, et a constamment oublié les lois que lui imposait sa faiblesse numérique. Une aristocratie, qui personnellement[1] fait à peine le millième d'une société, doit aujourd'hui, comme jadis, y multiplier ses moyens d'action pour y opposer, dans les grandes crises, un poids égal à celui des masses populaires. De nos jours, les moyens d'action doivent être des forces réelles, et non des souvenirs historiques. Malheureusement, en France, la noblesse, encore grosse de son ancienne puissance évanouie, avait contre elle une sorte de présomption dont il était difficile qu'elle se défendît. Peut-être est-ce un défaut national. Le Français, plus que tout autre homme, ne conclut jamais en dessous de lui, il va du degré sur lequel il se trouve au degré supérieur : il plaint rarement les malheureux au-dessus desquels il s'élève, il gémit toujours de voir tant d'heureux au-dessus de lui. Quoiqu'il ait beaucoup de cœur, il préfère trop souvent écouter son esprit. Cet instinct national qui fait toujours aller les Français en avant, cette vanité qui ronge leurs fortunes et les régit aussi absolument que le principe d'économie régit les Hollandais, a dominé depuis trois siècles la noblesse, qui, sous ce rapport, fut éminemment française. L'homme du faubourg Saint-Germain a toujours conclu de sa supériorité matérielle en faveur de sa supériorité intellectuelle. Tout, en France, l'en a convaincu, parce que depuis l'établissement du faubourg Saint-Germain, révolution aristocratique commencée le jour où la monarchie quitta Versailles, le faubourg Saint-Germain s'est, sauf quelques lacunes, toujours appuyé sur le pouvoir, qui sera toujours en France plus ou moins faubourg Saint-Germain : de là sa défaite en 1830[2]. À cette époque, il était comme une armée opérant sans avoir de base. Il n'avait point profité de la paix pour s'implanter dans le cœur de la nation. Il péchait par un défaut d'instruction et par un manque total de vue sur l'ensemble de

1. En nombre de personnes. — 2. Avec l'avènement de Louis-Philippe, et l'instauration d'une monarchie bourgeoise.

ses intérêts. Il tuait un avenir certain, au profit d'un présent douteux. Voici peut-être la raison de cette fausse politique. La distance physique et morale que ces supériorités s'efforçaient de maintenir entre elles et le reste de la nation a fatalement eu pour tout résultat, depuis quarante ans, d'entretenir dans la haute classe le sentiment personnel en tuant le patriotisme de caste. Jadis, alors que la noblesse française était grande, riche et puissante, les gentilshommes savaient, dans le danger, se choisir des chefs et leur obéir. Devenus moindres, ils se sont montrés indisciplinables ; et, comme dans le Bas-Empire[1], chacun d'eux voulait être empereur ; en se voyant tous égaux par leur faiblesse, ils se crurent tous supérieurs. Chaque famille ruinée par la révolution, ruinée par le partage égal des biens, ne pensa qu'à elle, au lieu de penser à la grande famille aristocratique, et il leur semblait que si toutes s'enrichissaient, le parti serait fort. Erreur. L'argent aussi n'est qu'un signe de la puissance. Composées de personnes qui conservaient les hautes traditions de bonne politesse, d'élégance vraie, de beau langage, de pruderie et d'orgueil nobiliaires, en harmonie avec leurs existences, occupations mesquines quand elles sont devenues le principal d'une vie de laquelle elles ne doivent être que l'accessoire, toutes ces familles avaient une certaine valeur intrinsèque, qui, mise en superficie, ne leur laisse qu'une valeur nominale. Aucune de ces familles n'a eu le courage de se dire : Sommes-nous assez fortes pour porter le pouvoir ? Elles se sont jetées dessus comme firent les avocats en 1830[2]. Au lieu de se montrer protecteur comme un Grand[3], le faubourg Saint-Germain fut avide comme un parvenu. Du jour où il fut prouvé à la nation la plus intelligente du monde que la noblesse restaurée organisait le pouvoir et le budget à son profit, ce jour, elle fut mortellement malade. Elle voulait être une aristocratie quand elle ne pouvait plus être qu'une oligar-

---

1. Durant le IVe siècle ap. J.-C., période dite du Bas-Empire, il y eut à plusieurs reprises deux empereurs romains : l'un gouvernait l'Orient, l'autre l'Occident. — 2. Parmi les partisans de la monarchie de Juillet qui portèrent Louis-Philippe au pouvoir, se comptaient nombre d'avocats (Dupin, Barrot). — 3. Personnage occupant un rang élevé.

chie [1], deux systèmes bien différents, et qu[...] tout homme assez habile pour lire attentiv[...] patronymiques des lords de la Chambre ha[...] le gouvernement royal eut de bonnes intenti[...] oubliait constamment qu'il faut tout faire vouloir au peuple, même son bonheur, et que la France, femme capricieuse, veut être heureuse ou battue à son gré. S'il y avait eu beaucoup de ducs de Laval que sa modestie a fait digne de son nom [3], le trône de la branche aînée serait devenu solide autant que l'est celui de la maison de Hanovre [4]. En 1814, mais surtout en 1820, la noblesse française avait à dominer l'époque la plus instruite, la bourgeoisie la plus aristocratique, le pays le plus femelle du monde. Le faubourg Saint-Germain pouvait bien facilement conduire et amuser une classe moyenne, ivre de distinctions, amoureuse d'art et de science. Mais les mesquins meneurs [5] de cette grande époque intelligentielle haïssaient tous l'art et la science. Ils ne surent même pas présenter la religion, dont ils avaient besoin, sous les poétiques couleurs qui l'eussent fait aimer. Quand Lamartine, La Mennais, Montalembert et quelques autres écrivains de talent doraient de poésie, rénovaient ou agrandissaient les idées religieuses [6], tous ceux qui gâchaient le gouvernement faisaient sentir l'amertume de la religion. Jamais nation ne fut plus complaisante, elle était alors comme une femme fatiguée qui devient facile ; jamais pouvoir ne fit alors plus de maladresses : la France et la femme

---

1. Distinction essentielle : à l'origine, l'aristocratie est le gouvernement dans lequel le pouvoir est détenu par les meilleurs citoyens. Dans une oligarchie, le gouvernement est assuré par un petit nombre de citoyens sans supériorité particulière. — 2. Le Parlement en Angleterre est composé de deux chambres, la chambre des Communes dont les membres sont élus, et la chambre des Lords dont la dignité est héréditaire : on y trouve toutefois des noms roturiers (non nobles). — 3. Adrien de Montmorency, duc de Laval (1767-1837), servit la monarchie avec fidélité, puis, après 1830, partagea l'exil de Charles X en Angleterre. — 4. Dynastie des rois d'Angleterre de 1714 à 1917. — 5. Allusion probable à Villèle et à Polignac, qui furent présidents du Conseil de Charles X et menèrent une politique favorable aux ultraroyalistes. — 6. Lamartine, La Mennais (ou Lamennais) et Montalembert publièrent dans les années 1820-1830 plusieurs ouvrages traitant de la religion.

ıment mieux les fautes. Pour se réintégrer, pour fonder un grand gouvernement oligarchique, la noblesse du faubourg devait se fouiller avec bonne foi afin de trouver en elle-même la monnaie de Napoléon, s'éventrer pour demander au creux de ses entrailles un Richelieu constitutionnel ; si ce génie n'était pas en elle, aller le chercher jusque dans le froid grenier où il pouvait être en train de mourir, et se l'assimiler, comme la chambre des lords anglais s'assimile constamment les aristocrates de hasard. Puis, ordonner à cet homme d'être implacable, de retrancher les branches pourries, de recéper [1] l'arbre aristocratique. Mais d'abord, le grand système du torysme [2] anglais était trop immense pour de petites têtes ; et son importation demandait trop de temps aux Français, pour lesquels une réussite lente vaut un *fiasco*. D'ailleurs, loin d'avoir cette politique rédemptrice qui va chercher la force là où Dieu l'a mise, ces grandes petites gens haïssaient toute force qui ne venait pas d'eux ; enfin, loin de se rajeunir, le faubourg Saint-Germain s'est avieilli [3]. L'étiquette [4], institution de seconde nécessité, pouvait être maintenue si elle n'eût paru que dans les grandes occasions ; mais l'étiquette devint une lutte quotidienne, et au lieu d'être une question d'art ou de magnificence, elle devint une question de pouvoir. S'il manqua d'abord au trône un de ces conseillers aussi grands que les circonstances étaient grandes, l'aristocratie manqua surtout de la connaissance de ses intérêts généraux, qui aurait pu suppléer à tout. Elle s'arrêta devant le mariage de M. de Talleyrand [5], le seul homme qui eût une de ces têtes métalliques où se forgent à neuf les systèmes politiques par lesquels revivent glorieusement les nations. Le faubourg se moqua des ministres qui n'étaient pas gentilshommes, et ne donnait pas de gentilshommes assez supérieurs pour être ministres ; il pouvait rendre des services véritables au pays en

---

1. *Recéper* : tailler. — **2.** Système politique des tories ou conservateurs anglais. — **3.** *S'avieillir* : prendre des habitudes du temps passé. — **4.** Cérémonial d'une cour. — **5.** Talleyrand (1754-1838), ancien évêque d'Autun, abandonna l'Église après avoir été condamné par le pape pour son rôle dans la Révolution. Il épousa en 1802 une aventurière anglaise, Mme Grandt. Cette mésalliance devait déplaire à l'aristocratie.

ennoblissant les justices de paix[1], en fertilisant le sol, en construisant des routes et des canaux, en se faisant puissance territoriale agissante ; mais il vendait ses terres pour jouer à la Bourse. Il pouvait priver la bourgeoisie de ses hommes d'action et de talent dont l'ambition minait le pouvoir, en leur ouvrant ses rangs ; il a préféré les combattre, et sans armes ; car il n'avait plus qu'en tradition ce qu'il possédait jadis en réalité. Pour le malheur de cette noblesse, il lui restait précisément assez de ses diverses fortunes pour soutenir sa morgue. Contente de ses souvenirs, aucune de ces familles ne songea sérieusement à faire prendre des armes à ses aînés, parmi le faisceau[2] que le dix-neuvième siècle jetait sur la place publique. La jeunesse, exclue des affaires, dansait chez Madame[3], au lieu de continuer à Paris, par l'influence de talents jeunes, consciencieux, innocents de l'Empire et de la République, l'œuvre que les chefs de chaque famille auraient commencée dans les départements en y conquérant la reconnaissance de leurs titres par de continuels plaidoyers en faveur des intérêts locaux, en s'y conformant à l'esprit du siècle, en refondant la caste au goût du temps. Concentrée dans son faubourg Saint-Germain, où vivait l'esprit des anciennes oppositions féodales mêlé à celui de l'ancienne cour, l'aristocratie, mal unie au château des Tuileries[4], fut plus facile à vaincre, n'existant que sur un point et surtout aussi mal constituée qu'elle l'était dans la Chambre des pairs. Tissue[5] dans le pays, elle devenait indestructible ; acculée dans son faubourg, adossée au château, étendue dans le budget, il suffisait d'un coup de hache pour trancher le fil de sa vie agonisante, et la plate figure d'un petit avocat[6] s'avança pour donner ce coup de hache. Malgré l'admirable discours de M. Royer-Collard[7], l'héré-

---

1. Fonction de juge de paix. — 2. Assemblage de fusils. — 3. Titre de la duchesse de Berry, belle-fille de Charles X. — 4. Le palais des Tuileries fut la résidence des rois durant la Restauration. — 5. Nouée par entrelacement de fils. — 6. Sans doute l'avocat libéral Dupin (1783-1865), partisan de Louis-Philippe en 1830. — 7. Royer-Collard (1763-1845), royaliste libéral, refusa en 1830 de se rallier à la monarchie de Juillet, et prononça un discours virulent pour défendre l'hérédité de la pairie.

dité de la pairie et ses majorats[1] tombèrent sous les pas-
quinades[2] d'un homme qui se vantait d'avoir adroitement
disputé quelques têtes au bourreau[3], mais qui tuait mala-
droitement de grandes institutions. Il se trouve là des
exemples et des enseignements pour l'avenir. Si l'oligarchie française n'avait pas une vie future, il y aurait je ne
sais quelle cruauté triste à la géhenner[4] après son décès,
et alors il ne faudrait plus que penser à son sarcophage ;
mais si le scalpel des chirurgiens est dur à sentir, il rend
parfois la vie aux mourants. Le faubourg Saint-Germain
peut se trouver plus puissant persécuté qu'il ne l'était
triomphant, s'il veut avoir un chef et un système.

  Maintenant il est facile de résumer cet aperçu semi-
politique. Ce défaut de vues larges et ce vaste ensemble
de petites fautes ; l'envie de rétablir de hautes fortunes
dont chacun se préoccupait ; un besoin réel de religion
pour soutenir la politique ; une soif de plaisir, qui nuisait
à l'esprit religieux, et nécessita des hypocrisies, les résis-
tances partielles de quelques esprits élevés qui voyaient
juste et que contrarièrent les rivalités de cour ; la noblesse
de province, souvent plus pure de race que ne l'est la
noblesse de cour, mais qui, trop souvent froissée, se
désaffectionna ; toutes ces causes se réunirent pour donner au faubourg Saint-Germain les mœurs les plus discor-
dantes. Il ne fut ni compact dans son système, ni
conséquent dans ses actes, ni complètement moral, ni
franchement licencieux, ni corrompu, ni corrupteur ; il
n'abandonna pas entièrement les questions qui lui nui-
saient et n'adopta pas les idées qui l'eussent sauvé. Enfin,
quelques débiles que fussent les personnes, le parti s'était
néanmoins armé de tous les grands principes qui font la
vie des nations. Or, pour périr dans sa force, que faut-il
être ? Il fut difficile dans le choix des personnes présen-
tées ; il eut du bon goût, du mépris élégant ; mais sa chute
n'eut certes rien d'éclatant ni de chevaleresque. L'émigra-

---

1. Biens attachés à un titre de noblesse et transmis au fils aîné.
— **2.** Railleries bouffonnes. — **3.** Allusion au fait que Dupin, lors du
procès intenté aux derniers ministres de Charles X, avait infléchi le
verdict dans le sens de la clémence. — **4.** Mettre à la torture.

tion de 89[1] accusait encore des sentiments ; en 1830,
l'émigration à l'intérieur n'accuse plus que des intérêts.
Quelques hommes illustres dans les lettres, les triomphes
de la tribune, M. de Talleyrand[2] dans les congrès, la
conquête d'Alger[3], et plusieurs noms redevenus historiques sur les champs de bataille, montrent à l'aristocratie
française les moyens qui lui restent de se nationaliser et
de faire encore reconnaître ses titres, si toutefois elle
daigne. Chez les êtres organisés il se fait un travail d'harmonie intime. Un homme est-il paresseux, la paresse se
trahit en chacun de ses mouvements. De même, la physionomie d'une classe d'hommes se conforme à l'esprit
général, à l'âme qui en anime le corps. Sous la Restauration, la femme du faubourg Saint-Germain ne déploya ni
la fière hardiesse que les dames de la cour portaient jadis
dans leurs écarts, ni la modeste grandeur des tardives vertus par lesquelles elles expiaient leurs fautes, et qui répandaient autour d'elles un si vif éclat. Elle n'eut rien de
bien léger, rien de bien grave. Ses passions, sauf quelques
exceptions, furent hypocrites ; elle transigea[4] pour ainsi
dire avec leurs jouissances. Quelques-unes de ces familles
menèrent la vie bourgeoise de la duchesse d'Orléans, dont
le lit conjugal se montrait si ridiculement aux visiteurs
du Palais-Royal[5] ; deux ou trois à peine continuèrent les
mœurs de la Régence[6], et inspirèrent une sorte de dégoût
à des femmes plus habiles qu'elles. Cette nouvelle grande
dame n'eut aucune influence sur les mœurs : elle pouvait
néanmoins beaucoup, elle pouvait, en désespoir de cause,
offrir le spectacle imposant des femmes de l'aristocratie

---

1. Dès 1789, une partie de la noblesse avec, à sa tête, le comte
d'Artois, futur Charles X, émigra à Coblence, en Allemagne.
— **2.** Talleyrand fit carrière dans la diplomatie. À la chute de l'Empire,
en 1815, il participa au congrès de Vienne. — **3.** L'expédition d'Alger,
décidée en janvier 1830 pour des raisons de politique intérieure et extérieure, fut exécutée de mai à juillet par le général de Bourmont. Elle
se solda par la défaite des Algérois. — **4.** *Transiger* : parvenir à un
accord au prix de concessions réciproques. — **5.** Le Palais-Royal
appartenait à Louis-Philippe, duc d'Orléans, futur roi des Français. Il
affectait, ainsi que sa femme, une manière de vivre bourgeoise.
— **6.** La Régence (1715-1723), exercée pendant la minorité de
Louis XV par son oncle, Philippe d'Orléans, fut une période de grand
libertinage.

anglaise ; mais elle hésita niaisement entre d'anciennes traditions, fut dévote de force, et cacha tout, même ses belles qualités. Aucune de ces Françaises ne put créer de salon où les sommités sociales vinssent prendre des leçons de goût et d'élégance. Leur voix, jadis si imposante en littérature, cette vivante expression des sociétés, y fut tout à fait nulle. Or, quand une littérature n'a pas de système général, elle ne fait pas corps et se dissout avec son siècle. Lorsque, dans un temps quelconque, il se trouve au milieu d'une nation un peuple à part ainsi constitué, l'historien y rencontre presque toujours une figure principale qui résume les vertus et les défauts de la masse à laquelle elle appartient : Coligny chez les huguenots [1], le Coadjuteur au sein de la Fronde [2], le maréchal de Richelieu sous Louis XV [3], Danton dans la Terreur [4]. Cette identité de physionomie entre un homme et son cortège historique est dans la nature des choses. Pour mener un parti ne faut-il pas concorder à ses idées, pour briller dans une époque ne faut-il pas la représenter ? De cette obligation constante où se trouve la tête sage et prudente des partis d'obéir aux préjugés et aux folies des masses qui en font la queue dérivent les actions que reprochent certains historiens aux chefs de parti, quand, à distance des terribles ébullitions populaires, ils jugent à froid les passions les plus nécessaires à la conduite des grandes luttes séculaires. Ce qui est vrai dans la comédie historique des siècles est également vrai dans la sphère plus étroite des scènes partielles du drame national appelé les Mœurs.

Au commencement de la vie éphémère que mena le faubourg Saint-Germain pendant la Restauration, et à

---

1. L'amiral de Coligny était l'un des chefs du parti calviniste et fut, à ce titre, la première victime de la Saint-Barthélemy (24 août 1572). — 2. Le cardinal de Retz, coadjuteur de l'archevêque de Paris, fut l'un des meneurs de la Fronde (1648-1653), période d'agitation civile sous le gouvernement d'Anne d'Autriche et de Mazarin. — 3. Le maréchal de Richelieu (1696-1788), petit-neveu du cardinal de Richelieu, fut célèbre par son libertinage et ses talents militaires. — 4. Danton (1759-1794), après avoir dirigé le premier Comité de salut public sous la Terreur, fut considéré comme trop modéré par Robespierre et guillotiné.

laquelle, si les considérations précédentes sont vraies, il ne sut pas donner de consistance, une jeune femme fut passagèrement le type le plus complet de la nature à la fois supérieure et faible, grande et petite, de sa caste. C'était une femme artificiellement instruite, réellement ignorante ; pleine de sentiments élevés, mais manquant d'une pensée qui les coordonnât ; dépensant les plus riches trésors de l'âme à obéir aux convenances ; prête à braver la société, mais hésitant et arrivant à l'artifice par suite de ses scrupules ; ayant plus d'entêtement que de caractère, plus d'engouement que d'enthousiasme, plus de tête que de cœur ; souverainement femme et souverainement coquette, Parisienne surtout ; aimant l'éclat, les fêtes ; ne réfléchissant pas, ou réfléchissant trop tard ; d'une imprudence qui arrivait presque à de la poésie ; insolente à ravir, mais humble au fond du cœur ; affichant la force comme un roseau bien droit, mais, comme ce roseau, prête à fléchir sous une main puissante ; parlant beaucoup de la religion, mais ne l'aimant pas, et cependant prête à l'accepter comme un dénouement. Comment expliquer une créature véritablement multiple, susceptible d'héroïsme, et oubliant d'être héroïque pour dire une méchanceté ; jeune et suave, moins vieille de cœur que vieillie par les maximes de ceux qui l'entouraient, et comprenant leur philosophie égoïste sans l'avoir appliquée ; ayant tous les vices du courtisan et toutes les noblesses de la femme adolescente ; se défiant de tout, et néanmoins se laissant parfois aller à tout croire ? Ne serait-ce pas toujours un portrait inachevé que celui de cette femme en qui les teintes les plus chatoyantes se heurtaient, mais en produisant une confusion poétique, parce qu'il y avait une lumière divine, un éclat de jeunesse qui donnait à ces traits confus une sorte d'ensemble ? La grâce lui servait d'unité. Rien n'était joué. Ces passions, ces demi-passions, cette velléité de grandeur, cette réalité de petitesse, ces sentiments froids et ces élans chaleureux étaient naturels et ressortaient de sa situation autant que de celle de l'aristocratie à laquelle elle appartenait. Elle se comprenait toute seule et se mettait orgueilleusement au-dessus du monde, à l'abri de son nom. Il y

« Souverainement femme et souverainement coquette,
Parisienne surtout... »

avait du *moi* de Médée dans sa vie [1], comme dans celle
de l'aristocratie, qui se mourait sans vouloir ni se mettre
sur son séant, ni tendre la main à quelque médecin politique, ni toucher, ni être touchée, tant elle se sentait faible
ou déjà poussière. La duchesse de Langeais, ainsi se nom-
mait-elle, était mariée depuis environ quatre ans quand la
Restauration fut consommée, c'est-à-dire en 1816,
époque à laquelle Louis XVIII, éclairé par la révolution
des Cent-Jours [2], comprit sa situation et son siècle, malgré
son entourage, qui, néanmoins, triompha plus tard de ce
Louis XI moins la hache [3], lorsqu'il fut abattu par la maladie. La duchesse de Langeais était une Navarreins, famille
ducale, qui, depuis Louis XIV, avait pour principe de ne
point abdiquer son titre dans ses alliances. Les filles de
cette maison devaient avoir tôt ou tard, de même que leur
mère, un tabouret [4] à la Cour. À l'âge de dix-huit ans,
Antoinette de Navarreins sortit de la profonde retraite où
elle avait vécu pour épouser le fils aîné du duc de Langeais. Les deux familles étaient alors éloignées du monde ; mais l'invasion de la France faisait présumer aux
royalistes le retour des Bourbons comme la seule conclu-
sion possible aux malheurs de la guerre. Les ducs de
Navarreins et de Langeais, restés fidèles aux Bourbons,
avaient noblement résisté à toutes les séductions de la
gloire impériale, et, dans les circonstances où ils se trouvaient lors de cette union, ils durent naturellement obéir
à la vieille politique de leurs familles. Mlle Antoinette de
Navarreins épousa donc, belle et pauvre, M. le marquis
de Langeais, dont le père mourut quelques mois après ce
mariage. Au retour des Bourbons, les deux familles repri-

---

1. Allusion à une réplique célèbre de la *Médée* de Corneille (1635) :
« *Dans un si grand revers que vous reste-t-il ? — Moi. Moi, dis-je, et
c'est assez* », répond Médée. — **2.** *Les Cent-Jours* est le nom donné à
la période comprise entre le 20 mars et le 8 juillet 1815, pendant
laquelle Napoléon, échappé de l'île d'Elbe, parvint à rétablir l'Empire.
— **3.** Louis XI (1423-1483) fut un roi d'une grande cruauté, qui n'hésitait pas à faire décapiter ceux qui se révoltaient contre lui. En montant
sur le trône, il disgracia tout l'entourage paternel. En 1816,
Louis XVIII dissout la Chambre dite *introuvable* (qui comptait
350 ultras sur 402 membres). — **4.** L'étiquette accordait aux duchesses
le privilège de s'asseoir sur un tabouret à la Cour.

rent leur rang, leurs charges, leurs dignités à la Cour, et
rentrèrent dans le mouvement social, en dehors duquel
elles s'étaient tenues jusqu'alors. Elles devinrent les plus
éclatantes sommités de ce nouveau monde politique.
Dans ce temps de lâchetés et de fausses conversions, la
conscience publique se plut à reconnaître en ces deux
familles la fidélité sans tache, l'accord entre la vie privée
et le caractère politique, auxquels tous les partis rendent
involontairement hommage. Mais, par un malheur assez
commun dans les temps de transaction, les personnes les
plus pures et qui, par l'élévation de leurs vues, la sagesse
de leurs principes, auraient fait croire en France à la géné-
rosité d'une politique neuve et hardie, furent écartées des
affaires, qui tombèrent entre les mains de gens intéressés
à porter les principes à l'extrême, pour faire preuve de
dévouement. Les familles de Langeais et de Navarreins
restèrent dans la haute sphère de la cour, condamnées
aux devoirs de l'étiquette ainsi qu'aux reproches et aux
moqueries du libéralisme, accusées de se gorger d'honneurs et de richesses, tandis que leur patrimoine ne s'aug-
menta point, et que les libéralités de la Liste civile[1] se
consumèrent en frais de représentation, nécessaires à
toute monarchie européenne, fût-elle même républicaine.
En 1818, M. le duc de Langeais commandait une division
militaire, et la duchesse avait, près d'une princesse, une
place qui l'autorisait à demeurer à Paris, loin de son mari,
sans scandale. D'ailleurs, le duc avait, outre son commandement, une charge à la Cour, où il venait, en laissant,
pendant son quartier[2], le commandement à un maréchal
de camp. Le duc et la duchesse vivaient donc entièrement
séparés, de fait et de cœur, à l'insu du monde. Ce mariage
de convention avait eu le sort assez habituel de ces pactes
de famille. Les deux caractères les plus antipathiques du
monde s'étaient trouvés en présence, s'étaient froissés
secrètement, secrètement blessés, désunis à jamais. Puis,
chacun d'eux avait obéi à sa nature et aux convenances. Le
duc de Langeais, esprit aussi méthodique que pouvait l'être

---

1. Somme annuelle allouée au chef d'un État. — **2.** Période de ces-
sation des combats pendant la mauvaise saison.

le chevalier de Folard[1], se livra méthodiquement à ses goûts,
à ses plaisirs, et laissa sa femme libre de suivre les siens, après
avoir reconnu chez elle un esprit éminemment orgueilleux,
un cœur froid, une grande soumission aux usages du monde,
une loyauté jeune, et qui devait rester pure sous les yeux des
grands parents, à la lumière d'une cour prude et religieuse. Il
fit donc à froid le grand seigneur du siècle précédent, aban-
donnant à elle-même une femme de vingt-deux ans, offensée
gravement, et qui avait dans le caractère une épouvantable
qualité, celle de ne jamais pardonner une offense quand
toutes ses vanités de femme, quand son amour-propre, ses
vertus peut-être, avaient été méconnus, blessés occultement.
Quand un outrage est public, une femme aime à l'oublier, elle
a des chances pour se grandir, elle est femme dans sa clémence ; mais les femmes n'absolvent jamais de secrètes offenses,
parce qu'elles n'aiment ni les lâchetés, ni les vertus, ni les
amours secrètes.

Telle était la position, inconnue du monde, dans
laquelle se trouvait Mme la duchesse de Langeais, et à
laquelle ne réfléchissait pas cette femme, lorsque vinrent
les fêtes données à l'occasion du mariage du duc de Berri[2]. En ce moment, la Cour et le faubourg Saint-Germain
sortirent de leur atonie[3] et de leur réserve. Là, commença
réellement cette splendeur inouïe qui abusa le gouvernement de la Restauration. En ce moment, la duchesse de
Langeais, soit calcul, soit vanité, ne paraissait jamais dans
le monde sans être entourée ou accompagnée de trois ou
quatre femmes aussi distinguées par leur nom que par
leur fortune. Reine de la mode, elle avait ses dames
d'atours, qui reproduisaient ailleurs ses manières et son
esprit. Elle les avait habilement choisies parmi quelques
personnes qui n'étaient encore ni dans l'intimité de la
Cour, ni dans le cœur du faubourg Saint-Germain, et qui
avaient néanmoins la prétention d'y arriver ; simples
Dominations[4] qui voulaient s'élever jusqu'aux environs

---

1. Jean-Charles de Folard (1669-1752) est l'auteur d'ouvrages de
tactique militaire. — **2.** Le mariage du duc de Berry avec Marie-Caroline de Bourbon fut célébré en juin 1816. — **3.** Inertie morale.
— **4.** Les Anges sont divisés en trois hiérarchies : à la tête de la première, le chœur des Séraphins ; à la tête de la deuxième, le chœur des
Dominations ; celui des Principautés à la tête de la troisième.

Le mariage du duc de Berry avec Marie-Caroline de Bourbon,
célébré en juin 1816.
Aquarelle de Pierre Martinet.

du trône et se mêler aux séraphiques puissances de la
haute sphère nommée *le petit château*[1]. Ainsi posée, la
duchesse de Langeais était plus forte, elle dominait
mieux, elle était plus en sûreté. Ses *dames* la défendaient
contre la calomnie, et l'aidaient à jouer le détestable rôle
de femme à la mode. Elle pouvait à son aise se moquer
des hommes, des passions, les exciter, recueillir les hommages dont se nourrit toute nature féminine, et rester maîtresse d'elle-même. À Paris et dans la plus haute
compagnie, la femme est toujours femme ; elle vit d'encens, de flatteries, d'honneurs. La plus réelle beauté, la
figure la plus admirable n'est rien si elle n'est admirée :
un amant, des flagorneries[2] sont les attestations de sa
puissance. Qu'est un pouvoir inconnu ? Rien. Supposez

---

1. Cercle d'aristocrates qui se réunissaient autour de la duchesse de
Berry. — 2. Basses flatteries.

la plus jolie femme seule dans le coin d'un salon, elle y est triste. Quand une de ces créatures se trouve au sein des magnificences sociales, elle veut donc régner sur tous les cœurs, souvent faute de pouvoir être souveraine heureuse dans un seul. Ces toilettes, ces apprêts, ces coquetteries étaient faites pour les plus pauvres êtres qui se soient rencontrés, des fats sans esprit, des hommes dont le mérite consistait dans une jolie figure, et pour lesquels toutes les femmes se compromettaient sans profit, de véritables idoles de bois doré qui, malgré quelques exceptions, n'avaient ni les antécédents des petits-maîtres[1] du temps de la Fronde, ni la bonne grosse valeur des héros de l'Empire, ni l'esprit et les manières de leurs grands-pères, mais qui voulaient être *gratis* quelque chose d'approchant ; qui étaient braves comme l'est la jeunesse française, habiles sans doute s'ils eussent été mis à l'épreuve, et qui ne pouvaient rien être par le règne des vieillards usés qui les tenaient en lisière[2]. Ce fut une époque froide, mesquine et sans poésie. Peut-être faut-il beaucoup de temps à une restauration pour devenir une monarchie.

Depuis dix-huit mois, la duchesse de Langeais menait cette vie creuse, exclusivement remplie par le bal, par les visites faites pour le bal, par des triomphes sans objet, par des passions éphémères, nées et mortes pendant une soirée. Quand elle arrivait dans un salon, les regards se concentraient sur elle, elle moissonnait des mots flatteurs, quelques expressions passionnées qu'elle encourageait du geste, du regard, et qui ne pouvaient jamais aller plus loin que l'épiderme. Son ton, ses manières, tout en elle faisait autorité. Elle vivait dans une sorte de fièvre de vanité, de perpétuelle jouissance qui l'étourdissait. Elle allait assez loin en conversation, elle écoutait tout, et se dépravait, pour ainsi dire, à la surface du cœur. Revenue chez elle, elle rougissait souvent de ce dont elle avait ri, de telle histoire scandaleuse dont les détails l'aidaient à discuter les théories de l'amour qu'elle ne connaissait pas, et les subtiles distinctions de la passion moderne, que de

---

1. Jeunes élégants aux façons affectées. — **2.** Cordon qu'on attachait aux robes des petits enfants pour les soutenir quand ils marchaient.

*« Quand elle arrivait dans un salon,
les regards se concentraient sur elle. »*
Illustration de E. Lampsonius pour *La Duchesse de Langeais*.

complaisantes hypocrites lui commentaient ; car les femmes, sachant se tout dire entre elles, en perdent plus que n'en corrompent les hommes. Il y eut un moment où elle comprit que la créature aimée était la seule dont la beauté, dont l'esprit pût être universellement reconnu. Que prouve un mari ? Que, jeune fille, une femme était ou richement dotée, ou bien élevée, avait une mère adroite, ou satisfaisait aux ambitions de l'homme ; mais un amant est le constant programme de ses perfections personnelles. Mme de Langeais apprit, jeune encore, qu'une femme pouvait se laisser aimer ostensiblement sans être complice de l'amour, sans l'approuver, sans le contenter autrement que par les plus maigres redevances de l'amour, et plus d'une sainte nitouche lui révéla les moyens de jouer ces dangereuses comédies. La duchesse eut donc sa cour, et le nombre de ceux qui l'adoraient ou la courtisaient fut une garantie de sa vertu. Elle était coquette, aimable, séduisante jusqu'à la fin de la fête, du bal, de la soirée ; puis, le rideau tombé, elle se retrouvait seule, froide, insouciante, et néanmoins revivait le lendemain pour d'autres émotions également superficielles. Il y avait deux ou trois jeunes gens complètement abusés qui l'aimaient véritablement, et dont elle se moquait avec une parfaite insensibilité. Elle se disait : « Je suis aimée, il m'aime ! » Cette certitude lui suffisait. Semblable à l'avare satisfait de savoir que ses caprices peuvent être exaucés, elle n'allait peut-être même plus jusqu'au désir.

Un soir elle se trouva chez une de ses amies intimes, Mme la vicomtesse de Fontaine, une de ses humbles rivales qui la haïssaient cordialement et l'accompagnaient toujours : espèce d'amitié armée dont chacun se défie, et où les confidences sont habilement discrètes, quelquefois perfides. Après avoir distribué de petits saluts protecteurs, affectueux ou dédaigneux de l'air naturel à la femme qui connaît toute la valeur de ses sourires, ses yeux tombèrent sur un homme qui lui était complètement inconnu, mais dont la physionomie large et grave la surprit. Elle sentit en le voyant une émotion assez semblable à celle de la peur.

« Ma chère, demanda-t-elle à Mme de Maufrigneuse, quel est ce nouveau venu ?

— Un homme dont vous avez sans doute entendu parler, le marquis de Montriveau.

— Ah ! c'est lui. »

Elle prit son lorgnon et l'examina fort impertinemment, comme elle eût fait d'un portrait qui reçoit des regards et n'en rend pas.

« Présentez-le-moi donc, il doit être amusant.

— Personne n'est plus ennuyeux ni plus sombre, ma chère, mais il est à la mode. »

M. Armand de Montriveau se trouvait en ce moment, sans le savoir, l'objet d'une curiosité générale, et le méritait plus qu'aucune de ces idoles passagères dont Paris a besoin et dont il s'amourache pour quelques jours, afin de satisfaire cette passion d'engouement et d'enthousiasme factice dont il est périodiquement travaillé. Armand de Montriveau était le fils unique du général de Montriveau, un de ces *ci-devant*[1] qui servirent noblement la République, et qui périt, tué près de Joubert, à Novi[2]. L'orphelin avait été placé par les soins de Bonaparte à l'école de Châlons[3], et mis, ainsi que plusieurs autres fils de généraux morts sur le champ de bataille, sous la protection de la République française. Après être sorti de cette école sans aucune espèce de fortune, il entra dans l'artillerie, et n'était encore que chef de bataillon lors du désastre de Fontainebleau[4]. L'arme à laquelle appartenait Armand de Montriveau lui avait offert peu de chances d'avancement. D'abord le nombre des officiers y est plus limité que dans les autres corps de l'armée ; puis, les opinions libérales et presque républicaines que professait l'artillerie, les craintes inspirées à l'Empereur par une réunion d'hommes savants accoutumés à réfléchir, s'opposaient à la fortune militaire de la plupart d'entre eux. Aussi, contrairement aux lois ordinaires, les officiers parvenus au généralat ne furent-ils pas toujours les sujets les plus remarquables de l'arme, parce que, médiocres, ils donnaient peu de craintes. L'artillerie faisait un corps à part dans l'armée, et n'appartenait à Napoléon que sur les champs de bataille. À ces causes générales, qui peuvent expliquer les retards éprouvés dans sa carrière par Armand de Montriveau, il s'en joignait d'autres inhérentes à sa personne et à son caractère. Seul dans le monde, jeté dès l'âge de vingt ans à travers cette tempête d'hommes au sein de laquelle vécut Napoléon, et n'ayant aucun intérêt en dehors de lui-même, prêt à périr chaque jour, il s'était habitué à n'exister que par une estime intérieure et par le sentiment du devoir accompli. Il était habituellement silencieux comme le sont tous les hommes timides ; mais sa timidité ne venait point d'un défaut de courage, c'était une sorte de pudeur qui lui interdisait toute démonstration vaniteuse. Son intrépidité sur les champs de bataille n'était point fanfaronne ; il y voyait

---

1. Terme désignant un membre de la noblesse, pendant la Révolution. — 2. Joubert est un général de la République, qui fut tué lors de la bataille de Novi, en 1799. — 3. En 1792, toutes les écoles d'artillerie furent rassemblées à Châlons-sur-Marne. L'École d'artillerie y demeura jusqu'en 1802. — 4. C'est à Fontainebleau que Napoléon signa son abdication en 1814.

tout, pouvait donner tranquillement un bon avis à ses camarades, et allait au-devant des boulets tout en se baissant à propos pour les éviter. Il était bon, mais sa contenance le faisait passer pour hautain et sévère. D'une rigueur mathématique en toute chose, il n'admettait aucune composition[1] hypocrite ni avec les devoirs d'une position, ni avec les conséquences d'un fait. Il ne se prêtait à rien de honteux, ne demandait jamais rien pour lui ; enfin, c'était un de ces grands hommes inconnus, assez philosophes pour mépriser la gloire, et qui vivent sans s'attacher à la vie, parce qu'ils ne trouvent pas à y développer leur force ou leurs sentiments dans toute leur étendue. Il était craint, estimé, peu aimé. Les hommes nous permettent bien de nous élever au-dessus d'eux, mais ils ne nous pardonnent jamais de ne pas descendre aussi bas qu'eux. Aussi le sentiment qu'ils accordent aux grands caractères ne va-t-il pas sans un peu de haine et de crainte. Trop d'honneur est pour eux une censure tacite qu'ils ne pardonnent ni aux vivants ni aux morts. Après les adieux de Fontainebleau[2], Montriveau, quoique noble et titré, fut mis en demi-solde[3]. Sa probité antique effraya le ministère de la Guerre, où son attachement aux serments faits à l'aigle impériale était connu. Lors des Cent-Jours il fut nommé colonel de la Garde et resta sur le champ de bataille de Waterloo[4]. Ses blessures l'ayant retenu en Belgique, il ne se trouva pas à l'armée de la Loire ; mais le gouvernement royal ne voulut pas reconnaître les grades donnés pendant les Cent-Jours, et Armand de Montriveau quitta la France. Entraîné par son génie entreprenant, par cette hauteur de pensée que, jusqu'alors, les hasards de la guerre avaient satisfaite, et passionné par sa rectitude instinctive pour les projets d'une grande utilité, le général Montriveau s'embarqua dans le dessein d'explorer la Haute-Égypte et les parties inconnues de l'Afrique, les contrées du centre surtout, qui exci-

---

1. Arrangement. — **2.** C'est à Fontainebleau qu'avant de partir en exil, Napoléon réunit ses soldats pour leur faire ses adieux. — **3.** Les militaires mis à l'écart en 1815 virent leur solde diminuer de moitié. — **4.** Défaite de Napoléon (18 juin 1815) qui mit fin à la période des Cent-Jours.

tent aujourd'hui tant d'intérêt parmi les savants. Son
expédition scientifique fut longue et malheureuse. Il avait
recueilli des notes précieuses destinées à résoudre les
problèmes géographiques ou industriels si ardemment
cherchés, et il était parvenu, non sans avoir surmonté bien
des obstacles, jusqu'au cœur de l'Afrique, lorsqu'il tomba
par trahison au pouvoir d'une tribu sauvage. Il fut
dépouillé de tout, mis en esclavage et promené pendant
deux années à travers les déserts, menacé de mort à tout
moment et plus maltraité que ne l'est un animal dont
s'amusent d'impitoyables enfants. Sa force de corps et sa
constance d'âme lui firent supporter toutes les horreurs
de sa captivité ; mais il épuisa presque toute son énergie
dans son évasion, qui fut miraculeuse. Il atteignit la colo-
nie française du Sénégal, demi-mort, en haillons, et
n'ayant plus que d'informes souvenirs. Les immenses
sacrifices de son voyage, l'étude des dialectes de
l'Afrique, ses découvertes et ses observations, tout fut
perdu. Un seul fait fera comprendre ses souffrances. Pendant quelques jours les enfants du cheikh [1] de la tribu dont
il était l'esclave s'amusèrent à prendre sa tête pour but
dans un jeu qui consistait à jeter d'assez loin des osselets
de cheval, et à les y faire tenir. Montriveau revint à Paris
vers le milieu de l'année 1818, il s'y trouva ruiné, sans
protecteurs, et n'en voulant pas. Il serait mort vingt fois
avant de solliciter quoi que ce fût, même la reconnaissance de ses droits acquis. L'adversité, ses douleurs
avaient développé son énergie jusque dans les petites
choses, et l'habitude de conserver sa dignité d'homme en
face de cet être moral que nous nommons la conscience
donnait pour lui du prix aux actes en apparence les plus
indifférents. Cependant ses rapports avec les principaux
savants de Paris et quelques militaires instruits firent
connaître et son mérite et ses aventures. Les particularités
de son évasion et de sa captivité, celles de son voyage
attestaient tant de sang-froid, d'esprit et de courage, qu'il
acquit, sans le savoir, cette célébrité passagère dont les
salons de Paris sont si prodigues, mais qui demande des
efforts inouïs aux artistes quand ils veulent la perpétuer.

---

1. Chef de tribu arabe.

Vers la fin de cette année, sa position changea subitement. De pauvre, il devint riche, ou du moins il eut extérieurement tous les avantages de la richesse. Le gouvernement royal, qui cherchait à s'attacher les hommes de mérite afin de donner de la force à l'armée, fit alors quelques concessions aux anciens officiers dont la loyauté et le caractère connu offraient des garanties de fidélité. M. de Montriveau fut rétabli sur les cadres [1], dans son grade, reçut sa solde arriérée et fut admis dans la Garde royale. Ces faveurs arrivèrent successivement au marquis de Montriveau sans qu'il eût fait la moindre demande. Des amis lui épargnèrent les démarches personnelles auxquelles il se serait refusé. Puis, contrairement à ses habitudes, qui se modifièrent tout à coup, il alla dans le monde, où il fut accueilli favorablement, et où il rencontra partout les témoignages d'une haute estime. Il semblait avoir trouvé quelque dénouement pour sa vie ; mais chez lui tout se passait en l'homme, il n'y avait rien d'extérieur. Il portait dans la société une figure grave et recueillie, silencieuse et froide. Il y eut beaucoup de succès, précisément parce qu'il tranchait fortement sur la masse des physionomies convenues qui meublent les salons de Paris, où il fut effectivement tout neuf. Sa parole avait la concision du langage des gens solitaires ou des sauvages. Sa timidité fut prise pour de la hauteur et plut beaucoup. Il était quelque chose d'étrange et de grand, et les femmes furent d'autant plus généralement éprises de ce caractère original, qu'il échappait à leurs adroites flatteries, à ce manège par lequel elles circonviennent les hommes les plus puissants, et corrodent les esprits les plus inflexibles. M. de Montriveau ne comprenait rien à ces petites singeries parisiennes, et son âme ne pouvait répondre qu'aux sonores vibrations des beaux sentiments. Il eût promptement été laissé là, sans la poésie qui résultait de ses aventures et de sa vie, sans les prôneurs qui le vantaient à son insu, sans le triomphe d'amour-propre qui attendait la femme dont il s'occuperait. Aussi la curiosité de la duchesse de Langeais était-elle vive autant que

---

1. Les cadres sont les tableaux sur lesquels figurent les noms des officiers.

« Dans une excursion vers les sources du Nil... »
Voyage en Égypte par Vivant Denon.

naturelle. Par un effet du hasard, cet homme l'avait intéressée la veille, car elle avait entendu raconter la veille une des
scènes qui, dans le voyage de M. de Montriveau, produi-
saient le plus d'impression sur les mobiles imaginations de
femme. Dans une excursion vers les sources du Nil, M. de
Montriveau eut avec un de ses guides le débat le plus
extraordinaire qui se connaisse dans les annales des
voyages. Il avait un désert à traverser, et ne pouvait aller
qu'à pied au lieu qu'il voulait explorer. Un seul guide
était capable de l'y mener. Jusqu'alors aucun voyageur
n'avait pu pénétrer dans cette partie de la contrée, où
l'intrépide officier présumait devoir trouver la solution de
plusieurs problèmes scientifiques. Malgré les représenta-
tions que lui firent et les vieillards du pays et son guide, il
entreprit ce terrible voyage. S'armant de tout son courage
aiguisé déjà par l'annonce d'horribles difficultés à
vaincre, il partit au matin. Après avoir marché pendant
une journée entière, il se coucha le soir sur le sable,
éprouvant une fatigue inconnue, causée par la mobilité du

sol, qui semblait à chaque pas fuir sous lui. Cependant il savait que le lendemain il lui faudrait, dès l'aurore, se remettre en route ; mais son guide lui avait promis de lui faire atteindre, vers le milieu du jour, le but de son voyage. Cette promesse lui donna du courage, lui fit retrouver des forces, et, malgré ses souffrances, il continua sa route, en maudissant un peu la science ; mais honteux de se plaindre devant son guide, il garda le secret de ses peines. Il avait déjà marché pendant le tiers du jour lorsque, sentant ses forces épuisées et ses pieds ensanglantés par la marche, il demanda s'il arriverait bientôt. « Dans une heure », lui dit le guide. Armand trouva dans son âme pour une heure de force et continua. L'heure s'écoula sans qu'il aperçût, même à l'horizon, horizon de sables aussi vaste que l'est celui de la pleine mer, les palmiers et les montagnes dont les cimes devaient annoncer le terme de son voyage. Il s'arrêta, menaça le guide, refusa d'aller plus loin, lui reprocha d'être son meurtrier, de l'avoir trompé ; puis des larmes de rage et de fatigue roulèrent sur ses joues enflammées ; il était courbé par la douleur renaissante de la marche, et son gosier lui semblait coagulé par la soif du désert. Le guide, immobile, écoutait ses plaintes d'un air ironique, tout en étudiant, avec l'apparente indifférence des Orientaux, les imperceptibles accidents de ce sable presque noirâtre comme est l'or bruni. « Je me suis trompé, reprit-il froidement. Il y a trop longtemps que j'ai fait ce chemin pour que je puisse en reconnaître les traces, nous y sommes bien, mais il faut encore marcher pendant deux heures. » « Cet homme a raison », pensa M. de Montriveau. Puis il se remit en route, suivant avec peine l'Africain impitoyable, auquel il semblait lié par un fil, comme un condamné l'est invisiblement au bourreau. Mais les deux heures se passent, le Français a dépensé ses dernières gouttes d'énergie, et l'horizon est pur, et il n'y voit ni palmiers ni montagnes. Il ne trouve plus ni cris ni gémissements, il se couche alors sur le sable pour mourir ; mais ses regards eussent épouvanté l'homme le plus intrépide, il semblait annoncer qu'il ne voulait pas mourir seul. Son guide, comme un vrai démon, lui répondait par un coup d'œil calme, empreint de puissance, et le laissait étendu, en

ayant soin de se tenir à une distance qui lui permît
d'échapper au désespoir de sa victime. Enfin M. de Montriveau trouva quelques forces pour une dernière impréca-
tion. Le guide se rapprocha de lui, le regarda fixement,
lui imposa silence et lui dit : « N'as-tu pas voulu, malgré
nous, aller là où je te mène ? Tu me reproches de te tromper ; si je ne l'avais pas fait, tu ne serais pas venu jusqu'ici. Veux-tu la vérité, la voici. Nous avons encore cinq
heures de marche, et nous ne pouvons plus retourner sur
nos pas. Sonde ton cœur, si tu n'as pas assez de courage,
voici mon poignard. » Surpris par cette effroyable entente
de la douleur et de la force humaine, M. de Montriveau
ne voulut pas se trouver au-dessous d'un barbare ; et pui-
sant dans son orgueil d'Européen une nouvelle dose de
courage, il se releva pour suivre son guide. Les cinq
heures étaient expirées. M. de Montriveau n'apercevait
rien encore, il tourna vers le guide un œil mourant ; mais
alors le Nubien[1] le prit sur ses épaules, l'éleva de
quelques pieds, et lui fit voir à une centaine de pas un lac
entouré de verdure et d'une admirable forêt, qu'illumi-
naient les feux du soleil couchant. Ils étaient arrivés à
quelque distance d'une espèce de banc de granit
immense, sous lequel ce paysage sublime se trouvait
comme enseveli. Armand crut renaître, et son guide, ce
géant d'intelligence et de courage, acheva son œuvre de
dévouement en le portant à travers les sentiers chauds et
polis à peine tracés sur le granit. Il voyait d'un côté l'enfer des sables, et de l'autre le paradis terrestre de la plus
belle oasis qui fût en ces déserts.

La duchesse, déjà frappée par l'aspect de ce poétique
personnage, le fut encore bien plus en apprenant qu'elle
voyait en lui le marquis de Montriveau, de qui elle avait
rêvé pendant la nuit. S'être trouvée dans les sables brûlants du désert avec lui, l'avoir eu pour compagnon de
cauchemar, n'était-ce pas chez une femme de cette nature
un délicieux présage d'amusement ? Jamais homme n'eut
mieux qu'Armand la physionomie de son caractère, et ne
pouvait plus justement intriguer les regards. Sa tête,
grosse et carrée, avait pour principal trait caractéristique

---

1. Habitant de la Nubie, région de l'actuel Soudan.

une énorme et abondante chevelure noire qui lui enveloppait la figure de manière à rappeler parfaitement le général Kléber[1] auquel il ressemblait par la vigueur de son
front, par la coupe de son visage, par l'audace tranquille
des yeux, et par l'espèce de fougue qu'exprimaient ses
traits saillants. Il était petit, large de buste, musculeux
comme un lion. Quand il marchait, sa pose, sa démarche,
le moindre geste trahissait et je ne sais quelle sécurité
de force qui imposait, et quelque chose de despotique. Il
paraissait savoir que rien ne pouvait s'opposer à sa
volonté, peut-être parce qu'il ne voulait rien que de juste.
Néanmoins, semblable à tous les gens réellement forts, il
était doux dans son parler, simple dans ses manières, et
naturellement bon. Seulement toutes ces belles qualités
semblaient devoir disparaître dans les circonstances
graves où l'homme devient implacable dans ses sentiments, fixe dans ses résolutions, terrible dans ses actions.
Un observateur aurait pu voir dans la commissure de ses
lèvres un retroussement habituel qui annonçait des pen-
chants vers l'ironie.

La duchesse de Langeais, sachant de quel prix passager
était la conquête de cet homme, résolut, pendant le peu
de temps que mit la duchesse de Maufrigneuse à l'aller
prendre pour le lui présenter, d'en faire un de ses amants,
de lui donner le pas sur tous les autres, de l'attacher à sa
personne, et de déployer pour lui toutes ses coquetteries.
Ce fut une fantaisie, pur caprice de duchesse avec lequel
Lope de Vega ou Calderón a fait *Le Chien du jardinier*[2].
Elle voulut que cet homme ne fût à aucune femme, et
n'imagina pas d'être à lui. La duchesse de Langeais avait
reçu de la nature les qualités nécessaires pour jouer les
rôles de coquette, et son éducation les avait encore perfec-
tionnées. Les femmes avaient raison de l'envier, et les
hommes de l'aimer. Il ne lui manquait rien de ce qui peut
inspirer l'amour, de ce qui le justifie et de ce qui le perpé-

---

1. Kléber (1753-1800), général de la République qui accompagna
Bonaparte en Égypte. — 2. Pièce de Lope de Vega (1562-1635), et
non de Calderón, qui illustre le proverbe espagnol : « Le chien du
jardinier ne veut pas sa pâtée et grogne si les bœufs la mangent. »
L'héroïne, éprise de son secrétaire, se refuse par orgueil, mais s'indigne
de le voir courtiser sa soubrette.

« Qui s'asseyait près d'elle pendant une soirée,
la trouvait tour à tour gaie, mélancolique... »
Gravure de C. Heath, d'après Eugène Lami (vers 1840).

tue. Son genre de beauté, ses manières, son parler, sa pose
s'accordaient pour la douer d'une coquetterie naturelle,
qui, chez une femme, semble être la conscience de son
pouvoir. Elle était bien faite, et décomposait peut-être ses
mouvements avec trop de complaisance, seule affectation
qu'on lui pût reprocher. Tout en elle s'harmoniait, depuis
le plus petit geste jusqu'à la tournure particulière de ses
phrases, jusqu'à la manière hypocrite dont elle jetait son
regard. Le caractère prédominant de sa physionomie était
une noblesse élégante, que ne détruisait pas la mobilité
toute française de sa personne. Cette attitude incessamment changeante avait un prodigieux attrait pour les
hommes. Elle paraissait devoir être la plus délicieuse des
maîtresses en déposant son corset et l'attirail de sa représentation. En effet, toutes les joies de l'amour existaient
en germe dans la liberté de ses regards expressifs, dans
les câlineries de sa voix, dans la grâce de ses paroles. Elle
faisait voir qu'il y avait en elle une noble courtisane[1],
que démentaient vainement les religions de la duchesse.

---

1. Prostituée se distinguant des autres par une certaine élégance de
manières.

Qui s'asseyait près d'elle pendant une soirée, la trouvait tour à tour gaie, mélancolique, sans qu'elle eût l'air de jouer ni la mélancolie ni la gaieté. Elle savait être à son gré affable, méprisante, ou impertinente, ou confiante. Elle semblait bonne et l'était. Dans sa situation, rien ne l'obligeait à descendre à la méchanceté. Par moments, elle se montrait tour à tour sans défiance et rusée, tendre à émouvoir, puis dure et sèche à briser le cœur. Mais pour la bien peindre ne faudrait-il pas accumuler toutes les antithèses féminines ; en un mot, elle était ce qu'elle voulait être ou paraître. Sa figure un peu trop longue avait de la grâce, quelque chose de fin, de menu qui rappelait les figures du Moyen Âge. Son teint était pâle, légèrement rosé. Tout en elle péchait pour ainsi dire par un excès de délicatesse.

M. de Montriveau se laissa complaisamment présenter à la duchesse de Langeais, qui, suivant l'habitude des personnes auxquelles un goût exquis fait éviter les banalités, l'accueillit sans l'accabler ni de questions ni de compliments, mais avec une sorte de grâce respectueuse qui devait flatter un homme supérieur, car la supériorité suppose chez un homme un peu de ce tact qui fait deviner aux femmes tout ce qui est sentiment. Si elle manifesta quelque curiosité, ce fut par ses regards ; si elle complimenta, ce fut par ses manières ; et elle déploya cette chatterie [1] de paroles, cette fine envie de plaire qu'elle savait montrer mieux que personne. Mais toute sa conversation ne fut en quelque sorte que le corps de la lettre, il devait y avoir un post-scriptum où la pensée principale allait être dite. Quand, après une demi-heure de causeries insignifiantes, et dans lesquelles l'accent, les sourires, donnaient seuls de la valeur aux mots, M. de Montriveau parut vouloir discrètement se retirer, la duchesse le retint par un geste expressif.

« Monsieur, lui dit-elle, je ne sais si le peu d'instants pendant lesquels j'ai eu le plaisir de causer avec vous vous a offert assez d'attrait pour qu'il me soit permis de vous inviter à venir chez moi ; j'ai peur qu'il n'y ait beaucoup d'égoïsme à vouloir vous y posséder. Si j'étais assez

---

1. Caresse câline et hypocrite.

heureuse pour que vous vous y plussiez, vous me trouve-
riez toujours le soir jusqu'à dix heures. »

Ces phrases furent dites d'un ton si coquet, que M. de
Montriveau ne pouvait se défendre d'accepter l'invitation.
Quand il se rejeta dans les groupes d'hommes qui se
tenaient à quelque distance des femmes, plusieurs de ses
amis le félicitèrent, moitié sérieusement, moitié plaisam-
ment, sur l'accueil extraordinaire que lui avait fait la
duchesse de Langeais. Cette difficile, cette illustre
conquête, était décidément faite, et la gloire en avait été
réservée à l'artillerie de la Garde. Il est facile d'imaginer
les bonnes et mauvaises plaisanteries que ce thème, une
fois admis, suggéra dans un de ces salons parisiens où
l'on aime tant à s'amuser, et où les railleries ont si peu
de durée que chacun s'empresse d'en tirer toute la fleur.

Ces niaiseries flattèrent à son insu le général. De la
place où il s'était mis, ses regards furent attirés par mille
réflexions indécises vers la duchesse ; et il ne put s'empêcher de s'avouer à lui-même que, de toutes les femmes
dont la beauté avait séduit ses yeux, nulle ne lui avait
offert une plus délicieuse expression des vertus, des
défauts, des harmonies que l'imagination la plus juvénile
puisse vouloir en France à une maîtresse. Quel homme,
en quelque rang que le sort l'ait placé, n'a pas senti dans
son âme une jouissance indéfinissable en rencontrant,
chez une femme qu'il choisit, même rêveusement, pour
sienne, les triples perfections morales, physiques et
sociales qui lui permettent de toujours voir en elle tous
ses souhaits accomplis ? Si ce n'est pas une cause
d'amour, cette flatteuse réunion est certes un des plus
grands véhicules du sentiment. Sans la vanité, disait un
profond moraliste du siècle dernier, l'amour est un convalescent[1]. Il y a certes, pour l'homme comme pour la
femme, un trésor de plaisirs dans la supériorité de la personne aimée. N'est-ce pas beaucoup, pour ne pas dire
tout, de savoir que notre amour-propre ne souffrira jamais

---

1. Ce « profond moraliste » est Chamfort (1740-1794), qui écrivait
dans *Maximes et pensées. Caractères et anecdotes* : « Ôtez l'amour-
propre de l'amour, il en reste trop peu de chose. Une fois purgé de
vanité, c'est un convalescent affaibli, qui peut à peine se traîner. »

en elle ; qu'elle est assez noble pour ne jamais recevoir les blessures d'un coup d'œil méprisant, assez riche pour être entourée d'un éclat égal à celui dont s'environnent même les rois éphémères de la finance, assez spirituelle pour ne jamais être humiliée par une fine plaisanterie, et assez belle pour être la rivale de tout son sexe ? Ces réflexions, un homme les fait en un clin d'œil. Mais si la femme qui les lui inspire lui présente en même temps, dans l'avenir de sa précoce passion, les changeantes délices de la grâce, l'ingénuité d'une âme vierge, les mille plis du vêtement des coquettes, les dangers de l'amour, n'est-ce pas à remuer le cœur de l'homme le plus froid ? Voici dans quelle situation se trouvait en ce moment M. de Montriveau, relativement à la femme, et le passé de sa vie garantit en quelque sorte la bizarrerie du fait. Jeté jeune dans l'ouragan des guerres françaises, ayant toujours vécu sur les champs de bataille, il ne connaissait de la femme que ce qu'un voyageur pressé, qui va d'auberge en auberge, peut connaître d'un pays. Peut-être aurait-il pu dire de sa vie ce que Voltaire disait à quatre-vingts ans de la sienne, et n'avait-il pas trente-sept sottises à se reprocher[1] ? Il était, à son âge, aussi neuf en amour que l'est un jeune homme qui vient de lire Faublas[2] en cachette. De la femme, il savait tout ; mais de l'amour, il ne savait rien ; et sa virginité de sentiment lui faisait ainsi des désirs tout nouveaux. Quelques hommes, emportés par les travaux auxquels les ont condamnés la misère ou l'ambition, l'art ou la science, comme M. de Montriveau avait été emporté par le cours de la guerre et les événements de sa vie, connaissent cette singulière situation, et l'avouent rarement. À Paris, tous les hommes doivent avoir aimé. Aucune femme n'y veut de ce dont aucune n'a voulu. De la crainte d'être pris pour un sot, procèdent les mensonges de la fatuité générale en France, où passer pour un sot, c'est ne pas être du pays. En ce moment, M. de Montriveau fut à la fois saisi par un violent désir, un désir grandi dans la chaleur des déserts, et par un mouvement de cœur dont il n'avait pas encore connu la

---

1. « J'ai quatre-vingt-quatre ans et j'ai fait cent sottises », aurait dit Voltaire peu de temps avant sa mort. — **2.** *Les Amours du chevalier de Faublas*, de Louvet de Couvray (1760-1797), est un roman libertin.

bouillante étreinte. Aussi fort qu'il était violent, cet homme sut réprimer ses émotions ; mais, tout en causant de choses indifférentes, il se retirait en lui-même, et se jurait d'avoir cette femme, seule pensée par laquelle il pouvait entrer dans l'amour. Son désir devint un serment fait à la manière des Arabes avec lesquels il avait vécu, et pour lesquels un serment est un contrat passé entre eux et toute leur destinée, qu'ils subordonnent à la réussite de l'entreprise consacrée par le serment, et dans laquelle ils ne comptent même plus leur mort que comme un moyen de plus pour le succès. Un jeune homme se serait dit : « Je voudrais bien avoir la duchesse de Langeais pour maîtresse ! » un autre : « Celui qui sera aimé de la duchesse de Langeais sera un bien heureux coquin ! » Mais le général se dit : « J'aurai pour maîtresse Mme de Langeais. » Quand un homme vierge de cœur, et pour qui l'amour devient une religion, conçoit une semblable pensée, il ne sait pas dans quel enfer il vient de mettre le pied.

M. de Montriveau s'échappa brusquement du salon, et revint chez lui dévoré par les premiers accès de sa première fièvre amoureuse. Si, vers le milieu de l'âge, un homme garde encore les croyances, les illusions, les franchises, l'impétuosité de l'enfance, son premier geste est pour ainsi dire d'avancer la main pour s'emparer de ce qu'il désire ; puis, quand il a sondé les distances presque impossibles à franchir qui l'en séparent, il est saisi, comme les enfants, d'une sorte d'étonnement ou d'impatience qui communique de la valeur à l'objet souhaité, il tremble ou il pleure. Aussi le lendemain, après les plus orageuses réflexions qui lui eussent bouleversé l'âme, Armand de Montriveau se trouva-t-il sous le joug de ses sens, que concentra la pression d'un amour vrai. Cette femme si cavalièrement traitée la veille était devenue le lendemain le plus saint, le plus redouté des pouvoirs. Elle fut dès lors pour lui le monde et la vie. Le seul souvenir des plus légères émotions qu'elle lui avait données faisait pâlir ses plus grandes joies, ses plus vives douleurs jadis ressenties. Les révolutions les plus rapides ne troublent que les intérêts de l'homme, tandis qu'une passion en renverse les sentiments. Or, pour ceux qui vivent plus par le sentiment que par l'intérêt, pour ceux qui ont plus d'âme et de sang que d'esprit et de lymphe[1], un amour réel produit un changement complet d'existence. D'un seul trait, par une seule réflexion, Armand de Montriveau effaça donc toute sa vie passée. Après s'être vingt fois demandé, comme un enfant : « Irai-je ? N'irai-je pas ? » il s'habilla, vint à l'hôtel de Langeais vers huit heures du soir, et fut admis auprès de la femme, non pas de la femme, mais de l'idole qu'il avait vue la veille, aux lumières, comme une fraîche et pure jeune fille vêtue de gaze[2], de blondes[3] et de voiles. Il arrivait impétueuse-ment pour lui déclarer son amour, comme s'il s'agissait du premier coup de canon sur un champ de bataille. Pauvre écolier ! Il trouva sa vaporeuse sylphide[4] envelop-pée d'un peignoir de cachemire[5] brun habilement bouil-lonné[6], languissamment couchée sur le divan d'un obscur boudoir. Mme de Langeais ne se leva même pas, elle ne montra que sa tête, dont les cheveux étaient en désordre, quoique retenus dans un voile. Puis d'une main qui, dans le clair-obscur produit par la tremblante lueur d'une seule bougie placée loin d'elle, parut aux yeux de Montriveau blanche comme une main de marbre, elle lui fit signe de s'asseoir, et lui dit d'une voix aussi douce que l'était la lueur : « Si ce n'eût pas été vous, monsieur le marquis, si c'eût été un ami avec lequel j'eusse pu agir sans façon, ou un indifférent qui m'eût légèrement intéressée, je vous aurais renvoyé. Vous me voyez affreusement souf-frante. »

Armand se dit en lui-même : « Je vais m'en aller. »

« Mais, reprit-elle en lui lançant un regard dont l'in-génu militaire attribua le feu à la fièvre, je ne sais si c'est un pressentiment de votre bonne visite à l'empresse-ment de laquelle je suis on ne peut pas plus sensible,

---

1. La médecine du XIXᵉ siècle distinguait quatre tempéraments prin-cipaux : le bilieux, le nerveux, le sanguin et le lymphatique. Montri-veau serait donc d'un tempérament sanguin. — **2.** Tissu léger et transparent. — **3.** Dentelles faites au fuseau avec de la soie. — **4.** Esprit vivant dans l'air. Se dit d'une femme à l'allure gracieuse et aérienne. — **5.** Tissu fin en laine de chèvre ou de mouton. — **6.** Plissé de manière bouffante.

« Languissamment couchée sur le divan d'un obscur boudoir... »
Lithographie de Devéria.

depuis un instant je sentais ma tête se dégager de ses
vapeurs.

— Je puis donc rester, lui dit Montriveau.

— Ah ! je serais bien fâchée de vous voir partir. Je me
disais déjà ce matin que je ne devais pas avoir fait sur
vous la moindre impression ; que vous aviez sans doute
pris mon invitation pour une de ces phrases banales prodi-
guées au hasard par les Parisiennes, et je pardonnais
d'avance à votre ingratitude. Un homme qui arrive des
déserts n'est pas tenu de savoir combien notre faubourg
est exclusif dans ses amitiés. »

Ces gracieuses paroles, à demi murmurées, tombèrent
une à une, et furent comme chargées du sentiment joyeux
qui paraissait les dicter. La duchesse voulait avoir tous
les bénéfices de sa migraine, et sa spéculation eut un plein
succès. Le pauvre militaire souffrait réellement de la
fausse souffrance de cette femme. Comme Crillon enten-

dant le récit de la passion de Jésus-Christ[1], il était prêt à tirer son épée contre les vapeurs. Hé ! comment alors oser parler à cette malade de l'amour qu'elle inspirait ? Armand comprenait déjà qu'il était ridicule de tirer son amour à brûle-pourpoint sur une femme si supérieure. Il entendit par une seule pensée toutes les délicatesses du sentiment et les exigences de l'âme. Aimer, n'est-ce pas savoir bien plaider, mendier, attendre ? Cet amour ressenti, ne fallait-il pas le prouver ? Il se trouva la langue immobile, glacée par les convenances du noble faubourg, par la majesté de la migraine, et par les timidités de l'amour vrai. Mais nul pouvoir au monde ne put voiler les regards de ses yeux dans lesquels éclataient la chaleur, l'infini du désert, des yeux calmes comme ceux des panthères, et sur lesquels ses paupières ne s'abaissaient que rarement. Elle aima beaucoup ce regard fixe qui la baignait de lumière et d'amour.

« Madame la duchesse, répondit-il, je craindrais de vous mal dire la reconnaissance que m'inspirent vos bontés. En ce moment je ne souhaite qu'une seule chose, le pouvoir de dissiper vos souffrances.

— Permettez que je me débarrasse de ceci, j'ai maintenant trop chaud, dit-elle en faisant sauter par un mouvement plein de grâce le coussin qui lui couvrait les pieds, qu'elle laissa voir dans toute leur clarté.

— Madame, en Asie, vos pieds vaudraient presque dix mille sequins[2].

— Compliment de voyageur », dit-elle en souriant.

Cette spirituelle personne prit plaisir à jeter le rude Montriveau dans une conversation pleine de bêtises, de lieux communs et de non-sens, où il manœuvra, militairement parlant, comme eût fait le prince Charles aux prises avec Napoléon[3]. Elle s'amusa malicieusement à reconnaître l'étendue de cette passion commencée, d'après le nombre de sottises arrachées à ce débutant, qu'elle ame-

---

1. Fervent catholique, Crillon (1541-1615), en entendant le récit des derniers moments de la vie de Jésus-Christ, se serait écrié : « Où étais-tu, Crillon ? », en tirant son épée. — 2. Anciennes monnaies d'or en Égypte. — 3. L'archiduc Charles, pourtant remarquable stratège, fut battu par Napoléon à Wagram (1809).

nait à petits pas dans un labyrinthe inextricable où elle voulait le laisser honteux de lui-même. Elle débuta donc par se moquer de cet homme, à qui elle se plaisait néanmoins à faire oublier le temps. La longueur d'une première visite est souvent une flatterie, mais Armand n'en fut pas complice. Le célèbre voyageur était dans ce boudoir depuis une heure, causant de tout, n'ayant rien dit, sentant qu'il n'était qu'un instrument dont jouait cette femme, quand elle se dérangea, s'assit, se mit sur le cou le voile qu'elle avait sur la tête, s'accouda, lui fit les honneurs d'une complète guérison, et sonna pour faire allumer les bougies du boudoir. À l'inaction absolue dans laquelle elle était restée, succédèrent les mouvements les plus gracieux. Elle se tourna vers M. de Montriveau, et lui dit, en réponse à une confidence qu'elle venait de lui arracher et qui parut la vivement intéresser : « Vous voulez vous moquer de moi en tâchant de me donner à penser que vous n'avez jamais aimé. Voilà la grande prétention des hommes auprès de nous. Nous les croyons. Pure politesse ! Ne savons-nous pas à quoi nous en tenir là-dessus par nous-mêmes ? Où est l'homme qui n'a pas rencontré dans sa vie une seule occasion d'être amoureux ? Mais vous aimez à nous tromper, et nous vous laissons faire, pauvres sottes que nous sommes, parce que vos tromperies sont encore des hommages rendus à la supériorité de nos sentiments, qui sont tout pureté. »

Cette dernière phrase fut prononcée avec un accent plein de hauteur et de fierté qui fit de cet amant novice une balle jetée au fond d'un abîme, et de la duchesse un ange revolant vers son ciel particulier.

« Diantre ! s'écriait en lui-même Armand de Montriveau, comment s'y prendre pour dire à cette créature sauvage que je l'aime ? »

Il l'avait déjà dit vingt fois, ou plutôt la duchesse l'avait vingt fois lu dans ses regards, et voyait, dans la passion de cet homme vraiment grand, un amusement pour elle, un intérêt à mettre dans sa vie sans intérêt. Elle se préparait donc déjà fort habilement à élever autour d'elle une certaine quantité de redoutes [1] qu'elle lui don-

_____

1. Fortifications isolées entourées d'un fossé.

nerait à emporter avant de lui permettre l'entrée de son
cœur. Jouet de ses caprices, Montriveau devait rester sta-
tionnaire [1] tout en sautant de difficultés en difficultés
comme un de ces insectes tourmenté par un enfant saute
d'un doigt sur un autre en croyant avancer, tandis que son
malicieux bourreau le laisse au même point. Néanmoins,
la duchesse reconnut avec un bonheur inexprimable que
cet homme de caractère ne mentait pas à sa parole.
Armand n'avait, en effet, jamais aimé. Il allait se retirer
mécontent de lui, plus mécontent d'elle encore ; mais elle
vit avec joie une bouderie qu'elle savait pouvoir dissiper
par un mot, d'un regard, d'un geste.

« Viendrez-vous demain soir ? lui dit-elle. Je vais au
bal, je vous attendrai jusqu'à dix heures. »

Le lendemain Montriveau passa la plus grande partie
de la journée assis à la fenêtre de son cabinet, et occupé
à fumer une quantité indéterminée de cigares. Il put
atteindre ainsi l'heure de s'habiller et d'aller à l'hôtel de
Langeais. C'eût été grande pitié pour l'un de ceux qui
connaissaient la magnifique valeur de cet homme, de le
voir devenu si petit, si tremblant, de savoir cette pensée,
dont les rayons pouvaient embrasser des mondes, se rétré-
cir aux proportions du boudoir d'une petite-maîtresse [2].
Mais il se sentait lui-même déjà si déchu dans son bonheur, que, pour sauver sa vie, il n'aurait pas confié son
amour à l'un de ses amis intimes. Dans la pudeur qui
s'empare d'un homme quand il aime, n'y a-t-il pas toujours un peu de honte, et ne serait-ce pas sa petitesse qui
fait l'orgueil de la femme ? Enfin ne serait-ce pas une
foule de motifs de ce genre, mais que les femmes ne s'expliquent pas, qui les porte presque toutes à trahir les premières le mystère de leur amour, mystère dont elles se
fatiguent peut-être ?

« Monsieur, dit le valet de chambre, Mme la duchesse
n'est pas visible, elle s'habille, et vous prie de l'attendre
ici. »

Armand se promena dans le salon en étudiant le goût
répandu dans les moindres détails. Il admira Mme de Lan-

---

1. Qui reste à la même place. — **2.** Jeune élégante aux façons
affectées.

« La duchesse était éblouissante. »
Lithographie de Devéria.

geais, en admirant les choses qui venaient d'elle et en trahissaient les habitudes, avant qu'il pût en saisir la personne et les idées. Après une heure environ, la duchesse sortit de sa chambre sans faire de bruit. Montriveau se retourna, la vit marchant avec la légèreté d'une ombre, et tressaillit. Elle vint à lui, sans lui dire bourgeoisement : « Comment me trouvez-vous ? » Elle était sûre d'elle, et son regard fixe disait : « Je me suis ainsi parée pour vous plaire. » Une vieille fée, marraine de quelque princesse méconnue, avait seule pu tourner autour du cou de cette coquette personne le nuage d'une gaze dont les plis avaient des tons vifs que soutenait encore l'éclat d'une peau satinée. La duchesse était éblouissante. Le bleu clair de sa robe, dont les ornements se répétaient dans les fleurs de sa coiffure, semblait donner, par la richesse de la couleur, un corps à ses formes frêles devenues tout aériennes ; car, en glissant avec rapidité vers Armand, elle fit voler les deux bouts de l'écharpe qui pendait à ses côtés, et le brave soldat ne put alors s'empêcher de la comparer aux jolis insectes bleus qui voltigent au-dessus des eaux, parmi les fleurs, avec lesquelles ils paraissent se confondre.

« Je vous ai fait attendre, dit-elle de la voix que savent prendre les femmes pour l'homme auquel elles veulent plaire.

— J'attendrais patiemment une éternité, si je savais trouver la Divinité belle comme vous l'êtes ; mais ce n'est pas un compliment que de vous parler de votre beauté, vous ne pouvez plus être sensible qu'à l'adoration. Laissez-moi donc seulement baiser votre écharpe.

— Ah, fi ! dit-elle en faisant un geste d'orgueil, je vous estime assez pour vous offrir ma main. »

Et elle lui tendit à baiser sa main encore humide. Une main de femme, au moment où elle sort de son bain de senteur, conserve je ne sais quelle fraîcheur douillette, une mollesse veloutée dont la chatouilleuse impression va des lèvres à l'âme. Aussi, chez un homme épris qui a dans les sens autant de volupté qu'il a d'amour au cœur, ce baiser, chaste en apparence, peut-il exciter de redoutables orages.

« Me la tendrez-vous toujours ainsi ? dit humblement le général en baisant avec respect cette main dangereuse.

— Oui ; mais nous en resterons là », dit-elle en souriant.

Elle s'assit et parut fort maladroite à mettre ses gants, en voulant en faire glisser la peau d'abord trop étroite le long de ses doigts, et regarder en même temps M. de Montriveau, qui admirait alternativement la duchesse et la grâce de ses gestes réitérés.

« Ah ! c'est bien, dit-elle, vous avez été exact, j'aime l'exactitude. Sa Majesté dit qu'elle est la politesse des rois ; mais, selon moi, de vous à nous, je la crois la plus respectueuse des flatteries. Hé ! n'est-ce pas ? Dites donc. »

Puis elle le guigna[1] de nouveau pour lui exprimer une amitié décevante[2], en le trouvant muet de bonheur, et tout heureux de ces riens. Ah ! la duchesse entendait à merveille son métier de femme, elle savait admirablement rehausser un homme à mesure qu'il se rapetissait, et le récompenser par de creuses flatteries à chaque pas qu'il faisait pour descendre aux niaiseries de la sentimentalité.

« Vous n'oublierez jamais de venir à neuf heures.

— Oui, mais irez-vous donc au bal tous les soirs ?

— Le sais-je ? répondit-elle en haussant les épaules par un petit geste enfantin, comme pour avouer qu'elle était toute caprice et qu'un amant devait la prendre ainsi.

— D'ailleurs, reprit-elle, que vous importe ? vous m'y conduirez.

— Pour ce soir, dit-il, ce serait difficile, je ne suis pas mis convenablement.

— Il me semble, répondit-elle en le regardant avec fierté, que si quelqu'un doit souffrir de votre mise, c'est moi. Mais sachez, monsieur le voyageur, que l'homme dont j'accepte le bras est toujours au-dessus de la mode, personne n'oserait le critiquer. Je vois que vous ne connaissez pas le monde, je vous en aime davantage. »

Et elle le jetait déjà dans les petitesses du monde, en tâchant de l'initier aux vanités d'une femme à la mode.

« Si elle veut faire une sottise pour moi, se dit en lui-même Armand, je serais bien niais de l'en empêcher. Elle

---

1. *Guigner* : faire signe de l'œil à quelqu'un. — **2.** Séduisante.

m'aime sans doute, et, certes, elle ne méprise pas le monde plus que je ne le méprise moi-même ; ainsi va pour le bal ! »

La duchesse pensait sans doute qu'en voyant le général la suivre au bal en bottes et en cravate noire [1], personne n'hésiterait à le croire passionnément amoureux d'elle. Heureux de voir la reine du monde élégant vouloir se compromettre pour lui, le général eut de l'esprit en ayant de l'espérance. Sûr de plaire, il déploya ses idées et ses sentiments, sans ressentir la contrainte qui, la veille, lui avait gêné le cœur. Cette conversation substantielle, animée, remplie par ces premières confidences aussi douces à dire qu'à entendre, séduisit-elle Mme de Langeais, ou avait-elle imaginé cette ravissante coquetterie ; mais elle regarda malicieusement la pendule quand minuit sonna.

« Ah ! vous me faites manquer le bal ! » dit-elle en exprimant de la surprise et du dépit de s'être oubliée. Puis, elle se justifia le changement de ses jouissances par un sourire qui fit bondir le cœur d'Armand.

« J'avais bien promis à Mme de Beauséant, ajouta-t-elle. Ils m'attendent tous.

— Hé bien, allez.

— Non, continuez, dit-elle. Je reste. Vos aventures en Orient me charment. Racontez-moi bien toute votre vie. J'aime à participer aux souffrances ressenties par un homme de courage, car je les ressens, vrai ! » Elle jouait avec son écharpe, la tordait, la déchirait par des mouvements d'impatience qui semblaient accuser un mécontentement intérieur et de profondes réflexions. « Nous ne valons rien, nous autres, reprit-elle. Ah ! nous sommes d'indignes personnes, égoïstes, frivoles. Nous ne savons que nous ennuyer à force d'amusements. Aucune de nous ne comprend le rôle de sa vie. Autrefois, en France, les femmes étaient des lumières bienfaisantes, elles vivaient pour soulager ceux qui pleurent, encourager les grandes vertus, récompenser les artistes et en animer la vie par de nobles pensées. Si le monde est devenu si petit, à nous la faute. Vous me faites haïr ce monde et le bal. Non, je ne

---

1. La tenue de rigueur pour le bal était l'habit noir qu'accompagnaient une cravate de batiste blanche et des escarpins brillants.

vous sacrifie pas grand-chose. » Elle acheva de détruire
son écharpe, comme un enfant qui, jouant avec une fleur,
finit par en arracher tous les pétales ; elle la roula, la jeta
loin d'elle, et put ainsi montrer son cou de cygne. Elle
sonna. « Je ne sortirai pas », dit-elle à son valet de
chambre. Puis elle reporta timidement ses longs yeux
bleus sur Armand, de manière à lui faire accepter, par la
crainte qu'ils exprimaient, cet ordre pour un aveu, pour
une première, pour une grande faveur. « Vous avez eu
bien des peines, dit-elle après une pause pleine de pensées
et avec cet attendrissement qui souvent est dans la voix
des femmes sans être dans le cœur.

— Non, répondit Armand. Jusqu'aujourd'hui, je ne
savais pas ce qu'était le bonheur.

— Vous le savez donc, dit-elle en le regardant en dessous d'un air hypocrite et rusé.

— Mais, pour moi désormais, le bonheur, n'est-ce pas
de vous voir, de vous entendre... Jusqu'à présent je
n'avais que souffert, et maintenant je comprends que je
puis être malheureux...

— Assez, assez, dit-elle, allez-vous-en, il est minuit,
respectons les convenances. Je ne suis pas allée au bal,
vous étiez là. Ne faisons pas causer. Adieu. Je ne sais ce
que je dirai, mais la migraine est bonne personne et ne
nous donne jamais de démentis.

— Y a-t-il bal demain ? demanda-t-il.

— Vous vous y accoutumeriez, je crois. Hé bien, oui,
demain nous irons encore au bal. »

Armand s'en alla l'homme le plus heureux du monde
et vint tous les soirs chez Mme de Langeais à l'heure qui,
par une sorte de convention tacite, lui fut réservée. Il
serait fastidieux et ce serait pour une multitude de jeunes
gens qui ont de ces beaux souvenirs une redondance que
de faire marcher ce récit pas à pas, comme marchait le
poème de ces conversations secrètes dont le cours avance
ou retarde au gré d'une femme par une querelle de mots
quand le sentiment va trop vite, par une plainte sur les
sentiments quand les mots ne répondent plus à sa pensée.
Aussi, pour marquer le progrès de cet ouvrage à la Péné-

lope[1], peut-être faudrait-il s'en tenir aux expressions matérielles du sentiment. Ainsi, quelques jours après la première rencontre de la duchesse et d'Armand de Montriveau, l'assidu général avait conquis en toute propriété le droit de baiser les insatiables mains de sa maîtresse. Partout où allait Mme de Langeais, se voyait inévitablement M. de Montriveau, que certaines personnes nommèrent, en plaisantant, *le planton de la duchesse*[2]. Déjà la position d'Armand lui avait fait des envieux, des jaloux, des ennemis. Mme de Langeais avait atteint à son but. Le marquis se confondait parmi ses nombreux admirateurs, et lui servait à humilier ceux qui se vantaient d'être dans ses bonnes grâces, en lui donnant publiquement le pas sur tous les autres.

« Décidément, disait Mme de Sérizy, M. de Montriveau est l'homme que la duchesse distingue le plus. »

Qui ne sait pas ce que veut dire, à Paris, *être distingué par une femme ?* Les choses étaient ainsi parfaitement en règle. Ce qu'on se plaisait à raconter du général le rendit si redoutable, que les jeunes gens habiles abdiquèrent tacitement leurs prétentions sur la duchesse, et ne restèrent dans sa sphère que pour exploiter l'importance qu'ils y prenaient, pour se servir de son nom, de sa personne, pour s'arranger au mieux avec certaines puissances de second ordre, enchantées d'enlever un amant à Mme de Langeais. La duchesse avait l'œil assez perspicace pour apercevoir ces désertions et ces traités dont son orgueil ne lui permettait pas d'être la dupe. Alors elle savait, disait M. le prince de Talleyrand, qui l'aimait beaucoup, tirer un regain de vengeance par un mot à deux tranchants dont elle frappait ces épousailles *morganatiques*[3]. Sa dédaigneuse raillerie ne contribuait pas médiocrement à la faire craindre

---

1. Pénélope est la femme d'Ulysse, le héros de l'*Odyssée*. Pendant l'absence de son mari, de nombreux prétendants la sollicitèrent. Elle promit de choisir entre eux lorsqu'elle aurait terminé une tapisserie à laquelle elle travaillait le jour mais qu'elle défaisait la nuit. Un *ouvrage à la Pénélope* désigne donc quelque chose qui est toujours à recommencer. — 2. Soldat dont le service est de rester à la porte de la caserne. — 3. Mariage dans lequel un homme épouse une femme d'un rang inférieur, sans que celle-ci puisse accéder aux droits ordinaires de l'épouse, et en particulier aux honneurs nobiliaires.

et passer pour une personne excessivement spirituelle. Elle consolidait ainsi sa réputation de vertu, tout en s'amusant des secrets d'autrui, sans laisser pénétrer les siens. Néanmoins, après deux mois d'assiduités, elle eut, au fond de l'âme, une sorte de peur vague en voyant que M. de Montriveau ne comprenait rien aux finesses de la coquetterie faubourg-saint-germanesque, et prenait au sérieux les minauderies parisiennes. « Celui-là, ma chère duchesse, lui avait dit le vieux vidame de Pamiers [1], est cousin germain des aigles, vous ne l'apprivoiserez pas, et il vous emportera dans son aire, si vous n'y prenez garde. » Le lendemain du soir où le rusé vieillard lui avait dit ce mot, dans lequel Mme de Langeais craignit de trouver une prophétie, elle essaya de se faire haïr, et se montra dure, exigeante, nerveuse, détestable pour Armand, qui la désarma par une douceur angélique. Cette femme connaissait si peu la bonté large des grands caractères, qu'elle fut pénétrée des gracieuses plaisanteries par lesquelles ses plaintes furent d'abord accueillies. Elle cherchait une querelle et trouva des preuves d'affection. Alors elle persista.

« En quoi, lui dit Armand, un homme qui vous idolâtre a-t-il pu vous déplaire ?

— Vous ne me déplaisez pas, répondit-elle en devenant tout à coup douce et soumise ; mais pourquoi voulez-vous me compromettre ? Vous ne devez être qu'un *ami* pour moi. Ne le savez-vous pas ? Je voudrais vous voir l'instinct, les délicatesses de l'amitié vraie, afin de ne perdre ni votre estime, ni les plaisirs que je ressens près de vous.

— N'être que votre *ami* ? s'écria M. de Montriveau à la tête de qui ce terrible mot donna des secousses électriques. Sur la foi des heures douces que vous m'accordez, je m'endors et me réveille dans votre cœur ; et aujourd'hui, sans motif, vous vous plaisez gratuitement à tuer les espérances secrètes qui me font vivre. Voulez-vous, après m'avoir fait promettre tant de constance, et

---

1. Le vidame de Pamiers est un personnage de *Ferragus*. Son nom apparaît ici, pour renforcer l'unité de l'*Histoire des Treize*, dans l'édition Furne (il y avait auparavant « le vieux diplomate », à savoir Talleyrand).

avoir montré tant d'horreur pour les femmes qui n'ont que des caprices, me faire entendre que, semblable à toutes les femmes de Paris, vous avez des passions, et point d'amour ? Pourquoi donc m'avez-vous demandé ma vie, et pourquoi l'avez-vous acceptée ?

— J'ai eu tort, mon ami. Oui, une femme a tort de se laisser aller à de tels enivrements quand elle ne peut ni ne doit les récompenser.

— Je comprends, vous n'avez été que légèrement coquette, et...

— Coquette ?... je hais la coquetterie. Être coquette, Armand, mais c'est se promettre à plusieurs hommes et ne pas se donner. Se donner à tous est du libertinage. Voilà ce que j'ai cru comprendre de nos mœurs. Mais se faire mélancolique avec les humoristes [1], gaie avec les insouciants, politique avec les ambitieux, écouter avec une apparente admiration les bavards, s'occuper de guerre avec les militaires, être passionnée pour le bien du pays avec les philanthropes, accorder à chacun sa petite dose de flatterie, cela me paraît aussi nécessaire que de mettre des fleurs dans nos cheveux, des diamants, des gants et des vêtements. Le discours est la partie morale de la toilette, il se prend et se quitte avec la toque à plumes. Nommez-vous ceci coquetterie ? Mais je ne vous ai jamais traité comme je traite tout le monde. Avec vous, mon ami, je suis vraie. Je n'ai pas toujours partagé vos idées, et quand vous m'avez convaincue, après une discussion, ne m'en avez-vous pas vue tout heureuse ? Enfin, je vous aime, mais seulement comme il est permis à une femme religieuse et pure d'aimer. J'ai fait des réflexions. Je suis mariée, Armand. Si la manière dont je vis avec M. de Langeais me laisse la disposition de mon cœur, les lois, les convenances m'ont ôté le droit de disposer de ma personne. En quelque rang qu'elle soit placée, une femme déshonorée se voit chassée du monde, et je ne connais encore aucun exemple d'un homme qui ait su ce à quoi l'engageaient alors nos sacrifices. Bien mieux, la rupture que chacun prévoit entre Mme de Beauséant et

---

1. Personnes difficiles à vivre.

« La plupart des femmes veulent se sentir le moral violé. »
Lithographie de Devéria.

M. d'Ajuda, qui, dit-on, épouse Mlle de Rochefide [1], m'a prouvé que ces mêmes sacrifices sont presque toujours les causes de votre abandon. Si vous m'aimiez sincèrement, vous cesseriez de me voir pendant quelque temps ! Moi, je dépouillerai pour vous toute vanité ; n'est-ce pas quelque chose ? Que ne dit-on pas d'une femme à laquelle aucun homme ne s'attache ? Ah ! elle est sans cœur, sans esprit, sans âme, sans charme surtout. Oh ! les coquettes ne me feront grâce de rien, elles me raviront les qualités qu'elles sont blessées de trouver en moi. Si

---

1. Dans l'édition de 1834, on trouvait seulement ici : « la récente aventure de Mme de Beauséant ». Ce n'est qu'en 1834-1835 que Balzac allait raconter cette rupture dans *Le Père Goriot* (la fin d'une autre liaison de Mme de Beauséant avait déjà été racontée dans *La Femme abandonnée*, en 1832). Dès l'édition de 1839, on trouve donc ici le texte définitif (au nom près de Mlle de Rochefide, qui était alors nommée Rochegude).

ma réputation me reste, que m'importe de voir contester mes avantages par des rivales ? elles n'en hériteront certes pas. Allons, mon ami, donnez quelque chose à qui vous sacrifie tant ! Venez moins souvent, je ne vous en aimerai pas moins.

— Ah ! répondit Armand avec la profonde ironie d'un cœur blessé, l'amour, selon les écrivassiers[1], ne se repaît que d'illusions ! Rien n'est plus vrai, je le vois, il faut que je m'imagine être aimé. Mais, tenez, il est des pensées, comme des blessures, dont on ne revient pas : vous étiez une de mes dernières croyances, et je m'aperçois en ce moment que tout est faux ici-bas. »

Elle se prit à sourire.

« Oui, reprit Montriveau d'une voix altérée, votre foi catholique à laquelle vous voulez me convertir est un mensonge que les hommes se font, l'espérance est un mensonge appuyé sur l'avenir, l'orgueil est un mensonge de nous à nous, la pitié, la sagesse, la terreur sont des calculs mensongers. Mon bonheur sera donc aussi quelque mensonge, il faut que je m'attrape moi-même et consente à toujours donner un louis contre un écu[2]. Si vous pouvez si facilement vous dispenser de me voir, si vous ne m'avouez ni pour ami, ni pour amant, vous ne m'aimez pas ! Et moi, pauvre fou, je me dis cela, je le sais, et j'aime.

— Mais, mon Dieu, mon pauvre Armand, vous vous emportez.

— Je m'emporte ?

— Oui, vous croyez que tout est en question, parce que je vous parle de prudence. »

Au fond, elle était enchantée de la colère qui débordait dans les yeux de son amant. En ce moment, elle le tourmentait ; mais elle le jugeait, et remarquait les moindres altérations de sa physionomie. Si le général avait eu le malheur de se montrer généreux sans discussion, comme il arrive quelquefois à certaines âmes candides, il eût été forbanni[3] pour toujours, atteint et convaincu de ne pas savoir aimer. La plupart des femmes veulent se sentir le

_____

1. Terme péjoratif désignant les écrivains. — 2. Un louis vaut 20 francs de l'époque, et un écu 3. — 3. Banni, relégué.

moral violé. N'est-ce pas une de leurs flatteries de ne jamais céder qu'à la force ? Mais Armand n'était pas assez instruit pour apercevoir le piège habilement préparé par la duchesse. Les hommes forts qui aiment ont tant d'enfance dans l'âme !

« Si vous ne voulez que conserver les apparences, dit-il avec naïveté, je suis prêt à...

— Ne conserver que les apparences, s'écria-t-elle en l'interrompant, mais quelles idées vous faites-vous donc de moi ? Vous ai-je donné le moindre droit de penser que je puisse être à vous ?

— Ah ça, de quoi parlons-nous donc ? demanda Montriveau.

— Mais, monsieur, vous m'effrayez. Non, pardon, merci, reprit-elle d'un ton froid, merci, Armand : vous m'avertissez à temps d'une imprudence bien involontaire, croyez-le, mon ami. Vous savez souffrir, dites-vous ? Moi aussi, je saurai souffrir. Nous cesserons de nous voir ; puis, quand l'un et l'autre nous aurons su recouvrer un peu de calme, eh bien, nous aviserons à nous arranger un bonheur approuvé par le monde. Je suis jeune, Armand, un homme sans délicatesse ferait faire bien des sottises et des étourderies à une femme de vingt-quatre ans. Mais, vous ! vous serez mon ami, promettez-le-moi.

— La femme de vingt-quatre ans, répondit-il, sait calculer. » Il s'assit sur le divan du boudoir, et resta la tête appuyée dans ses mains. « M'aimez-vous, madame ? demanda-t-il en relevant la tête et lui montrant un visage plein de résolution. Dites hardiment : oui ou non. »

La duchesse fut plus épouvantée de cette interrogation qu'elle ne l'aurait été d'une menace de mort, ruse vulgaire dont s'effraient peu de femmes au dix-neuvième siècle, en ne voyant plus les hommes porter l'épée au côté ; mais n'y a-t-il pas des effets de cils, de sourcils, des contractions dans le regard, des tremblements de lèvres qui communiquent la terreur qu'ils expriment si vivement, si magnétiquement ?

« Ah ! dit-elle, si j'étais libre, si...

— Eh ! n'est-ce pas que votre mari qui nous gêne ? s'écria joyeusement le général en se promenant à grands pas dans le boudoir. Ma chère Antoinette, je possède un pouvoir plus absolu que ne l'est celui de l'autocrate de toutes les Russies[1]. Je m'entends avec la Fatalité ; je puis, socialement parlant, l'avancer ou la retarder à ma fantaisie, comme on fait d'une montre. Diriger la Fatalité, dans notre machine politique, n'est-ce pas tout simplement en connaître les rouages ? Dans peu, vous serez libre, souvenez-vous alors de votre promesse.

— Armand, s'écria-t-elle, que voulez-vous dire ? Grand Dieu ! croyez-vous que je puisse être le gain d'un crime ? voulez-vous ma mort ? Mais vous n'avez donc pas du tout de religion ? Moi, je crains Dieu. Quoique M. de Langeais m'ait donné le droit de le haïr, je ne lui souhaite aucun mal. »

M. de Montriveau, qui battait machinalement la retraite avec ses doigts sur le marbre de la cheminée, se contenta de regarder la duchesse d'un air calme.

« Mon ami, dit-elle en continuant, respectez-le. Il ne m'aime pas, il n'est pas bien pour moi, mais j'ai des devoirs à remplir envers lui. Pour éviter les malheurs dont vous le menacez, que ne ferais-je pas ?

« Écoutez, reprit-elle après une pause, je ne vous parlerai plus de séparation, vous viendrez ici comme par le passé, je vous donnerai toujours mon front à baiser ; si je vous le refusais quelquefois, c'était pure coquetterie, en vérité. Mais, entendons-nous, dit-elle en le voyant s'approcher. Vous me permettrez d'augmenter le nombre de mes poursuivants, d'en recevoir dans la matinée encore plus que par le passé : je veux redoubler de légèreté, je veux vous traiter fort mal en apparence, feindre une rupture ; vous viendrez un peu moins souvent ; et puis, après... »

En disant ces mots, elle se laissa prendre par la taille, parut sentir, ainsi pressée par Montriveau, le plaisir excessif que trouvent la plupart des femmes à cette pression, dans laquelle tous les plaisirs de l'amour semblent promis ; puis, elle désirait sans doute se faire faire quelque confidence, car elle se haussa sur la pointe des pieds pour apporter son front sous les lèvres brûlantes d'Armand.

---

1. Le Tsar.

*« Chaque dimanche elle entendait la messe,
ne manquait pas un office. »*
L'église Saint-Thomas d'Aquin.

« Après, reprit Montriveau, vous ne me parlerez plus de votre mari : vous n'y devez plus penser. »

Mme de Langeais garda le silence.

« Au moins, dit-elle après une pause expressive, vous ferez tout ce que je voudrai, sans gronder, sans être mauvais, dites, mon ami ? N'avez-vous pas voulu m'effrayer ? Allons, avouez-le ?... vous êtes trop bon pour jamais concevoir de criminelles pensées. Mais auriez-vous donc des secrets que je ne connusse point ? Comment pouvez-vous donc maîtriser le sort ?

— Au moment où vous confirmez le don que vous m'avez déjà fait de votre cœur, je suis trop heureux pour bien savoir ce que je vous répondrais. J'ai confiance en vous, Antoinette, je n'aurai ni soupçons, ni fausses jalousies. Mais, si le hasard vous rendait libre, nous sommes unis...

— Le hasard, Armand, dit-elle en faisant un de ces jolis gestes de tête qui semblent pleins de choses et que ces sortes de femmes jettent à la légère, comme une cantatrice joue avec sa voix. Le pur hasard, reprit-elle.

Sachez-le bien : s'il arrivait, par votre faute, quelque malheur à M. de Langeais, je ne serais jamais à vous. »

Ils se séparèrent contents l'un et l'autre. La duchesse avait fait un pacte qui lui permettait de prouver au monde, par ses paroles et ses actions, que M. de Montriveau n'était point son amant. Quant à lui, la rusée se promettait bien de le lasser en ne lui accordant d'autres faveurs que celles surprises dans ces petites luttes dont elle arrêtait le cours à son gré. Elle savait si joliment le lendemain révoquer les concessions consenties la veille, elle était si sérieusement déterminée à rester physiquement vertueuse, qu'elle ne voyait aucun danger pour elle à des préliminaires redoutables seulement aux femmes bien éprises. Enfin, une duchesse séparée de son mari offrait peu de chose à l'amour, en lui sacrifiant un mariage annulé depuis longtemps. De son côté, Montriveau, tout heureux d'obtenir la plus vague des promesses, et d'écarter à jamais les objections qu'une épouse puise dans la foi conjugale pour se refuser à l'amour, s'applaudissait d'avoir conquis encore un peu plus de terrain. Aussi, pendant quelque temps, abusa-t-il des droits d'usufruit[1] qui lui avaient été si difficilement octroyés. Plus enfant qu'il ne l'avait jamais été, cet homme se laissait aller à tous les enfantillages qui font du premier amour la fleur de la vie. Il redevenait petit en répandant et son âme et toutes les forces trompées que lui communiquait sa passion sur les mains de cette femme, sur ses cheveux blonds dont il baisait les boucles floconneuses, sur ce front éclatant qu'il voyait pur. Inondée d'amour, vaincue par les effluves magnétiques d'un sentiment si chaud, la duchesse hésitait à faire naître la querelle qui devait les séparer à jamais. Elle était plus femme qu'elle ne le croyait, cette chétive créature, en essayant de concilier les exigences de la religion avec les vivaces émotions de vanité, avec les semblants de plaisir dont s'affolent les Parisiennes. Chaque dimanche elle entendait la messe, ne manquait pas un office ; puis, le soir, elle se plongeait dans les enivrantes voluptés que procurent des désirs sans cesse réprimés.

---

1. Droit de jouir d'une chose dont un autre a la propriété.

Armand et Mme de Langeais ressemblaient à ces fakirs[1]
de l'Inde qui sont récompensés de leur chasteté par les
tentations qu'elle leur donne. Peut-être aussi la duchesse
avait-elle fini par résoudre l'amour dans ces caresses fra-
ternelles, qui eussent paru sans doute innocentes à tout le
monde, mais auxquelles les hardiesses de sa pensée prêtaient d'excessives dépravations. Comment expliquer
autrement le mystère incompréhensible de ses perpé-
tuelles fluctuations ? Tous les matins elle se proposait de
fermer sa porte au marquis de Montriveau ; puis, tous les
soirs, à l'heure dite, elle se laissait charmer par lui. Après
une molle défense, elle se faisait moins méchante ; sa
conversation devenait douce, onctueuse ; deux amants
pouvaient seuls être ainsi. La duchesse déployait son
esprit le plus scintillant, ses coquetteries les plus entraî-
nantes ; puis, quand elle avait irrité l'âme et les sens de
son amant, s'il la saisissait, elle voulait bien se laisser
briser et tordre par lui, mais elle avait son *nec plus ultra*[2]
de passion ; et, quand il en arrivait là, elle se fâchait toujours si, maîtrisé par sa fougue, il faisait mine d'en franchir les barrières. Aucune femme n'ose se refuser sans
motif à l'amour, rien n'est plus naturel que d'y céder ;
aussi Mme de Langeais s'entoura-t-elle bientôt d'une
seconde ligne de fortifications plus difficile à emporter
que ne l'avait été la première. Elle évoqua les terreurs de
la religion. Jamais le Père de l'Église le plus éloquent ne
plaida mieux la cause de Dieu ; jamais les vengeances du
Très Haut ne furent mieux justifiées que par la voix de
la duchesse. Elle n'employait ni phrases de sermon, ni
amplifications de rhétorique. Non, elle avait son *pathos*[3]
à elle. À la plus ardente supplique d'Armand elle répondait par un regard mouillé de larmes, par un geste qui
peignait une affreuse plénitude de sentiments ; elle le faisait taire en lui demandant grâce ; un mot de plus, elle ne
voulait pas l'entendre, elle succomberait, et la mort lui
semblait préférable à un bonheur criminel.

« N'est-ce donc rien que de désobéir à Dieu ! lui disait-

---

1. Moines de l'Inde pratiquant l'ascèse et la mortification.
— 2. Expression à prendre ici dans son sens littéral de « pas au-delà ».
— 3. Emphase, pathétique affecté.

elle en retrouvant une voix affaiblie par des combats inté-
rieurs sur lesquels cette jolie comédienne paraissait
prendre difficilement un empire passager. Les hommes,
la terre entière, je vous les sacrifierais volontiers ; mais
vous êtes bien égoïste de me demander tout mon avenir
pour un moment de plaisir. Allons ! voyons, n'êtes vous
pas heureux ? » ajoutait-elle en lui tendant la main et se
montrant à lui dans un négligé[1] qui certes offrait à son
amant des consolations dont il se payait toujours.

Si, pour retenir un homme dont l'ardente passion lui
donnait des émotions inaccoutumées, ou si, par faiblesse,
elle se laissait ravir quelque baiser rapide, aussitôt elle
feignait la peur, elle rougissait et bannissait Armand de
son canapé au moment où le canapé devenait dangereux
pour elle.

« Vos plaisirs sont des péchés que j'expie, Armand ;
ils me coûtent des pénitences, des remords », s'écriait-
elle.

Quand Montriveau se voyait à deux chaises de cette
jupe aristocratique, il se prenait à blasphémer, il mau-
gréait Dieu. La duchesse se fâchait alors.

« Mais, mon ami, disait-elle sèchement, je ne
comprends pas pourquoi vous refusez de croire en Dieu,
car il est impossible de croire aux hommes. Taisez-vous,
ne parlez pas ainsi ; vous avez l'âme trop grande pour
épouser les sottises du libéralisme, qui a la prétention de
tuer Dieu. »

Les discussions théologiques et politiques lui servaient
de douches pour calmer Montriveau, qui ne savait plus
revenir à l'amour quand elle excitait sa colère, en le jetant
à mille lieues de ce boudoir dans les théories de l'absolu-
tisme qu'elle défendait à merveille. Peu de femmes osent
être démocrates, elles sont alors trop en contradiction
avec leur despotisme en fait de sentiments. Mais souvent
aussi le général secouait sa crinière, laissait la politique,
grondait comme un lion, se battait les flancs, s'élançait
sur sa proie, revenait terrible d'amour à sa maîtresse,
incapable de porter longtemps son cœur et sa pensée en

---

1. Vêtement d'intérieur.

flagrance[1]. Si cette femme se sentait piquée par une fantaisie assez incitante pour la compromettre, elle savait alors sortir de son boudoir : elle quittait l'air chargé de désirs qu'elle y respirait, venait dans son salon, s'y mettait au piano, chantait les airs les plus délicieux de la musique moderne, et trompait ainsi l'amour des sens, qui parfois ne lui faisait pas grâce, mais qu'elle avait la force de vaincre. En ces moments elle était sublime aux yeux d'Armand : elle ne feignait pas, elle était vraie, et le pauvre amant se croyait aimé. Cette résistance égoïste la lui faisait prendre pour une sainte et vertueuse créature, et il se résignait, et il parlait d'amour platonique[2], le général d'artillerie ! Quand elle eut assez joué de la religion dans son intérêt personnel, Mme de Langeais en joua dans celui d'Armand : elle voulut le ramener à des sentiments chrétiens, elle lui refit *Le Génie du christianisme*[3] à l'usage des militaires. Montriveau s'impatienta, trouva son joug pesant. Oh ! alors, par esprit de contradiction, elle lui cassa la tête de Dieu pour voir si Dieu la débarrasserait d'un homme qui allait à son but avec une constance dont elle commençait à s'effrayer. D'ailleurs, elle se plaisait à prolonger toute querelle qui paraissait éterniser la lutte morale, après laquelle venait une lutte matérielle bien autrement dangereuse.

Mais si l'opposition faite au nom des lois du mariage représente l'*époque civile* de cette guerre sentimentale, celle-ci en constituerait l'*époque religieuse*, et elle eut, comme la précédente, une crise après laquelle sa rigueur devait décroître. Un soir, Armand, venu fortuitement de très bonne heure, trouva M. l'abbé Gondrand, directeur de la conscience[4] de Mme de Langeais, établi dans un fauteuil au coin de la cheminée, comme un homme en train de digérer son dîner et les jolis péchés de sa pénitente. La vue de cet homme au teint frais et reposé, dont le front était calme, la bouche ascétique, le regard mali-

---

1. La flagrance est l'état de ce qui est en feu. — **2.** Idéal, dégagé de toute sensualité. — **3.** Œuvre de Chateaubriand (1802) où, en réaction contre l'esprit antireligieux du XVIIIe siècle, il entreprend de montrer les beautés de la religion chrétienne. — **4.** Autrement dit, le confesseur habituel.

cieusement inquisiteur, qui avait dans son maintien une véritable noblesse ecclésiastique, et déjà dans son vêtement le violet épiscopal[1], rembrunit singulièrement le visage de Montriveau qui ne salua personne et resta silencieux. Sorti de son amour, le général ne manquait pas de tact ; il devina donc, en échangeant quelques regards avec le futur évêque, que cet homme était le promoteur des difficultés dont s'armait pour lui l'amour de la duchesse. Qu'un ambitieux abbé bricolât[2] et retînt le bonheur d'un homme trempé comme l'était Montriveau ? cette pensée bouillonna sur sa face, lui crispa les doigts, le fit lever, marcher, piétiner ; puis, quand il revenait à sa place avec l'intention de faire un éclat, un seul regard de la duchesse suffisait à le calmer. Mme de Langeais, nullement embarrassée du noir silence de son amant, par lequel toute autre femme eût été gênée, continuait à converser fort spirituellement avec M. Gondrand sur la nécessité de rétablir la religion dans son ancienne splendeur. Elle exprimait mieux que ne le faisait l'abbé pourquoi l'Église devait être un pouvoir à la fois temporel et spirituel[3], et regrettait que la Chambre des pairs n'eût pas encore son *banc des évêques*, comme la Chambre des lords avait le sien[4]. Néanmoins l'abbé, sachant que le carême[5] lui permettait de prendre sa revanche, céda la place au général et sortit. À peine la duchesse se leva-t-elle pour rendre à son directeur l'humble révérence qu'elle en reçut, tant elle était intriguée par l'attitude de Montriveau.

« Qu'avez-vous, mon ami ?

— Mais j'ai votre abbé sur l'estomac.

— Pourquoi ne preniez-vous pas un livre ? » lui dit-

---

1. Le violet est la couleur de l'évêque. — **2.** *Bricoler* : diriger (un cheval) en le maintenant ferme à l'aide d'une pièce de harnais appelée bricole. — **3.** L'Église a joui pendant longtemps, à côté de son pouvoir proprement *spirituel*, qu'elle exerçait dans le domaine religieux, d'un pouvoir *temporel*, qui concernait les affaires politiques. — **4.** Les évêques et archevêques de l'Église anglicane étaient membres de droit de la chambre des Lords. Antoinette de Langeais souhaite voir instaurer le même privilège à la chambre des Pairs, dont les membres étaient nommés par le roi (contrairement à la chambre des Députés, élue selon le système du suffrage censitaire). — **5.** Période de quarante jours qui précède Pâques et pendant laquelle les chrétiens sont appelés à une plus grande austérité de vie.

elle sans se soucier d'être ou non entendue par l'abbé qui fermait la porte.

Montriveau resta muet pendant un moment, car la duchesse accompagna ce mot d'un geste qui en relevait encore la profonde impertinence.

« Ma chère Antoinette, je vous remercie de donner à l'Amour le pas sur l'Église ; mais, de grâce, souffrez que je vous adresse une question.

— Ah ! vous m'interrogez. Je le veux bien, reprit-elle. N'êtes-vous pas mon ami ? je puis, certes, vous montrer le fond de mon cœur, vous n'y verrez qu'une image.

— Parlez-vous à cet homme de notre amour ?

— Il est mon confesseur.

— Sait-il que je vous aime ?

— Monsieur de Montriveau, vous ne prétendez pas, je pense, pénétrer les secrets de ma confession ?

— Ainsi cet homme connaît toutes nos querelles et mon amour pour vous...

— Un homme, monsieur ! dites Dieu.

— Dieu ! Dieu ! je dois être seul dans votre cœur. Mais laissez Dieu tranquille là où il est, pour l'amour de lui et de moi. Madame, vous n'irez plus à confesse, ou...

— Ou ? dit-elle en souriant.

— Ou je ne reviendrai plus ici.

— Partez, Armand. Adieu, adieu pour jamais. »

Elle se leva et s'en alla dans son boudoir, sans jeter un seul regard à Montriveau, qui resta debout, la main appuyée sur une chaise. Combien de temps resta-t-il ainsi, jamais il ne le sut lui-même. L'âme a le pouvoir inconnu d'étendre comme de resserrer l'espace. Il ouvrit la porte du boudoir, il y faisait nuit. Une voix faible devint forte pour dire aigrement : « Je n'ai pas sonné. D'ailleurs pourquoi donc entrer sans ordre ? Suzette, laissez-moi.

— Tu souffres donc ? s'écria Montriveau.

— Levez-vous, monsieur, reprit-elle en sonnant, et sortez d'ici, au moins pour un moment.

— Mme la duchesse demande de la lumière », dit-il au valet de chambre, qui vint dans le boudoir y allumer les bougies.

Quand les deux amants furent seuls, Mme de Langeais

demeura couchée sur son divan, muette, immobile, absolument comme si Montriveau n'eût pas été là.

« Chère, dit-il avec un accent de douleur et de bonté sublime, j'ai tort. Je ne te voudrais certes pas sans religion...

— Il est heureux, répliqua-t-elle sans le regarder et d'une voix dure, que vous reconnaissiez la nécessité de la conscience. Je vous remercie pour Dieu. »

Ici le général, abattu par l'inclémence de cette femme, qui savait devenir à volonté une étrangère ou une sœur pour lui, fit, vers la porte, un pas de désespoir, et allait l'abandonner à jamais sans lui dire un seul mot. Il souffrait, et la duchesse riait en elle-même des souffrances causées par une torture morale bien plus cruelle que ne l'était jadis la torture judiciaire[1]. Mais cet homme n'était pas maître de s'en aller. En toute espèce de crise, une femme est en quelque sorte grosse d'une certaine quantité de paroles ; et quand elle ne les a pas dites, elle éprouve la sensation que donne la vue d'une chose incomplète. Mme de Langeais, qui n'avait pas tout dit, reprit la parole.

« Nous n'avons pas les mêmes convictions, général, j'en suis peinée. Il serait affreux pour la femme de ne pas croire à une religion qui permet d'aimer au-delà du tombeau. Je mets à part les sentiments chrétiens, vous ne les comprenez pas. Laissez-moi vous parler seulement des convenances. Voulez-vous interdire à une femme de la Cour *la sainte table*[2] quand il est reçu de s'en approcher à Pâques[3] ? mais il faut pourtant bien savoir faire quelque chose pour son parti. Les Libéraux ne tueront pas, malgré leur désir, le sentiment religieux. La religion sera toujours une nécessité politique. Vous chargeriez-vous de gouverner un peuple de raisonneurs ! Napoléon ne l'osait pas, il persécutait les idéologues. Pour empêcher les peuples de raisonner, il faut leur imposer des sentiments. Acceptons donc la religion catholique avec

1. Tourments qu'on faisait souffrir à un accusé pour lui arracher l'aveu de son crime ou les noms de ses complices. — 2. La sainte table est la balustrade où les fidèles venaient recevoir la communion. L'expression désigne ici la communion. — 3. Les chrétiens sont tenus de communier au moins une fois l'an pour Pâques.

toutes ses conséquences. Si nous voulons que la France aille à la messe, ne devons-nous pas commencer par y aller nous-mêmes ? La religion, Armand, est, vous le voyez, le lien des principes conservateurs qui permettent aux riches de vivre tranquilles. La religion est intimement liée à la propriété. Il est certes plus beau de conduire les peuples par des idées morales que par des échafauds, comme au temps de la Terreur[1], seul moyen que votre détestable révolution ait inventé pour se faire obéir. Le prêtre et le Roi, mais c'est vous, c'est moi, c'est la princesse ma voisine ; c'est en un mot tous les intérêts des honnêtes gens personnifiés. Allons, mon ami, veuillez donc être de votre parti, vous qui pourriez en devenir le Sylla[2], si vous aviez la moindre ambition. J'ignore la politique, moi, j'en raisonne par sentiment ; mais j'en sais néanmoins assez pour deviner que la société serait renversée si l'on en faisait mettre à tout moment les bases en question...

— Si votre Cour, si votre gouvernement pensent ainsi, vous me faites pitié, dit Montriveau. La Restauration, madame, doit se dire comme Catherine de Médicis, quand elle crut la bataille de Dreux perdue : "Eh bien, nous irons au prêche[3] !" Or, 1815 est votre bataille de Dreux. Comme le trône de ce temps-là, vous l'avez gagnée en fait, mais perdue en droit. Le protestantisme politique est victorieux dans les esprits. Si vous ne voulez pas faire un Édit de Nantes[4] ; ou si, le faisant, vous le révoquez ; si vous êtes un jour atteints et convaincus de ne plus vouloir

---

1. Période de la Révolution française (de mai 1793 à juillet 1794) pendant laquelle fut instauré un régime dictatorial (on recense environ 42 000 exécutions durant cette période). — 2. Sylla, général romain d'origine aristocratique (138-78 av. J.-C.) : une fois devenu le maître de Rome, il réforma la constitution au profit du parti aristocratique. — 3. La bataille de Dreux opposa en 1562 les troupes catholiques aux protestants. Ces derniers, avant d'être finalement défaits, eurent d'abord l'avantage. Catherine de Médicis, régente désireuse de préserver avant tout l'unité du royaume, aurait alors déclaré, quoique catholique : « Eh bien, nous en serons quittes pour prier Dieu en français » (les catholiques célébraient alors leurs offices en latin, les protestants en français). — 4. L'édit de Nantes, rendu par Henri IV en 1598, accorda aux protestants la liberté de conscience et de culte dans certaines conditions. Il fut révoqué par Louis XIV en 1685.

de la Charte [1], qui n'est qu'un gage donné au maintien des intérêts révolutionnaires, la Révolution se relèvera terrible, et ne vous donnera qu'un seul coup ; ce n'est pas elle qui sortira de France ; elle y est le sol même. Les hommes se laissent tuer, mais non les intérêts... Eh ! mon Dieu, que nous font la France, le trône, la légitimité, le monde entier ? Ce sont des billevesées [2] auprès de mon bonheur. Régnez, soyez renversés, peu m'importe. Où suis-je donc ?

— Mon ami, vous êtes dans le boudoir de Mme la duchesse de Langeais.

— Non, non, plus de duchesse, plus de Langeais, je suis près de ma chère Antoinette !

— Voulez-vous me faire le plaisir de rester où vous êtes, dit-elle en riant et en le repoussant, mais sans violence.

— Vous ne m'avez donc jamais aimé, dit-il avec une rage qui jaillit de ses yeux par des éclairs.

— Non, mon ami. »

Ce non valait un oui.

« Je suis un grand sot », reprit-il en baisant la main de cette terrible reine redevenue femme.

« Antoinette, reprit-il s'appuyant la tête sur ses pieds, tu es trop chastement tendre pour dire nos bonheurs à qui que ce soit au monde.

— Ah ! vous êtes un grand fou », dit-elle en se levant par un mouvement gracieux quoique vif. Et sans ajouter une parole, elle courut dans le salon.

« Qu'a-t-elle donc ? » se demanda le général, qui ne savait pas deviner la puissance des commotions que sa tête brûlante avait électriquement communiquées des pieds à la tête de sa maîtresse.

Au moment où il arrivait furieux dans le salon, il y entendit de célestes accords. La duchesse était à son piano. Les hommes de science ou de poésie, qui peuvent à la fois comprendre et jouir sans que la réflexion nuise à leurs plaisirs, sentent que l'alphabet et la phraséologie

---

1. Constitution octroyée par Louis XVIII en 1814, qui était un compromis entre les idées de l'Ancien Régime et celles de la Révolution. — **2.** Propos frivoles ou chimériques.

Texte de la Charte de 1814 dessinant le portrait de Louis XVIII.

musicale sont les instruments intimes du musicien, comme le bois ou le cuivre sont ceux de l'exécutant. Pour eux, il existe une musique à part au fond de la double expression de ce sensuel langage des âmes. *Andiamo, mio ben* peut arracher des larmes de joie ou faire rire de pitié, selon la cantatrice [1]. Souvent, çà et là, dans le monde, une jeune fille expirant sous le poids d'une peine inconnue, un homme dont l'âme vibre sous les pincements d'une passion, prennent un thème musical et s'entendent avec le ciel, ou se parlent à eux-mêmes dans quelque sublime mélodie, espèce de poème perdu. Or, le général écoutait en ce moment une de ces poésies inconnues autant que peut l'être la plainte solitaire d'un oiseau mort sans compagne dans une forêt vierge.

« Mon Dieu, que jouez-vous donc là ? dit-il d'une voix émue.

— Le prélude d'une romance appelée, je crois, *Fleuve du Tage*.

— Je ne savais pas ce que pouvait être une musique de piano, reprit-il.

— Hé, mon ami, dit-elle en lui jetant pour la première fois un regard de femme amoureuse, vous ne savez pas non plus que je vous aime, que vous me faites horriblement souffrir, et qu'il faut bien que je me plaigne sans trop me faire comprendre, autrement je serais à vous... Mais vous ne voyez rien.

— Et vous ne voulez pas me rendre heureux !

— Armand, je mourrais de douleur le lendemain. »

Le général sortit brusquement ; mais quand il se trouva dans la rue, il essuya deux larmes qu'il avait eu la force de contenir dans ses yeux.

La religion dura trois mois. Ce terme expiré, la duchesse, ennuyée de ses redites, livra Dieu pieds et poings liés à son amant. Peut-être craignait-elle, à force de parler éternité, de perpétuer l'amour du général en ce monde et dans l'autre. Pour l'honneur de cette femme, il est nécessaire de la croire vierge, même de cœur ; autrement elle serait trop horrible.

---

1. *Andiamo, mio ben* est un air du *Don Giovanni* (1787) de Mozart, dans lequel la partition de la cantatrice jouant Zerline est particulièrement difficile.

Encore bien loin de cet âge où mutuellement l'homme et la femme se trouvent trop près de l'avenir pour perdre du temps et se chicaner leurs jouissances, elle en était, sans doute, non pas à son premier amour, mais à ses premiers plaisirs. Faute de pouvoir comparer le bien au mal, faute de souffrances qui lui eussent appris la valeur des trésors jetés à ses pieds, elle s'en jouait. Ne connaissant pas les éclatantes délices de la lumière, elle se complaisait à rester dans les ténèbres. Armand, qui commençait à entrevoir cette bizarre situation, espérait dans la première parole de la nature. Il pensait, tous les soirs, en sortant de chez Mme de Langeais, qu'une femme n'acceptait pas pendant sept mois les soins d'un homme et les preuves d'amour les plus tendres, les plus délicates, ne s'abandonnait pas aux exigences superficielles d'une passion pour la tromper en un moment, et il attendait patiemment la saison du soleil, ne doutant pas qu'il n'en recueillît les fruits dans leur primeur. Il avait parfaitement conçu les scrupules de la femme mariée et les scrupules religieux. Il était même joyeux de ces combats. Il trouvait la duchesse pudique là où elle n'était qu'horriblement coquette ; et il ne l'aurait pas voulue autrement. Il aimait donc à lui voir inventer des obstacles ; n'en triomphait-il pas graduellement ? Et chaque triomphe n'augmentait-il pas la faible somme des privautés[1] amoureuses longtemps défendues, puis concédées par elle avec tous les semblants de l'amour ? Mais il avait si bien dégusté les menues et processives[2] conquêtes dont se repaissent les amants timides, qu'elles étaient devenues des habitudes pour lui. En fait d'obstacles, il n'avait donc plus que ses propres terreurs à vaincre ; car il ne voyait plus à son bonheur d'autre empêchement que les caprices de celle qui se laissait appeler *Antoinette*. Il résolut alors de vouloir plus, de vouloir tout. Embarrassé comme un amant jeune encore qui n'ose pas croire à l'abaissement de son idole, il hésita longtemps, et connut ces terribles réactions de cœur, ces volontés bien arrêtées qu'un mot anéantit, ces décisions prises qui expirent au seuil d'une porte. Il se méprisait de ne pas avoir la force de dire un mot, et ne le disait pas.

---

1. Familiarités extrêmes. — 2. Qui aiment à prolonger, à intenter des procès.

Néanmoins un soir il procéda par une sombre mélancolie à la demande farouche de ses droits illégalement légitimes. La duchesse n'attendit pas la requête de son esclave pour en deviner le désir. Un désir d'homme est-il jamais secret ? les femmes n'ont-elles pas toutes la science infuse de certains bouleversements de physionomie ?

« Hé quoi ! voulez-vous cesser d'être mon ami ? dit-elle en l'interrompant au premier mot et lui jetant des regards embellis par une divine rougeur qui coula comme un sang nouveau sur son teint diaphane[1]. Pour me récompenser de mes générosités, vous voulez me déshonorer. Réfléchissez donc un peu. Moi, j'ai beaucoup réfléchi ; je pense toujours à *nous*. Il existe une probité de femme à laquelle nous ne devons pas plus manquer que vous ne devez faillir à l'honneur. Moi, je ne sais pas tromper. Si je suis à vous, je ne pourrai plus être en aucune manière la femme de M. de Langeais. Vous exigez donc le sacrifice de ma position, de mon rang, de ma vie, pour un douteux amour qui n'a pas eu sept mois de patience. Comment ! déjà vous voudriez me ravir la libre disposition de moi-même. Non, non, ne me parlez plus ainsi. Non, ne me dites rien. Je ne veux pas, je ne peux pas vous entendre. » Là, Mme de Langeais prit sa coiffure à deux mains pour reporter en arrière les touffes de boucles qui lui échauffaient le front, et parut très animée. « Vous venez chez une faible créature avec des calculs bien arrêtés, en vous disant : "Elle me parlera de son mari pendant un certain temps, puis de Dieu, puis des suites inévitables de l'amour ; mais j'userai, j'abuserai de l'influence que j'aurai conquise ; je me rendrai nécessaire, j'aurai pour moi les liens de l'habitude, les arrangements tout faits par le public ; enfin, quand le monde aura fini par accepter notre liaison, je serai le maître de cette femme." Soyez franc, ce sont là vos pensées... Ah ! vous calculez, et vous dites aimer, fi ! Vous êtes amoureux, ha ! je le crois bien ! Vous me désirez, et voulez m'avoir pour maîtresse, voilà tout. Hé bien, non, *la duchesse de Langeais* ne descendra pas jusque-là. Que de naïves bourgeoises soient les dupes de vos faussetés ; moi, je ne le

---

1. Pâle.

serai jamais. Rien ne m'assure de votre amour. Vous me
parlez de ma beauté, je puis devenir laide en six mois,
comme la chère princesse ma voisine. Vous êtes ravi de
mon esprit, de ma grâce ; mon Dieu, vous vous y accoutu-
merez comme vous vous accoutumeriez au plaisir. Ne
vous êtes-vous pas habitué depuis quelques mois aux
faveurs que j'ai eu la faiblesse de vous accorder ? Quand
je serai perdue, un jour, vous ne me donnerez d'autre
raison de votre changement que le mot décisif : Je n'aime
plus. Rang, fortune, honneur, toute la duchesse de Langeais se sera engloutie dans une espérance trompée. J'aurai des enfants qui attesteront ma honte, et... mais, reprit-
elle en laissant échapper un geste d'impatience, je suis
trop bonne de vous expliquer ce que vous savez mieux
que moi. Allons ! restons-en là. Je suis trop heureuse de
pouvoir encore briser les liens que vous croyez si forts.
Y a-t-il donc quelque chose de si héroïque à être venu à
l'hôtel de Langeais passer tous les soirs quelques instants
auprès d'une femme dont le babil vous plaisait, de
laquelle vous vous amusiez comme d'un joujou ? Mais
quelques jeunes fats arrivent chez moi, de trois heures à
cinq heures, aussi régulièrement que vous venez le soir.
Ceux-là sont donc bien généreux. Je me moque d'eux, ils
supportent assez tranquillement mes boutades, mes
impertinences, et me font rire ; tandis que vous, à qui
j'accorde les plus précieux trésors de mon âme, vous voulez me perdre, et me causez mille ennuis. Taisez-vous,
assez, assez, dit-elle en le voyant prêt à parler, vous
n'avez ni cœur, ni âme, ni délicatesse. Je sais ce que vous
voulez me dire. Eh bien, oui. J'aime mieux passer à vos
yeux pour une femme froide, insensible, sans dévouement, sans cœur même, que de passer aux yeux du monde
pour une femme ordinaire, que d'être condamnée à des
peines éternelles après avoir été condamnée à vos préten-
dus plaisirs, qui vous lasseront certainement. Votre
égoïste amour ne vaut pas tant de sacrifices... »

Ces paroles représentent imparfaitement celles que fre-
donna la duchesse avec la vive prolixité d'une serinette[1].
Certes, elle put parler longtemps, le pauvre Armand n'op-

---

1. Petit orgue mécanique avec lequel on apprenait un air aux serins.

posait pour toute réponse à ce torrent de notes flûtées qu'un silence plein de sentiments horribles. Pour la première fois, il entrevoyait la coquetterie de cette femme, et devinait instinctivement que l'amour dévoué, l'amour partagé ne calculait pas, ne raisonnait pas ainsi chez une femme vraie. Puis il éprouvait une sorte de honte en se souvenant d'avoir involontairement fait les calculs dont les odieuses pensées lui étaient reprochées. Puis, en s'examinant avec une bonne foi tout angélique, il ne trouvait que de l'égoïsme dans ses paroles, dans ses idées, dans ses réponses conçues et non exprimées. Il se donna tort, et, dans son désespoir, il eut l'envie de se précipiter par la fenêtre. Le *moi* le tuait. Que dire, en effet, à une femme qui ne croit pas à l'amour ? « Laissez-moi vous prouver combien je vous aime. » Toujours *moi*. Montriveau ne savait pas, comme en ces sortes de circonstances le savent les héros de boudoir, imiter le rude logicien marchant devant les Pyrrhoniens, qui niaient le mouvement[1]. Cet homme audacieux manquait précisément de l'audace habituelle aux amants qui connaissent les formules de l'algèbre féminine. Si tant de femmes, et même les plus vertueuses, sont la proie des gens habiles en amour auxquels le vulgaire donne un méchant nom, peut-être est-ce parce qu'ils sont de grands *prouveurs*[2], et que l'amour veut, malgré sa délicieuse poésie de sentiment, un peu plus de géométrie qu'on ne le pense. Or, la duchesse et Montriveau se ressemblaient en ce point qu'ils étaient également inexperts en amour. Elle en connaissait très peu la théorie, elle en ignorait la pratique, ne sentait rien et réfléchissait à tout. Montriveau connaissait peu de pratique, ignorait la théorie, et sentait trop pour réfléchir. Tous deux subissaient donc le malheur de cette situation bizarre. En ce moment suprême, ses myriades[3] de pensées pouvaient se réduire à celle-ci : « Laissez-vous posséder. » Phrase horriblement égoïste pour une femme chez qui ces mots n'apportaient aucun souvenir et ne réveil-

---

1. Aux pyrrhoniens, disciples du philosophe Pyrrhon qui enseignait le doute universel, Diogène le cynique prouva le mouvement en se levant et en marchant. — **2.** Néologisme balzacien. — **3.** Quantités indéfinies et innombrables.

laient aucune image. Néanmoins, il fallait répondre. Quoiqu'il eût le sang fouetté par ces petites phrases en forme de flèches, bien aiguës, bien froides, bien acérées, décochées coup sur coup, Montriveau devait aussi cacher sa rage, pour ne pas tout perdre par une extravagance.

« Madame la duchesse, je suis au désespoir que Dieu n'ait pas inventé pour la femme une autre façon de confirmer le don de son cœur que d'y ajouter celui de sa personne. Le haut prix que vous attachez à vous-même me montre que je ne dois pas en attacher un moindre. Si vous me donnez votre âme et tous vos sentiments, comme vous me le dites, qu'importe donc le reste ? D'ailleurs, si mon bonheur vous est un si pénible sacrifice, n'en parlons plus. Seulement, vous pardonnerez à un homme de cœur de se trouver humilié en se voyant pris pour un épagneul. »

Le ton de cette dernière phrase eût peut-être effrayé d'autres femmes ; mais quand une de ces porte-jupes s'est mise au-dessus de tout en se laissant diviniser, aucun pouvoir ici-bas n'est orgueilleux comme elle sait être orgueilleuse.

« Monsieur le marquis, je suis au désespoir que Dieu n'ait pas inventé pour l'homme une plus noble façon de confirmer le don de son cœur que la manifestation de désirs prodigieusement vulgaires. Si, en donnant notre personne, nous devenons esclaves, un homme ne s'engage à rien en nous acceptant. Qui m'assurera que je serai toujours aimée ? L'amour que je déploierais à tout moment pour vous mieux attacher à moi serait peut-être une raison d'être abandonnée. Je ne veux pas faire une seconde édition de Mme de Beauséant. Sait-on jamais ce qui vous retient près de nous ? Notre constante froideur est le secret de la constante passion de quelques-uns d'entre vous ; à d'autres, il faut un dévouement perpétuel, une adoration de tous les moments ; à ceux-ci, la douceur ; à ceux-là, le despotisme. Aucune femme n'a encore pu bien déchiffrer vos cœurs. » Il y eut une pause, après laquelle elle changea de ton. « Enfin, mon ami, vous ne pouvez pas empêcher une femme de trembler à cette question : Serai-je aimée toujours ? Quelque dures qu'elles soient, mes paroles me sont dictées par la crainte de vous perdre. Mon Dieu ! ce n'est pas moi, cher, qui parle, mais la raison ; et comment s'en trouve-t-il chez une personne aussi folle que je le suis ? En vérité, je n'en sais rien. »

Entendre cette réponse commencée par la plus déchirante ironie, et terminée par les accents les plus mélodieux dont une femme se soit servie pour peindre l'amour dans son ingénuité, n'était-ce pas aller en un moment du martyre au ciel ? Montriveau pâlit, et tomba pour la première fois de sa vie aux genoux d'une femme. Il baisa le bas de la robe de la duchesse, les pieds, les genoux ; mais, pour l'honneur du faubourg Saint-Germain, il est nécessaire de ne pas révéler les mystères de ses boudoirs, où l'on voulait tout de l'amour, moins ce qui pouvait attester l'amour.

« Chère Antoinette, s'écria Montriveau dans le délire où le plongea l'entier abandon de la duchesse qui se crut généreuse en se laissant adorer ; oui, tu as raison, je ne veux pas que tu conserves de doutes. En ce moment, je tremble aussi d'être quitté par l'ange de ma vie, et je voudrais inventer pour nous des liens indissolubles.

— Ah ! dit-elle tout bas, tu vois, j'ai donc raison.

— Laisse-moi finir, reprit Armand, je vais d'un seul mot dissiper toutes tes craintes. Écoute, si je t'abandonnais, je mériterais mille morts. Sois toute à moi, je te donnerai le droit de me tuer si je te trahissais. J'écrirai moi-même une lettre par laquelle je déclarerai certains motifs qui me contraindraient à me tuer ; enfin, j'y mettrai mes dernières dispositions. Tu posséderas ce testament qui légitimerait ma mort, et pourras ainsi te venger sans avoir rien à craindre de Dieu ni des hommes.

— Ai-je besoin de cette lettre ? Si j'avais perdu ton amour, que me ferait la vie ? Si je voulais te tuer, ne saurais-je pas te suivre ? Non, je te remercie de l'idée, mais je ne veux pas de la lettre. Ne pourrais-je pas croire que tu m'es fidèle par crainte, ou le danger d'une infidélité ne pourrait-il pas être un attrait pour celui qui livre ainsi sa vie ? Armand, ce que je demande est seul difficile à faire.

— Et que veux-tu donc ?

— Ton obéissance et ma liberté.

— Mon Dieu, s'écria-t-il, je suis comme un enfant.

— Un enfant volontaire et bien gâté, dit-elle en caressant l'épaisse chevelure de cette tête qu'elle garda sur ses genoux. Oh ! oui, bien plus aimé qu'il ne le croit, et cependant bien désobéissant. Pourquoi ne pas rester ainsi ? pourquoi ne pas me sacrifier des désirs qui m'offensent ? pourquoi ne pas accepter ce que j'accorde, si c'est tout ce que je puis honnêtement octroyer ? N'êtes-vous donc pas heureux ?

— Oh ! oui, dit-il, je suis heureux quand je n'ai point de doutes. Antoinette, en amour, douter, n'est-ce pas mourir ? »

Et il se montra tout à coup ce qu'il était et ce que sont tous les hommes sous le feu des désirs, éloquent, insinuant. Après avoir goûté les plaisirs permis sans doute par un secret et jésuitique oukase[1], la duchesse éprouva ces émotions cérébrales dont l'habitude lui avait rendu l'amour d'Armand nécessaire autant que l'étaient le monde, le bal et l'Opéra. Se voir adorée par un homme dont la supériorité, le caractère inspirent de l'effroi ; en faire un enfant ; jouer, comme Poppée, avec un Néron[2] ; beaucoup de femmes, comme firent les épouses d'Henri VIII[3], ont payé ce périlleux bonheur de tout le sang de leurs veines. Hé bien, pressentiment bizarre ! en lui livrant les jolis cheveux blanchement blonds dans lesquels il aimait à promener ses doigts, en sentant la petite main de cet homme vraiment grand la presser, en jouant elle-même avec les touffes noires de sa chevelure, dans ce boudoir où elle régnait, la duchesse se disait : « Cet homme est capable de me tuer, s'il s'aperçoit que je m'amuse de lui. »

M. de Montriveau resta jusqu'à deux heures du matin près de sa maîtresse, qui, dès ce moment, ne lui parut plus ni une duchesse, ni une Navarreins : Antoinette avait poussé le déguisement jusqu'à paraître femme. Pendant

---

1. Édit du tsar. Par extension, ordre arbitraire et sans appel. — 2. Pour épouser Poppée, Néron répudia Octavie, sa femme. Mais trois ans après leur mariage, il tua sa nouvelle épouse d'un coup de pied au ventre. — 3. Henri VIII, qui régna en Angleterre de 1509 à 1547, épousa successivement six femmes : il fit décapiter la deuxième et la cinquième.

cette délicieuse soirée, la plus douce préface que jamais
Parisienne ait faite pour ce que le monde appelle *une
faute*, il fut permis au général de voir en elle, malgré les
minauderies d'une pudeur jouée, toute la beauté des
jeunes filles. Il put penser avec quelque raison que tant
de querelles capricieuses formaient des voiles avec lesquels une âme céleste s'était vêtue, et qu'il fallait lever
un à un, comme ceux dont elle enveloppait son adorable
personne. La duchesse fut pour lui la plus naïve, la plus
ingénue des maîtresses, et il en fit la femme de son choix ;
il s'en alla tout heureux de l'avoir enfin amenée à lui
donner tant de gages d'amour, qu'il lui semblait impossible de ne pas être désormais, pour elle, un époux secret
dont le choix était approuvé par Dieu. Dans cette pensée,
avec la candeur de ceux qui sentent toutes les obligations
de l'amour en en savourant les plaisirs, Armand revint
chez lui lentement. Il suivit les quais, afin de voir le plus
grand espace possible de ciel, il voulait élargir le firma-
ment et la nature en se trouvant le cœur agrandi. Ses pou-
mons lui paraissaient aspirer plus d'air qu'ils n'en
prenaient la veille. En marchant, il s'interrogeait, et se
promettait d'aimer si religieusement cette femme qu'elle
pût trouver tous les jours une absolution de ses fautes
sociales dans un constant bonheur. Douces agitations
d'une vie pleine ! Les hommes qui ont assez de force
pour teindre leur âme d'un sentiment unique ressentent
des jouissances infinies en contemplant par échappées
toute une vie incessamment ardente, comme certains religieux pouvaient contempler la lumière divine dans leurs
extases. Sans cette croyance en sa perpétuité, l'amour ne
serait rien ; la constance le grandit. Ce fut ainsi qu'en s'en
allant en proie à son bonheur, Montriveau comprenait la
passion. « Nous sommes donc l'un à l'autre à jamais ! »
Cette pensée était pour cet homme un talisman qui réali-
sait les vœux de sa vie. Il ne se demandait pas si la
duchesse changerait, si cet amour durerait ; non, il avait
la foi, l'une des vertus sans laquelle il n'y a pas d'avenir
chrétien, mais qui peut-être est encore plus nécessaire aux
sociétés. Pour la première fois, il concevait la vie par les
sentiments, lui qui n'avait encore vécu que par l'action la

plus exorbitante des forces humaines, le dévouement quasi corporel du soldat.

Le lendemain, M. de Montriveau se rendit de bonne heure au faubourg Saint-Germain. Il avait un rendez-vous dans une maison voisine de l'hôtel de Langeais, où, quand ses affaires furent faites, il alla comme on va chez soi. Le général marchait alors de compagnie avec un homme pour lequel il paraissait avoir une sorte d'aversion quand il le rencontrait dans les salons. Cet homme était le marquis de Ronquerolles, dont la réputation devint si grande dans les boudoirs de Paris ; homme d'esprit, de talent, homme de courage surtout, et qui donnait le ton à toute la jeunesse de Paris ; un galant homme dont les succès et l'expérience étaient également enviés, et auquel ne manquaient ni la fortune, ni la naissance, qui ajoutent à Paris tant de lustre aux qualités des gens à la mode.

« Où vas-tu ? dit M. de Ronquerolles à Montriveau.

— Chez Mme de Langeais.

— Ah ! c'est vrai, j'oubliais que tu t'es laissé prendre à sa glu. Tu perds chez elle un amour que tu pourrais bien mieux employer ailleurs. J'avais à te donner dans la Banque dix femmes qui valent mille fois mieux que cette courtisane titrée, qui fait avec sa tête ce que d'autres femmes plus franches font...

— Que dis-tu là, mon cher, dit Armand en interrompant Ronquerolles, la duchesse est un ange de candeur. »

Ronquerolles se prit à rire.

« Puisque tu en es là, mon cher, dit-il, je dois t'éclairer. Un seul mot ! entre nous, il est sans conséquence. La duchesse t'appartient-elle ? En ce cas, je n'aurai rien à dire. Allons, fais-moi tes confidences. Il s'agit de ne pas perdre ton temps à greffer ta belle âme sur une nature ingrate qui doit laisser avorter les espérances de ta culture. »

Quand Armand eut naïvement fait une espèce d'état de situation dans lequel il mentionna minutieusement les droits qu'il avait si péniblement obtenus, Ronquerolles partit d'un éclat de rire si cruel, qu'à tout autre il aurait coûté la vie. Mais à voir de quelle manière ces deux êtres se regardaient et se parlaient seuls au coin d'un mur, aussi loin des hommes qu'ils eussent pu l'être au milieu d'un désert, il était facile de présumer qu'une amitié sans bornes les unissait et qu'aucun intérêt humain ne pouvait les brouiller.

« Mon cher Armand, pourquoi ne m'as-tu pas dit que tu t'embarrassais de la duchesse ? je t'aurais donné quelques conseils qui t'auraient fait mener à bien cette intrigue. Apprends d'abord que les femmes de notre faubourg aiment, comme toutes les autres, à se baigner dans l'amour ; mais elles veulent posséder sans être possédées. Elles ont transigé avec la nature. La jurisprudence de la paroisse leur a presque tout permis, moins le péché positif[1]. Les friandises dont te régale ta jolie duchesse sont des péchés véniels[2] dont elle se lave dans les eaux de la pénitence. Mais si tu avais l'impertinence de vouloir sérieusement le grand péché mortel auquel tu dois naturellement attacher la plus haute importance, tu verrais avec quel profond dédain la porte du boudoir et de l'hôtel te serait incontinent[3] fermée. La tendre Antoinette aurait tout oublié, tu serais moins que zéro pour elle. Tes baisers, mon cher ami, seraient essuyés avec l'indifférence qu'une femme met aux choses de sa toilette. La duchesse épongerait l'amour sur ses joues comme elle en ôte le rouge. Nous connaissons ces sortes de femmes, la Parisienne pure. As-tu jamais vu dans les rues une grisette[4] trottant menu ? sa tête vaut un tableau : joli bonnet, joues fraîches, cheveux coquets, fin sourire, le reste est à peine soigné. N'en est-ce pas bien le portrait ? Voilà la Parisienne, elle sait que sa tête seule sera vue ; à sa tête, tous les soins, les parures, les vanités. Hé bien, ta duchesse est tout tête, elle ne sent que par sa tête, elle a un cœur dans la tête, une voix de tête, elle est friande par la tête. Nous nommons cette pauvre chose une Laïs[5] intellectuelle. Tu es joué comme un enfant. Si tu en doutes, tu en auras la preuve ce soir, ce matin, à l'instant. Monte chez elle, essaie de demander, de vouloir impérieusement ce que

---

1. Pratique, effectif. — **2.** L'Église distingue entre péché mortel, qui entraîne la damnation, et péché véniel, qui est une faute moins grave. — **3.** Sur-le-champ. — **4.** Jeune ouvrière coquette, aimant s'amuser. — **5.** Nom d'une courtisane de Corinthe au IVe siècle av. J.-C.

l'on te refuse ; quand même tu t'y prendrais comme feu
M. le maréchal de Richelieu [1], néant au placet [2]. »

Armand était hébété.

« La désires-tu au point d'en être devenu sot ?

— Je la veux à tout prix, s'écria Montriveau désespéré.

— Hé bien, écoute. Sois aussi implacable qu'elle le
sera, tâche de l'humilier, de piquer sa vanité ; d'intéresser
non pas le cœur, non pas l'âme, mais les nerfs et la
lymphe de cette femme à la fois nerveuse et lymphatique [3]. Si tu peux lui faire naître un désir, tu es sauvé. Mais
quitte tes belles idées d'enfant. Si, l'ayant pressée dans
tes serres d'aigle, tu cèdes, si tu recules, si l'un de tes
sourcils remue, si elle croit pouvoir encore te dominer,
elle glissera de tes griffes comme un poisson et s'échap-
pera pour ne plus se laisser prendre. Sois inflexible
comme la loi. N'aie pas plus de charité que n'en a le
bourreau. Frappe. Quand tu auras frappé, frappe encore.
Frappe toujours, comme si tu donnais le knout [4]. Les
duchesses sont dures, mon cher Armand, et ces natures
de femme ne s'amollissent que sous les coups ; la souffrance leur donne un cœur, et c'est œuvre de charité que
de les frapper. Frappe donc sans cesse. Ah ! quand la
douleur aura bien attendri ces nerfs, ramolli ces fibres que
tu crois douces et molles ; fait battre un cœur sec, qui, à
ce jeu, reprendra de l'élasticité ; quand la cervelle aura
cédé, la passion entrera peut-être dans les ressorts métalliques de cette machine à larmes, à manières, à évanouis-
sements, à phrases fondantes ; et tu verras le plus
magnifique des incendies, si toutefois la cheminée prend
feu. Ce système d'acier femelle aura le rouge du fer dans
la forge ! une chaleur plus durable que toute autre, et cette
incandescence deviendra peut-être de l'amour. Néanmoins, j'en doute. Puis, la duchesse vaut-elle tant de peines ? Entre nous, elle aurait besoin d'être préalablement
formée par un homme comme moi, j'en ferais une femme

---

1. Petit-neveu du cardinal de Richelieu, il fut célèbre par son libertinage et ses talents militaires. — 2. Demande refusée (expression juridique). — 3. Balzac s'inspire à nouveau de la classification médicale des
tempéraments : Antoinette de Langeais est dite ici nerveuse et lymphatique, Montriveau était décrit plus haut comme un sanguin (p. 117).
— 4. Fouet à lanières de cuir terminées par des fils de fer tordus.

charmante, elle a de la race ; tandis qu'à vous deux, vous en resterez à l'A B C de l'amour. Mais tu aimes, et tu ne partagerais pas en ce moment mes idées sur cette matière.
— Bien du plaisir, mes enfants, ajouta Ronquerolles en riant et après une pause. Je me suis prononcé, moi, en faveur des femmes faciles ; au moins, elles sont tendres, elles aiment au naturel, et non avec les assaisonnements sociaux. Mon pauvre garçon, une femme qui se chicane, qui ne veut qu'inspirer de l'amour ? eh, mais il faut en avoir une comme on a un cheval de luxe ; voir, dans le combat du confessionnal contre le canapé, ou du blanc contre le noir, de la reine contre le fou, des scrupules contre le plaisir, une partie d'échecs fort divertissante à jouer. Un homme tant soit peu roué, qui sait le jeu, donne le *mat*[1] en trois coups, à volonté. Si j'entreprenais une femme de ce genre, je me donnerais pour but de... »

Il dit un mot à l'oreille d'Armand et le quitta brusquement pour ne pas entendre de réponse.

Quant à Montriveau, d'un bond il sauta dans la cour de l'hôtel de Langeais, monta chez la duchesse ; et, sans se faire annoncer, il entra chez elle, dans sa chambre à coucher.

« Mais cela ne se fait pas, dit-elle en croisant à la hâte son peignoir, Armand, vous êtes un homme abominable. Allons, laissez-moi, je vous prie. Sortez, sortez donc. Attendez-moi dans le salon. Allez.

— Chère ange, lui dit-il, un époux n'a-t-il donc aucun privilège ?

— Mais c'est d'un goût détestable, monsieur, soit à un époux, soit à un mari, de surprendre ainsi sa femme. »

Il vint à elle, la prit, la serra dans ses bras : « Pardonne, ma chère Antoinette, mais mille soupçons mauvais me travaillent le cœur.

— Des soupçons, fi ! Ah ! fi, fi donc !

— Des soupçons presque justifiés. Si tu m'aimais, me ferais-tu cette querelle ? N'aurais-tu pas été contente de me voir ? n'aurais-tu pas senti je ne sais quel mouvement au cœur ? Mais moi qui ne suis pas femme, j'éprouve des

---

1. Au jeu des échecs, échec au roi qui fait gagner la partie.

tressaillements intimes au seul son de ta voix. L'envie de
te sauter au cou m'a souvent pris au milieu d'un bal.

— Ah ! si vous avez des soupçons tant que je ne vous
aurai pas sauté au cou devant tout le monde, je crois que
je serai soupçonnée pendant toute ma vie ; mais, auprès
de vous, Othello [1] n'est qu'un enfant !

— Ha ! dit-il au désespoir, je ne suis pas aimé.

— Du moins, en ce moment, convenez que vous n'êtes
pas aimable.

— J'en suis donc encore à vous plaire ?

— Ah ! je le crois. Allons, dit-elle d'un petit air impé-
ratif, sortez, laissez-moi. Je ne suis pas comme vous,
moi : je veux toujours vous plaire... »

Jamais aucune femme ne sut, mieux que Mme de Langeais, mettre tant de grâce dans son impertinence ; et
n'est-ce pas en doubler l'effet ? n'est-ce pas à rendre
furieux l'homme le plus froid ? En ce moment ses yeux,
le son de sa voix, son attitude attestèrent une sorte de
liberté parfaite qui n'est jamais chez la femme aimante,
quand elle se trouve en présence de celui dont la seule
vue doit la faire palpiter. Déniaisé par les avis du marquis
de Ronquerolles, encore aidé par cette rapide intussuscep-
tion [2] dont sont doués momentanément les êtres les moins
sagaces par la passion, mais qui se trouve si complète
chez les hommes forts, Armand devina la terrible vérité
que trahissait l'aisance de la duchesse, et son cœur se
gonfla d'un orage comme un lac prêt à se soulever.

« Si tu disais vrai hier, sois à moi, ma chère Antoinette,
s'écria-t-il, je veux...

— D'abord, dit-elle en le repoussant avec force et
calme, lorsqu'elle le vit s'avancer, ne me compromettez
pas. Ma femme de chambre pourrait vous entendre. Res-
pectez-moi, je vous prie. Votre familiarité est très bonne,
le soir, dans mon boudoir ; mais ici, point. Puis que signifie votre je veux ? Je veux ! Personne ne m'a dit encore
ce mot. Il me semble très ridicule, parfaitement ridicule.

---

1. Le héros du drame shakespearien *Othello ou le Maure de Venise*
(1604) est marié à la vertueuse Desdémone. Persuadé par son officier
Iago qu'elle lui est infidèle, il devient fou de jalousie et l'étrangle.
— **2.** Au sens psychologique de pénétration.

— Vous ne me céderiez rien sur ce point ? dit-il.

— Ah ! vous nommez un point, la libre disposition de nous-mêmes : un point très capital, en effet ; et vous me permettrez d'être, en ce point, tout à fait la maîtresse.

— Et si, me fiant en vos promesses, je l'exigeais ?

— Ah ! vous me prouveriez que j'aurais eu le plus grand tort de vous faire la plus légère promesse, je ne serais pas assez sotte pour la tenir, et je vous prierais de me laisser tranquille. »

Montriveau pâlit, voulut s'élancer ; la duchesse sonna, sa femme de chambre parut, et cette femme lui dit en souriant avec une grâce moqueuse : « Ayez la bonté de revenir quand je serai visible. »

Armand de Montriveau sentit alors la dureté de cette femme froide et tranchante autant que l'acier, elle était écrasante de mépris. En un moment, elle avait brisé des liens qui n'étaient forts que pour son amant. La duchesse avait lu sur le front d'Armand les exigences secrètes de cette visite, et avait jugé que l'instant était venu de faire sentir à ce soldat impérial que les duchesses pouvaient bien se prêter à l'amour, mais ne s'y donnaient pas, et que leur conquête était plus difficile à faire que ne l'avait été celle de l'Europe.

« Madame, dit Armand, je n'ai pas le temps d'attendre. Je suis, vous l'avez dit vous-même, un enfant gâté. Quand je voudrai sérieusement ce dont nous parlions tout à l'heure, je l'aurai.

— Vous l'aurez ? dit-elle d'un air de hauteur auquel se mêla quelque surprise.

— Je l'aurai.

— Ah ! vous me feriez bien plaisir de le vouloir. Pour la curiosité du fait, je serais charmée de savoir comment vous vous y prendriez...

— Je suis enchanté, répondit Montriveau en riant de façon à effrayer la duchesse, de mettre un intérêt dans votre existence. Me permettrez-vous de venir vous chercher pour aller au bal ce soir ?

— Je vous rends mille grâces, M. de Marsay vous a prévenu, j'ai promis. »

Montriveau salua gravement et se retira.

« Ronquerolles a donc raison, pensa-t-il, nous allons jouer maintenant une partie d'échecs. »

Dès lors il cacha ses émotions sous un calme complet. Aucun homme n'est assez fort pour pouvoir supporter ces changements, qui font passer rapidement l'âme du plus grand bien à des malheurs suprêmes. N'avait-il donc aperçu la vie heureuse que pour mieux sentir le vide de son existence précédente ? Ce fut un terrible orage ; mais il savait souffrir, et reçut l'assaut de ses pensées tumultueuses, comme un rocher de granit reçoit les lames de l'Océan courroucé.

« Je n'ai rien pu lui dire ; en sa présence, je n'ai plus d'esprit. Elle ne sait pas à quel point elle est vile et méprisable. Personne n'a osé mettre cette créature en face d'elle-même. Elle a sans doute joué bien des hommes, je les vengerai tous. »

Pour la première fois peut-être, dans un cœur d'homme, l'amour et la vengeance se mêlèrent si également qu'il était impossible à Montriveau lui-même de savoir qui de l'amour, qui de la vengeance l'emporterait. Il se trouva le soir même au bal où devait être la duchesse de Langeais, et désespéra presque d'atteindre cette femme à laquelle il fut tenté d'attribuer quelque chose de démoniaque : elle se montra pour lui gracieuse et pleine d'agréables sourires, elle ne voulait pas sans doute laisser croire au monde qu'elle s'était compromise avec M. de Montriveau. Une mutuelle bouderie trahit l'amour. Mais que la duchesse ne changeât rien à ses manières, alors que le marquis était sombre et chagrin, n'était-ce pas faire voir qu'Armand n'avait rien obtenu d'elle ? Le monde sait bien deviner le malheur des hommes dédaignés, et ne le confond point avec les brouilles que certaines femmes ordonnent à leurs amants d'affecter dans l'espoir de cacher un mutuel amour. Et chacun se moqua de Montriveau qui, n'ayant pas consulté son cornac [1], resta rêveur, souffrant ; tandis que M. de Ronquerolles lui eût prescrit peut-être de compromettre la duchesse en répondant à ses fausses amitiés par des démonstrations passionnées. Armand de Montriveau quitta le bal, ayant horreur de la

---

1. Conducteur d'un éléphant.

nature humaine, et croyant encore à peine à de si complètes perversités.

« S'il n'y a pas de bourreaux pour de semblables crimes, dit-il en regardant les croisées lumineuses des salons où dansaient, causaient et riaient les plus séduisantes femmes de Paris, je te prendrai par le chignon du cou, Madame la duchesse, et t'y ferai sentir un fer plus mordant que ne l'est le couteau de la Grève[1]. Acier contre acier, nous verrons quel cœur sera plus tranchant. »

---

1. La place de Grève, actuelle place de l'Hôtel-de-Ville, fut jusqu'en 1830 le lieu des exécutions capitales.

CHAPITRE III

LA FEMME VRAIE [1]

Pendant une semaine environ, Mme de Langeais espéra revoir le marquis de Montriveau ; mais Armand se contenta d'envoyer tous les matins sa carte [2] à l'hôtel de Langeais. Chaque fois que cette carte était remise à la duchesse, elle ne pouvait s'empêcher de tressaillir, frappée par de sinistres pensées, mais indistinctes comme l'est un pressentiment de malheur. En lisant ce nom, tantôt elle croyait sentir dans ses cheveux la main puissante de cet homme implacable, tantôt ce nom lui pronostiquait des vengeances que son mobile esprit lui faisait atroces. Elle l'avait trop bien étudié pour ne pas le craindre. Serait-elle assassinée ? Cet homme à cou de taureau l'éventrerait-il en la lançant au-dessus de sa tête ? la foulerait-il aux pieds ? Quand, où, comment la saisirait-il ? la ferait-il bien souffrir, et quel genre de souffrance méditait-il de lui imposer ? Elle se repentait. À certaines heures, s'il était venu, elle se serait jetée dans ses bras avec un complet abandon. Chaque soir, en s'endormant, elle revoyait la physionomie de Montriveau sous un aspect différent. Tantôt son sourire amer ; tantôt la

---

1. Le titre du chapitre était suivi de deux épigraphes. La première était : « Ez cueurs guastez de tout poinct, ne sourd que venins de vindicte » (*Les Cent Contes drolatiques*, troisième dixain, « Berthe la repentie »). La seconde : « L'amour crée dans la femme une femme nouvelle » (*Les Marana*). — 2. Il était fréquent à cette époque de rendre des « visites par carte » : on se contentait de déposer ou de faire déposer par un domestique sa carte au concierge de l'hôtel où résidait la personne avec laquelle on souhaitait entretenir des relations.

contraction jupitérienne [1] de ses sourcils, son regard de
lion, ou quelque hautain mouvement d'épaules le lui faisaient terrible. Le lendemain, la carte lui semblait couverte de sang. Elle vivait agitée par ce nom, plus qu'elle
ne l'avait été par l'amant fougueux, opiniâtre, exigeant.
Puis ses appréhensions grandissaient encore dans le
silence, elle était obligée de se préparer, sans secours
étranger, à une lutte horrible dont il ne lui était pas permis
de parler. Cette âme, fière et dure, était plus sensible aux
titillations [2] de la haine qu'elle ne l'avait été naguère aux
caresses de l'amour. Ha ! si le général avait pu voir sa
maîtresse au moment où elle amassait les plis de son front
entre ses sourcils, en se plongeant dans d'amères pensées,
au fond de ce boudoir où il avait savouré tant de joies,
peut-être eût-il conçu de grandes espérances. La fierté
n'est-elle pas un des sentiments humains qui ne peuvent
enfanter que de nobles actions ? Quoique Mme de Langeais gardât le secret de ses pensées, il est permis de
supposer que M. de Montriveau ne lui était plus indifférent. N'est-ce pas une immense conquête pour un homme
que d'occuper une femme ? Chez elle, il doit nécessairement se faire un progrès dans un sens ou dans l'autre.
Mettez une créature féminine sous les pieds d'un cheval
furieux, en face de quelque animal terrible ; elle tombera,
certes, sur les genoux, elle attendra la mort ; mais si la
bête est clémente et ne la tue pas entièrement, elle aimera
le cheval, le lion, le taureau, elle en parlera tout à l'aise.
La duchesse se sentait sous les pieds du lion : elle tremblait, elle ne haïssait pas. Ces deux personnes, si singulièrement posées l'une en face de l'autre, se rencontrèrent
trois fois dans le monde durant cette semaine. Chaque
fois, en réponse à de coquettes interrogations, la duchesse
reçut d'Armand des saluts respectueux et des sourires
empreints d'une ironie si cruelle, qu'ils confirmaient
toutes les appréhensions inspirées le matin par la carte de
visite. La vie n'est que ce que nous la font les sentiments ;
les sentiments avaient creusé des abîmes entre ces deux
personnes.

La comtesse de Sérizy, sœur du marquis de Ronquerolles,

---

1. Majestueuse, dominatrice. — 2. Sensations de chatouillement.

donnait au commencement de la semaine suivante un grand
bal auquel devait venir Mme de Langeais. La première
figure que vit la duchesse en entrant fut celle d'Armand,
Armand l'attendait cette fois, elle le pensa du moins. Tous
deux échangèrent un regard. Une sueur froide sortit soudain
de tous les pores de cette femme. Elle avait cru Montriveau
capable de quelque vengeance inouïe, proportionnée à leur
état ; cette vengeance était trouvée, elle était prête, elle était
chaude, elle bouillonnait. Les yeux de cet amant trahi lui lan-
cèrent les éclairs de la foudre et son visage rayonnait de
haine heureuse. Aussi, malgré la volonté qu'avait la
duchesse d'exprimer la froideur et l'impertinence, son
regard resta-t-il morne. Elle alla se placer près de la comtesse
de Sérizy, qui ne put s'empêcher de lui dire : « Qu'avez-
vous, ma chère Antoinette ? Vous êtes à faire peur.

— Une contredanse [1] va me remettre », répondit-elle
en donnant la main à un jeune homme qui s'avançait.

Mme de Langeais se mit à valser avec une sorte de
fureur et d'emportement que redoubla le regard pesant de
Montriveau. Il resta debout, en avant de ceux qui s'amu-
saient à voir les valseurs. Chaque fois que sa maîtresse
passait devant lui, ses yeux plongeaient sur cette tête tour-
noyante, comme ceux d'un tigre sûr de sa proie. La valse
finie, la duchesse vint s'asseoir près de la comtesse, et le
marquis ne cessa de la regarder en s'entretenant avec un
inconnu.

« Monsieur, lui disait-il, l'une des choses qui m'ont le
plus frappé dans ce voyage... »

La duchesse était tout oreilles.

« ... Est la phrase que prononce le gardien de West-
minster en vous montrant la hache avec laquelle un
homme masqué trancha, dit-on, la tête de Charles Ier en
mémoire du Roi qui les dit à un curieux.

— Que dit-il ? demanda Mme de Sérizy.

— *Ne touchez pas à la hache* [2], répondit Montriveau
d'un son de voix où il y avait de la menace.

---

1. Danse rapide où des groupes se font vis-à-vis. — **2.** Le roi Charles Ier
d'Angleterre, le jour de son exécution en 1649, aurait dit à des spectateurs
impatients qui se pressaient autour de l'instrument : « Ne touchez pas à la
hache. » Cette expression fut le premier titre du roman.

Exécution du roi Charles Ier d'Angleterre le 30 janvier 1649.

— En vérité, monsieur le marquis, dit la duchesse de Langeais, vous regardez mon cou d'un air si mélodramatique en répétant cette vieille histoire, connue de tous ceux qui vont à Londres, qu'il me semble vous voir une hache à la main. »

Ces derniers mots furent prononcés en riant, quoiqu'une sueur froide eût saisi la duchesse.

« Mais cette histoire est, par circonstance, très neuve, répondit-il.

— Comment cela ? je vous prie, de grâce, en quoi ?

— En ce que, madame, vous avez touché à la hache, lui dit Montriveau à voix basse.

— Quelle ravissante prophétie ! reprit-elle en souriant avec une grâce affectée. Et quand doit tomber ma tête ?

— Je ne souhaite pas de voir tomber votre jolie tête, madame. Je crains seulement pour vous quelque grand malheur. Si l'on vous tondait, ne regretteriez-vous pas ces cheveux si mignonnement blonds, et dont vous tirez si bien parti...

— Mais il est des personnes auxquelles les femmes

aiment à faire de ces sacrifices, et souvent même à des hommes qui ne savent pas leur faire crédit d'un mouvement d'humeur.

— D'accord. Eh bien, si tout à coup, par un procédé chimique, un plaisant vous enlevait votre beauté, vous mettait à cent ans, quand vous n'en avez pour nous que dix-huit ?

— Mais, monsieur, dit-elle en l'interrompant, la petite vérole est notre bataille de Waterloo. Le lendemain nous connaissons ceux qui nous aiment véritablement.

— Vous ne regretteriez pas cette délicieuse figure qui...

— Ha, beaucoup ; mais moins pour moi que pour celui dont elle ferait la joie. Cependant, si j'étais sincèrement aimée, toujours, bien, que m'importerait la beauté ? Qu'en dites-vous, Clara ?

— C'est une spéculation dangereuse, répondit Mme de Sérizy.

— Pourrait-on demander à sa majesté le roi des sorciers, reprit Mme de Langeais, quand j'ai commis la faute de toucher à la hache, moi qui ne suis pas encore allée à Londres...

— *Non so* [1], fit-il en laissant échapper un rire moqueur.

— Et quand commencera le supplice ? »

Là, Montriveau tira froidement sa montre et vérifia l'heure avec une conviction réellement effrayante.

« La journée ne finira pas sans qu'il vous arrive un horrible malheur...

— Je ne suis pas un enfant qu'on puisse facilement épouvanter, ou plutôt je suis un enfant qui ne connaît pas le danger, dit la duchesse, et vais danser sans crainte au bord de l'abîme.

— Je suis enchanté, madame, de vous savoir tant de caractère », répondit-il en la voyant aller prendre sa place à un quadrille [2].

Malgré son apparent dédain pour les noires prédictions d'Armand, la duchesse était en proie à une véritable terreur. À peine l'oppression morale et presque physique

---

1. « Je ne sais pas », en italien. — 2. Danse comprenant différentes figures qui s'enchaînent les unes aux autres.

sous laquelle la tenait son amant cessa-t-elle lorsqu'il quitta le bal. Néanmoins, après avoir joui pendant un moment du plaisir de respirer à son aise, elle se surprit à regretter les émotions de la peur, tant la nature femelle est avide de sensations extrêmes. Ce regret n'était pas de l'amour, mais il appartenait certes aux sentiments qui le préparent. Puis, comme si la duchesse eût de nouveau ressenti l'effet que M. de Montriveau lui avait fait éprouver, elle se rappela l'air de conviction avec lequel il venait de regarder l'heure, et, saisie d'épouvante, elle se retira. Il était alors environ minuit. Celui de ses gens qui l'attendait lui mit sa pelisse[1] et marcha devant elle pour faire avancer sa voiture ; puis, quand elle y fut assise, elle tomba dans une rêverie assez naturelle, provoquée par la prédiction de M. de Montriveau. Arrivée dans sa cour, elle entra dans un vestibule presque semblable à celui de son hôtel ; mais tout à coup elle ne reconnut pas son escalier ; puis au moment où elle se retourna pour appeler ses gens, plusieurs hommes l'assaillirent avec rapidité, lui jetèrent un mouchoir sur la bouche, lui lièrent les mains, les pieds, et l'enlevèrent. Elle jeta de grands cris.

« Madame, nous avons ordre de vous tuer si vous criez », lui dit-on à l'oreille.

La frayeur de la duchesse fut si grande, qu'elle ne put jamais s'expliquer par où ni comment elle fut transportée. Quand elle reprit ses sens, elle se trouva les pieds et les poings liés, avec des cordes de soie, couchée sur le canapé d'une chambre de garçon. Elle ne put retenir un cri en rencontrant les yeux d'Armand de Montriveau, qui, tranquillement assis dans un fauteuil, et enveloppé dans sa robe de chambre, fumait un cigare.

« Ne criez pas, madame la duchesse, dit-il en s'ôtant froidement son cigare de la bouche, j'ai la migraine. D'ailleurs je vais vous délier. Mais écoutez bien ce que j'ai l'honneur de vous dire. » Il dénoua délicatement les cordes qui serraient les pieds de la duchesse. « À quoi vous serviraient vos cris ? personne ne peut les entendre. Vous êtes trop bien élevée pour faire des grimaces inutiles. Si vous ne vous teniez pas tranquille, si vous vouliez

---

1. Manteau doublé de fourrure, utilisé plutôt pour les sorties du soir.

lutter avec moi, je vous attacherais de nouveau les pieds
et les mains. Je crois, que, tout bien considéré, vous vous
respecterez assez pour demeurer sur ce canapé, comme si
vous étiez chez vous, sur le vôtre ; froide encore, si vous
voulez... Vous m'avez fait répandre, sur ce canapé, bien
des pleurs que je cachais à tous les yeux. »

Pendant que Montriveau lui parlait, la duchesse jeta
autour d'elle ce regard de femme, regard furtif qui sait
tout voir en paraissant distrait. Elle aima beaucoup cette
chambre assez semblable à la cellule d'un moine. L'âme
et la pensée de l'homme y planaient. Aucun ornement
n'altérait la peinture grise des parois vides. À terre était
un tapis vert. Un canapé noir, une table couverte de
papiers, deux grands fauteuils, une commode ornée d'un
réveil, un lit très bas sur lequel était jeté un drap rouge
bordé d'une grecque[1] noire annonçaient par leur contex-
ture[2] les habitudes d'une vie réduite à sa plus simple
expression. Un triple flambeau posé sur la cheminée rappelait, par sa forme égyptienne, l'immensité des déserts
où cet homme avait longtemps erré. À côté du lit, entre
le pied que d'énormes pattes de sphinx faisaient deviner
sous les plis de l'étoffe et l'un des murs latéraux de la
chambre, se trouvait une porte cachée par un rideau vert
à franges rouges et noires que de gros anneaux ratta-
chaient sur une hampe[3]. La porte par laquelle les inconnus étaient entrés avait une portière[4] pareille, mais
relevée par une embrasse[5]. Au dernier regard que la
duchesse jeta sur les deux rideaux pour les comparer, elle
s'aperçut que la porte voisine du lit était ouverte, et que
des lueurs rougeâtres allumées dans l'autre pièce se dessi-
naient sous l'effilé[6] d'en bas. Sa curiosité fut naturellement excitée par cette lumière triste, qui lui permit à peine
de distinguer dans les ténèbres quelques formes bizarres ;
mais, en ce moment, elle ne songea pas que son danger
pût venir de là, et voulut satisfaire un plus ardent intérêt.

« Monsieur, est-ce une indiscrétion de vous demander

---

1. Frise. — 2. Liaison. — 3. Barre, tringle. — 4. Rideau.
— 5. Bande d'étoffe servant à tenir un rideau drapé. — 6. Frange de
fils en bordure d'un tissu.

ce que vous comptez faire de moi ? » dit-elle avec une impertinence et une moquerie perçante.

La duchesse croyait deviner un amour excessif dans les paroles de Montriveau. D'ailleurs, pour enlever une femme, ne faut-il pas l'adorer ?

« Rien du tout, madame, répondit-il en soufflant avec grâce sa dernière bouffée de tabac. Vous êtes ici pour peu de temps. Je veux d'abord vous expliquer ce que vous êtes, et ce que je suis. Quand vous vous tortillez sur votre divan, dans votre boudoir, je ne trouve pas de mots pour mes idées. Puis chez vous, à la moindre pensée qui vous déplaît, vous tirez le cordon de votre sonnette, vous criez bien fort et mettez votre amant à la porte comme s'il était le dernier des misérables. Ici, j'ai l'esprit libre. Ici, personne ne peut me jeter à la porte. Ici, vous serez ma victime pour quelques instants, et vous aurez l'extrême bonté de m'écouter. Ne craignez rien. Je ne vous ai pas enlevée pour vous dire des injures, pour obtenir de vous par violence ce que je n'ai pas su mériter, ce que vous n'avez pas voulu m'octroyer de bonne grâce. Ce serait une indignité. Vous concevez peut-être le viol ; moi, je ne le conçois pas. »

Il lança, par un mouvement sec, son cigare au feu.

« Madame, la fumée vous incommode sans doute ? »

Aussitôt il se leva, prit dans le foyer une cassolette[1] chaude, y brûla des parfums, et purifia l'air. L'étonnement de la duchesse ne pouvait se comparer qu'à son humiliation. Elle était au pouvoir de cet homme, et cet homme ne voulait pas abuser de son pouvoir. Ces yeux jadis si flamboyants d'amour, elle les voyait calmes et fixes comme des étoiles. Elle trembla. Puis la terreur qu'Armand lui inspirait fut augmentée par une de ces sensations pétrifiantes, analogues aux agitations sans mouvement ressenties dans le cauchemar. Elle resta clouée par la peur, en croyant voir la lueur placée derrière le rideau prendre de l'intensité sous les aspirations d'un soufflet. Tout à coup les reflets devenus plus vifs avaient illuminé trois personnes masquées. Cet aspect horrible s'évanouit

---

1. Petit réchaud pour brûler des parfums.

si promptement qu'elle le prit pour une fantaisie d'op-
tique [1].

« Madame, reprit Armand en la contemplant avec une
méprisante froideur, une minute, une seule me suffira pour
vous atteindre dans tous les moments de votre vie, la seule
éternité dont je puisse disposer, moi. Je ne suis pas Dieu.
Écoutez-moi bien, dit-il, en faisant une pause pour donner
de la solennité à son discours. L'amour viendra toujours à
vos souhaits ; vous avez sur les hommes un pouvoir sans
bornes ; mais souvenez-vous qu'un jour vous avez appelé
l'amour : il est venu pur et candide, autant qu'il peut l'être
sur cette terre ; aussi respectueux qu'il était violent ; caressant, comme l'est l'amour d'une femme dévouée, ou
comme l'est celui d'une mère pour son enfant ; enfin, si
grand, qu'il était une folie. Vous vous êtes jouée de cet
amour, vous avez commis un crime. Le droit de toute
femme est de se refuser à un amour qu'elle sent ne pouvoir
partager. L'homme qui aime sans se faire aimer ne saurait
être plaint, et n'a pas le droit de se plaindre. Mais, madame
la duchesse, attirer à soi, en feignant le sentiment, un malheureux privé de toute affection, lui faire comprendre le
bonheur dans toute sa plénitude, pour le lui ravir ; lui voler
son avenir de félicité ; le tuer non seulement aujourd'hui,
mais dans l'éternité de sa vie, en empoisonnant toutes ses
heures et toutes ses pensées, voilà ce que je nomme un
épouvantable crime !

— Monsieur...

— Je ne puis encore vous permettre de me répondre.
Écoutez-moi donc toujours. D'ailleurs, j'ai des droits sur
vous ; mais je ne veux que de ceux du juge sur le criminel, afin de réveiller votre conscience. Si vous n'aviez
plus de conscience, je ne vous blâmerais point ; mais vous
êtes si jeune ! vous devez vous sentir encore de la vie au
cœur, j'aime à le penser. Si je vous crois assez dépravée
pour commettre un crime impuni par les lois, je ne vous
fais pas assez dégradée pour ne pas comprendre la portée
de mes paroles. Je reprends. »

En ce moment, la duchesse entendit le bruit sourd d'un
soufflet, avec lequel les inconnus qu'elle venait d'entre-

---

1. Vue imaginaire, vision.

voir attisaient sans doute le feu dont la clarté se projeta
sur le rideau ; mais le regard fulgurant de Montriveau la
contraignit à rester palpitante et les yeux fixes devant lui.
Quelle que fût sa curiosité, le feu des paroles d'Armand
l'intéressait plus encore que la voix de ce feu mystérieux.

« Madame, dit-il après une pause, lorsque, dans Paris,
le bourreau devra mettre la main sur un pauvre assassin,
et le couchera sur la planche où la loi veut qu'un assassin
soit couché pour perdre la tête... Vous savez, les journaux
en préviennent les riches et les pauvres, afin de dire aux
uns de dormir tranquilles, et aux autres de veiller pour
vivre. Eh bien, vous qui êtes religieuse, et même un peu
dévote, allez faire dire des messes pour cet homme : vous
êtes de la famille ; mais vous êtes de la branche aînée.
Celle-là peut trôner en paix, exister heureuse et sans sou-
cis. Poussé par la misère ou par la colère, votre frère de
bagne n'a tué qu'un homme ; et vous ! vous avez tué le
bonheur d'un homme, sa plus belle vie, ses plus chères
croyances. L'autre a tout naïvement attendu sa victime ;
il l'a tuée malgré lui, par peur de l'échafaud ; mais
vous !... vous avez entassé tous les forfaits de la faiblesse
contre une force innocente ; vous avez apprivoisé le cœur
de votre patient pour en mieux dévorer le cœur ; vous
l'avez appâté de caresses ; vous n'en avez omis aucune
de celles qui pouvaient lui faire supposer, rêver, désirer
les délices de l'amour. Vous lui avez demandé mille
sacrifices pour les refuser tous. Vous lui avez bien fait
voir la lumière avant de lui crever les yeux. Admirable
courage ! De telles infamies sont un luxe que ne compren-
nent pas ces bourgeoises desquelles vous vous moquez.
Elles savent se donner et pardonner ; elles savent aimer
et souffrir. Elles nous rendent petits par la grandeur de
leurs dévouements. À mesure que l'on monte en haut de
la société, il s'y trouve autant de boue qu'il y en a par le
bas, seulement elle s'y durcit et se dore. Oui, pour rencontrer la perfection dans l'ignoble, il faut une belle éducation, un grand nom, une jolie femme, une duchesse. Pour
tomber au-dessous de tout, il fallait être au-dessus de tout.
Je vous dis mal ce que je pense, je souffre encore trop
des blessures que vous m'avez faites ; mais ne croyez pas
que je me plaigne ! Non. Mes paroles ne sont l'expression

d'aucune espérance personnelle, et ne contiennent aucune amertume. Sachez-le bien, madame, je vous pardonne, et ce pardon est assez entier pour que vous ne vous plaigniez point d'être venue le chercher malgré vous... Seulement, vous pourriez abuser d'autres cœurs aussi enfants que l'est le mien, et je dois leur épargner des douleurs. Vous m'avez donc inspiré une pensée de justice. Expiez votre faute ici-bas, Dieu vous pardonnera peut-être, je le souhaite ; mais il est implacable, et vous frappera. »

À ces mots, les yeux de cette femme abattue, déchirée, se remplirent de pleurs.

« Pourquoi pleurez-vous ? Restez fidèle à votre nature. Vous avez contemplé sans émotion les tortures du cœur que vous brisiez. Assez, madame, consolez-vous. Je ne puis plus souffrir. D'autres vous diront que vous leur avez donné la vie, moi je vous dis avec délices que vous m'avez donné le néant. Peut-être devinez-vous que je ne m'appartiens pas, que je dois vivre pour mes amis, et qu'alors j'aurai la froideur de la mort et les chagrins de la vie à supporter ensemble. Auriez-vous tant de bonté ? Seriez-vous comme les tigres du désert, qui font d'abord la plaie, et puis la lèchent ? »

La duchesse fondit en larmes.

« Épargnez-vous donc ces pleurs, madame. Si j'y croyais, ce serait pour m'en défier. Est-ce ou n'est-ce pas un de vos artifices ? Après tous ceux que vous avez employés, comment penser qu'il peut y avoir en vous quelque chose de vrai ? Rien de vous n'a désormais la puissance de m'émouvoir. J'ai tout dit. »

Mme de Langeais se leva par un mouvement à la fois plein de noblesse et d'humilité.

« Vous êtes en droit de me traiter durement, dit-elle en tendant à cet homme une main qu'il ne prit pas, vos paroles ne sont pas assez dures encore, et je mérite cette punition.

— Moi, vous punir, madame ! mais punir, n'est-ce pas aimer ? N'attendez de moi rien qui ressemble à un sentiment. Je pourrais me faire, dans ma propre cause, accusateur et juge, arrêt et bourreau ; mais non. J'accomplirai tout à l'heure un devoir, et nullement un désir de vengeance. La plus cruelle vengeance est, selon moi, le dédain d'une vengeance possible. Qui sait ! je serai peut-être le ministre de vos plaisirs. Désormais, en portant élégamment la triste livrée [1] dont la société revêt les criminels, peut-être serez-vous forcée d'avoir leur probité. Et alors vous aimerez ! »

La duchesse écoutait avec une soumission qui n'était plus jouée ni coquettement calculée ; elle ne prit la parole qu'après un intervalle de silence.

« Armand, dit-elle, il me semble qu'en résistant à l'amour, j'obéissais à toutes les pudeurs de la femme, et ce n'est pas de vous que j'eusse attendu de tels reproches. Vous vous armez de toutes mes faiblesses pour m'en faire des crimes. Comment n'avez-vous pas supposé que je pusse être entraînée au-delà de mes devoirs par toutes les curiosités de l'amour, et que le lendemain je fusse fâchée, désolée d'être allée trop loin ? Hélas ! c'était pécher par ignorance. Il y avait, je vous le jure, autant de bonne foi dans mes fautes que dans mes remords. Mes duretés trahissaient bien plus d'amour que n'en accusaient mes complaisances. Et d'ailleurs, de quoi vous plaignez-vous ? Le don de mon cœur ne vous a pas suffi, vous avez exigé brutalement ma personne...

— Brutalement ! » s'écria M. de Montriveau. Mais il se dit à lui-même : « Je suis perdu, si je me laisse prendre à des disputes de mots. »

« Oui, vous êtes arrivé chez moi comme chez une de ces mauvaises femmes, sans le respect, sans aucune des attentions de l'amour. N'avais-je pas le droit de réfléchir ? Eh bien, j'ai réfléchi. L'inconvenance de votre conduite est excusable : l'amour en est le principe ; laissez-moi le croire et vous justifier à moi-même. Hé bien ! Armand, au moment même où ce soir vous me prédisiez le malheur, moi je croyais à notre bonheur. Oui, j'avais confiance en ce caractère noble et fier dont vous m'avez donné tant de preuves... Et j'étais toute à toi, ajouta-t-elle en se penchant à l'oreille de Montriveau. Oui, j'avais je ne sais quel désir de rendre heureux un homme si violemment éprouvé par l'adversité. Maître pour maître, je vou-

---

1. Habit porté par les domestiques d'une grande maison. Ici, marque extérieure.

lais un homme grand. Plus je me sentais haut, moins je voulais descendre. Confiante en toi, je voyais toute une vie d'amour au moment où tu me montrais la mort... La force ne va pas sans la bonté. Mon ami, tu es trop fort pour te faire méchant contre une pauvre femme qui t'aime. Si j'ai eu des torts, ne puis-je donc obtenir un pardon ? ne puis-je les réparer ? Le repentir est la grâce de l'amour, je veux être bien gracieuse pour toi. Comment moi seule ne pouvais-je partager avec toutes les femmes ces incertitudes, ces craintes, ces timidités qu'il est si naturel d'éprouver quand on se lie pour la vie, et que vous brisez si facilement ces sortes de liens ! Ces bourgeoises, auxquelles vous me comparez, se donnent, mais elles combattent. Hé bien, j'ai combattu, mais me voilà... — Mon Dieu ! il ne m'écoute pas ! » s'écria-t-elle en s'interrompant. Elle se tordit les mains en criant : « Mais je t'aime ! mais je suis à toi ! » Elle tomba aux genoux d'Armand. « À toi ! à toi, mon unique, mon seul maître !

— Madame, dit Armand en voulant la relever, Antoinette ne peut plus sauver la duchesse de Langeais. Je ne crois plus ni à l'une ni à l'autre. Vous vous donnerez aujourd'hui, vous vous refuserez peut-être demain. Aucune puissance ni dans les cieux ni sur la terre ne saurait me garantir la douce fidélité de votre amour. Les gages en étaient dans le passé ; nous n'avons plus de passé. »

En ce moment, une lueur brilla si vivement, que la duchesse ne put s'empêcher de tourner la tête vers la portière, et revit distinctement les trois hommes masqués.

« Armand, dit-elle, je ne voudrais pas vous mésestimer. Comment se trouve-t-il là des hommes ? Que préparez-vous donc contre moi ?

— Ces hommes sont aussi discrets que je le serai moi-même sur ce qui va se passer ici, dit-il. Ne voyez en eux que mes bras et mon cœur. L'un d'eux est un chirurgien...

— Un chirurgien, dit-elle. Armand, mon ami, l'incertitude est la plus cruelle des douleurs. Parlez donc, dites-moi si vous voulez ma vie : je vous la donnerai, vous ne la prendrez pas...

— Vous ne m'avez donc pas compris ? répliqua Montriveau. Ne vous ai-je pas parlé de justice ? Je vais, ajouta-t-il froidement, en prenant un morceau d'acier qui était sur la table, pour faire cesser vos appréhensions, vous expliquer ce que j'ai décidé de vous. »

Il lui montra une croix de Lorraine [1] adaptée au bout d'une tige d'acier.

« Deux de mes amis font rougir en ce moment une croix dont voici le modèle. Nous vous l'appliquerons au front, là, entre les deux yeux, pour que vous ne puissiez pas la cacher par quelques diamants, et vous soustraire ainsi aux interrogations du monde. Vous aurez enfin sur le front la marque infamante appliquée sur l'épaule de vos frères les forçats. La souffrance est peu de chose, mais je craignais quelque crise nerveuse, ou de la résistance...

— De la résistance, dit-elle en frappant de joie dans ses mains, non, non, je voudrais maintenant voir ici la terre entière. Ah ! mon Armand, marque, marque vite ta créature comme une pauvre petite chose à toi ! Tu demandais des gages à mon amour ; mais les voilà tous dans un seul. Ah ! je ne vois que clémence et pardon, que bonheur éternel en ta vengeance... Quand tu auras ainsi désigné une femme pour la tienne, quand tu auras une âme serve [2] qui portera ton chiffre rouge, eh bien, tu ne pourras jamais l'abandonner, tu seras à jamais à moi. En m'isolant sur la terre, tu seras chargé de mon bonheur, sous peine d'être un lâche, et je te sais noble, grand ! Mais la femme qui aime se marque toujours elle-même. Venez, messieurs, entrez et marquez, marquez la duchesse de Langeais. Elle est à jamais à M. de Montriveau. Entrez vite, et tous, mon front brûle plus que votre fer. »

Armand se retourna vivement pour ne pas voir la duchesse palpitante, agenouillée. Il dit un mot qui fit disparaître ses trois amis. Les femmes habituées à la vie des salons connaissent le jeu des glaces. Aussi la duchesse, intéressée à bien lire dans le cœur d'Armand, était tout yeux. Armand, qui ne se défiait pas de son miroir, laissa voir deux larmes rapidement essuyées. Tout l'avenir de la duchesse était dans ces deux larmes. Quand il revint pour relever Mme de Langeais, il la trouva debout, elle

---

1. Croix à deux croisillons, la barre supérieure étant plus courte que l'inférieure. — **2.** Esclave.

se croyait aimée. Aussi dut-elle vivement palpiter en
entendant Montriveau lui dire avec cette fermeté qu'elle
savait si bien prendre jadis quand elle se jouait de lui :
« Je vous fais grâce, madame. Vous pouvez me croire,
cette scène sera comme si elle n'eût jamais été. Mais ici,
disons-nous adieu. J'aime à penser que vous avez été
franche sur votre canapé dans vos coquetteries, franche
ici dans votre effusion de cœur. Adieu. Je ne me sens
plus la foi. Vous me tourmenteriez encore, vous seriez
toujours duchesse. Et... mais adieu, nous ne nous
comprendrons jamais. Que souhaitez-vous maintenant ?
dit-il en prenant l'air d'un maître de cérémonies. Rentrer
chez vous, ou revenir au bal de Mme de Sérizy ? J'ai
employé tout mon pouvoir à laisser votre réputation
intacte. Ni vos gens, ni le monde ne peuvent rien savoir
de ce qui s'est passé entre nous depuis un quart d'heure.
Vos gens vous croient au bal ; votre voiture n'a pas quitté
la cour de Mme de Sérizy ; votre coupé [1] peut se trouver
aussi dans celle de votre hôtel. Où voulez-vous être ?

— Quel est votre avis, Armand ?

— Il n'y a plus d'Armand, madame la duchesse. Nous
sommes étrangers l'un à l'autre.

— Menez-moi donc au bal, dit-elle, curieuse encore
de mettre à l'épreuve le pouvoir d'Armand. Rejetez dans
l'enfer du monde une créature qui y souffrait, et qui doit
continuer d'y souffrir, si pour elle il n'est plus de bonheur. Oh ! mon ami, je vous aime pourtant, comme
aiment vos bourgeoises. Je vous aime à vous sauter au
cou dans le bal, devant tout le monde, si vous le deman-
diez. Ce monde horrible, il ne m'a pas corrompue. Va, je
suis jeune et viens de me rajeunir encore. Oui, je suis une
enfant, ton enfant, tu viens de me créer. Oh ! ne me ban-
nis pas de mon Éden [2] ! »

Armand fit un geste.

« Ah ! si je sors, laisse-moi donc emporter d'ici
quelque chose, un rien ! ceci, pour le mettre ce soir sur
mon cœur, dit-elle en s'emparant du bonnet d'Armand,
qu'elle roula dans son mouchoir...

« Non, reprit-elle, je ne suis pas de ce monde de

---

1. Voiture à deux places. — **2.** Paradis.

femmes dépravées ; tu ne le connais pas, et alors tu ne peux m'apprécier ; sache-le donc ! quelques-unes se donnent pour des écus ; d'autres sont sensibles aux présents ; tout y est infâme. Ah ! je voudrais être une simple bourgeoise, une ouvrière, si tu aimes mieux une femme au-dessous de toi, qu'une femme en qui le dévouement s'allie aux grandeurs humaines. Ah ! mon Armand, il est parmi nous de nobles, de grandes, de chastes, de pures femmes, et alors elles sont délicieuses. Je voudrais posséder toutes les noblesses pour te les sacrifier toutes ; le malheur m'a faite duchesse ; je voudrais être née près du trône, il ne me manquerait rien à te sacrifier. Je serais grisette pour toi et reine pour les autres. »

Il écoutait en humectant ses cigares.

« Quand vous voudrez partir, dit-il, vous me préviendrez...

— Mais je voudrais rester...

— Autre chose, ça ! fit-il.

— Tiens, il était mal arrangé, celui-là ! s'écria-t-elle en s'emparant d'un cigare, et y dévorant ce que les lèvres d'Armand y avaient laissé.

— Tu fumerais ? lui dit-il.

— Oh ! que ne ferais-je pas pour te plaire !

— Eh bien, allez-vous-en, madame...

— J'obéis, dit-elle en pleurant.

— Il faut vous couvrir la figure pour ne point voir les chemins par lesquels vous allez passer.

— Me voilà prête, Armand, dit-elle en se bandant les yeux.

— Y voyez-vous ?

— Non. »

Il se mit doucement à ses genoux.

« Ah ! je t'entends », dit-elle en laissant échapper un geste plein de gentillesse en croyant que cette feinte rigueur allait cesser.

Il voulut lui baiser les lèvres, elle s'avança.

« Vous y voyez, madame.

— Mais je suis un peu curieuse.

— Vous me trompez donc toujours ?

— Ah ! dit-elle avec la rage de la grandeur méconnue,

ôtez ce mouchoir et conduisez-moi, monsieur, je n'ouvrirai pas les yeux. »

Armand, sûr de la probité en en entendant le cri, guida la duchesse qui, fidèle à sa parole, se fit noblement aveugle ; mais, en la tenant paternellement par la main pour la faire tantôt monter, tantôt descendre, Montriveau étudia les vives palpitations qui agitaient le cœur de cette femme si promptement envahie par un amour vrai. Mme de Langeais, heureuse de pouvoir lui parler ainsi, se plut à lui tout dire, mais il demeura inflexible ; et quand la main de la duchesse l'interrogeait, la sienne restait muette. Enfin, après avoir cheminé pendant quelque temps ensemble, Armand lui dit d'avancer, elle avança, et s'aperçut qu'il empêchait la robe d'effleurer les parois d'une ouverture sans doute étroite. Mme de Langeais fut touchée de ce soin, il trahissait encore un peu d'amour ; mais ce fut en quelque sorte l'adieu de Montriveau, car il la quitta sans lui dire un mot. En se sentant dans une chaude atmosphère, la duchesse ouvrit les yeux. Elle se vit seule devant la cheminée du boudoir de la comtesse de Sérizy. Son premier soin fut de réparer le désordre de sa toilette ; elle eut promptement rajusté sa robe et rétabli la poésie de sa coiffure.

« Eh bien, ma chère Antoinette, nous vous cherchons partout, dit la comtesse en ouvrant la porte du boudoir.

— Je suis venue respirer ici, dit-elle, il fait dans les salons une chaleur insupportable.

— L'on vous croyait partie ; mais mon frère Ronquerolles m'a dit avoir vu vos gens qui vous attendent.

— Je suis brisée, ma chère, laissez-moi un moment me reposer ici. »

Et la duchesse s'assit sur le divan de son amie.

« Qu'avez-vous donc ? vous êtes toute tremblante. »

Le marquis de Ronquerolles entra.

« J'ai peur, madame la duchesse, qu'il ne vous arrive quelque accident. Je viens de voir votre cocher gris comme les Vingt-Deux Cantons [1]. »

La duchesse ne répondit pas, elle regardait la cheminée,

---

1. Il s'agit des vingt-deux cantons suisses, les Suisses ayant la réputation d'aimer à boire.

les glaces, en y cherchant les traces de son passage ; puis, elle éprouvait une sensation extraordinaire à se voir au milieu des joies du bal après la terrible scène qui venait de donner à sa vie un autre cours. Elle se prit à trembler violemment.

« J'ai les nerfs agacés par la prédiction que m'a faite ici M. de Montriveau. Quoique ce soit une plaisanterie, je vais aller voir si sa hache de Londres me troublera jusque dans mon sommeil. Adieu donc, chère. Adieu, monsieur le marquis. »

Elle traversa les salons, où elle fut arrêtée par des complimenteurs qui lui firent pitié. Elle trouva le monde petit en s'en trouvant la reine, elle si humiliée, si petite. D'ailleurs, qu'étaient les hommes devant celui qu'elle aimait véritablement et dont le caractère avait repris les proportions gigantesques momentanément amoindries par elle, mais qu'alors elle grandissait peut-être outre mesure ? Elle ne put s'empêcher de regarder celui de ses gens qui l'avait accompagnée, et le vit tout endormi.

« Vous n'êtes pas sorti d'ici ? lui demanda-t-elle.

— Non, madame. »

En montant dans son carrosse, elle aperçut effectivement son cocher dans un état d'ivresse dont elle se fût effrayée en toute autre circonstance ; mais les grandes secousses de la vie ôtent à la crainte ses aliments vulgaires. D'ailleurs elle arriva sans accident chez elle ; mais elle s'y trouva changée et en proie à des sentiments tout nouveaux. Pour elle il n'y avait plus qu'un homme dans le monde, c'est-à-dire que pour lui seul elle désirait désormais avoir quelque valeur. Si les physiologistes [1] peuvent promptement définir l'amour en s'en tenant aux lois de la nature, les moralistes sont bien plus embarrassés de l'expliquer quand ils veulent le considérer dans tous les développements que lui a donnés la société. Néanmoins il existe, malgré les hérésies des mille sectes qui divisent l'église amoureuse, une ligne droite et tranchée qui partage nettement leurs doctrines, une ligne que les discussions ne courberont jamais, et dont l'inflexible application explique la crise dans laquelle, comme presque toutes les femmes, la

---

1. Ceux qui étudient la vie et les fonctions organiques de l'homme.

duchesse de Langeais était plongée. Elle n'aimait pas encore, elle avait une passion.

L'amour et la passion sont deux différents états de l'âme que poètes et gens du monde, philosophes et niais confondent continuellement. L'amour comporte une mutualité de sentiments, une certitude de jouissances que rien n'altère, et un trop constant échange de plaisirs, une trop complète adhérence entre les cœurs pour ne pas exclure la jalousie. La possession est alors un moyen et non un but ; une infidélité fait souffrir, mais ne détache pas ; l'âme n'est ni plus ni moins ardente ou troublée, elle est incessamment heureuse ; enfin le désir étendu par un souffle divin d'un bout à l'autre sur l'immensité du temps nous le teint d'une même couleur : la vie est bleue comme l'est un ciel pur. La passion est le pressentiment de l'amour et de son infini auquel aspirent toutes les âmes souffrantes. La passion est un espoir qui peut-être sera trompé. Passion signifie à la fois souffrance et transition ; la passion cesse quand l'espérance est morte. Hommes et femmes peuvent, sans se déshonorer, concevoir plusieurs passions ; il est si naturel de s'élancer vers le bonheur ! mais il n'est dans la vie qu'un seul amour. Toutes les discussions, écrites ou verbales, faites sur les sentiments, peuvent donc être résumées par ces deux questions : Est-ce une passion ? Est-ce l'amour ? L'amour n'existant pas sans la connaissance intime des plaisirs qui le perpétuent, la duchesse était donc sous le joug d'une passion ; aussi en éprouva-t-elle les dévorantes agitations, les involontaires calculs, les desséchants désirs, enfin tout ce qu'exprime le mot *passion :* elle souffrit. Au milieu des troubles de son âme, il se rencontrait des tourbillons soulevés par sa vanité, par son amour-propre, par son orgueil ou par sa fierté : toutes ces variétés de l'égoïsme se tiennent. Elle avait dit à un homme : « Je t'aime, je suis à toi ! » La duchesse de Langeais pouvait-elle avoir inutilement proféré ces paroles ? Elle devait ou être aimée ou abdiquer son rôle social. Sentant alors la solitude de son lit voluptueux où la volupté n'avait pas encore mis ses pieds chauds, elle s'y roulait, s'y tordait en se répétant : « Je veux être aimée ! » Et la foi qu'elle avait encore en elle lui donnait l'espoir de réussir. La duchesse était piquée, la vaniteuse Parisienne était humiliée, la femme vraie entrevoyait

« *Pendant une semaine, Mme de Langeais alla dans toutes les maisons
où elle espérait rencontrer M. de Montriveau.* »
Lithographie de Devéria.

le bonheur, et son imagination, vengeresse du temps perdu
pour la nature, se plaisait à lui faire flamber les feux inex-
tinguibles du plaisir. Elle atteignait presque aux sensations
de l'amour ; car, dans le doute d'être aimée qui la poignait,
elle se trouvait heureuse de se dire à elle-même « Je l'aime ! » Le monde et Dieu, elle avait envie de les fouler à ses
pieds. Montriveau était maintenant sa religion. Elle passa la
journée du lendemain dans un état de stupeur morale mêlé
d'agitations corporelles que rien ne pourrait exprimer. Elle
déchira autant de lettres qu'elle en écrivit, et fit mille sup-
positions impossibles. À l'heure où Montriveau venait
jadis, elle voulut croire qu'il arriverait, et prit plaisir à l'attendre. Sa vie se concentra dans le seul sens de l'ouïe. Elle
fermait parfois les yeux et s'efforçait d'écouter à travers les
espaces. Puis elle souhaitait le pouvoir d'anéantir tout obs-

tacle entre elle et son amant afin d'obtenir ce silence absolu qui permet de percevoir le bruit à d'énormes distances. Dans ce recueillement, les pulsations de sa pendule lui furent odieuses, elles étaient une sorte de bavardage sinistre qu'elle arrêta. Minuit sonna dans le salon.

« Mon Dieu ! se dit-elle, le voir ici, ce serait le bonheur. Et cependant il y venait naguère, amené par le désir. » Sa voix remplissait ce boudoir. « Et maintenant, rien ! »

En se souvenant des scènes de coquetterie qu'elle avait jouées, et qui le lui avaient ravi, des larmes de désespoir coulèrent de ses yeux pendant longtemps.

« Madame la duchesse, lui dit sa femme de chambre, ne sait peut-être pas qu'il est deux heures du matin, j'ai cru que Madame était indisposée.

— Oui, je vais me coucher ; mais rappelez-vous, Suzette, dit Mme de Langeais en essuyant ses larmes, de ne jamais entrer chez moi sans ordre, et je ne vous le dirai pas une seconde fois. »

Pendant une semaine, Mme de Langeais alla dans toutes les maisons où elle espérait rencontrer M. de Montriveau. Contrairement à ses habitudes, elle arrivait de bonne heure et se retirait tard ; elle ne dansait plus, elle jouait. Tentatives inutiles ! elle ne put parvenir à voir Armand, de qui elle n'osait plus prononcer le nom. Cependant un soir, dans un moment de désespérance, elle dit à Mme de Sérizy, avec autant d'insouciance qu'il lui fut possible d'en affecter : « Vous êtes donc brouillée avec M. de Montriveau ? je ne le vois plus chez vous.

— Mais il ne vient donc plus ici ? répondit la comtesse en riant. D'ailleurs, on ne l'aperçoit plus nulle part, il est sans doute occupé de quelque femme.

— Je croyais, reprit la duchesse avec douceur, que le marquis de Ronquerolles était un de ses amis...

— Je n'ai jamais entendu dire à mon frère qu'il le connût. »

Mme de Langeais ne répondit rien. Mme de Sérizy crut pouvoir alors impunément fouetter une amitié discrète qui lui avait été si longtemps amère, et reprit la parole.

« Vous le regrettez donc, ce triste personnage. J'en ai ouï dire des choses monstrueuses : blessez-le, il ne revient jamais, ne pardonne rien ; aimez-le, il vous met à la chaîne. À tout ce que je disais de lui, l'un de ceux qui le portent aux nues me répondait toujours par un mot : *Il sait aimer !* On ne cesse de me répéter : Montriveau quittera tout pour son ami, c'est une âme immense. Ah, bah ! la société ne demande pas des âmes si grandes. Les hommes de ce caractère sont très bien chez eux, qu'ils y restent, et qu'ils nous laissent à nos bonnes petitesses. Qu'en dites-vous, Antoinette ? »

Malgré son habitude du monde, la duchesse parut agitée, mais elle dit néanmoins avec un naturel qui trompa son amie : « Je suis fâchée de ne plus le voir, je prenais à lui beaucoup d'intérêt, et lui vouais une sincère amitié. Dussiez-vous me trouver ridicule, chère amie, j'aime les grandes âmes. Se donner à un sot, n'est-ce pas avouer clairement que l'on n'a que des sens ? »

Mme de Sérizy n'avait jamais *distingué* que des gens vulgaires, et se trouvait en ce moment aimée par un bel homme, le marquis d'Aiglemont.

La comtesse abrégea sa visite, croyez-le. Puis, Mme de Langeais voyant une espérance dans la retraite absolue d'Armand, elle lui écrivit aussitôt une lettre humble et douce qui devait le ramener à elle, s'il aimait encore. Elle fit porter le lendemain sa lettre par son valet de chambre, et, quand il fut de retour, elle lui demanda s'il l'avait remise à Montriveau lui-même ; puis, sur son affirmation, elle ne put retenir un mouvement de joie. Armand était à Paris, il y restait seul, chez lui, sans aller dans le monde ! Elle était donc aimée. Pendant toute la journée elle attendit une réponse, et la réponse ne vint pas. Au milieu des crises renaissantes que lui donna l'impatience, Antoinette se justifia ce retard : Armand était embarrassé, la réponse viendrait par la poste ; mais, le soir, elle ne pouvait plus s'abuser. Journée affreuse, mêlée de souffrances qui plaisent, de palpitations qui écrasent, excès de cœur qui usent la vie. Le lendemain elle envoya chez Armand chercher une réponse.

« Monsieur le marquis a fait dire qu'il viendrait chez madame la duchesse », répondit Julien.

Elle se sauva afin de ne pas laisser voir son bonheur,

elle alla tomber sur son canapé pour y dévorer ses premières émotions.

« Il va venir ! » Cette pensée lui déchira l'âme. Malheur, en effet, aux êtres pour lesquels l'attente n'est pas la plus horrible des tempêtes et la fécondation des plus doux plaisirs, ceux-là n'ont point en eux cette flamme qui réveille les images des choses, et double la nature en nous attachant autant à l'essence pure des objets qu'à leur réalité. En amour, attendre n'est-ce pas incessamment épuiser une espérance certaine, se livrer au fléau terrible de la passion, heureuse sans les désenchantements de la vérité ! Émanation constante de force et de désirs, l'attente ne serait-elle pas à l'âme humaine ce que sont à certaines fleurs leurs exhalations parfumées ? Nous avons bientôt laissé les éclatantes et stériles couleurs du coréopsis[1] ou des tulipes, et nous revenons sans cesse aspirer les délicieuses pensées de l'oranger ou du volkameria[2], deux fleurs que leurs patries ont involontairement comparées à de jeunes fiancées pleines d'amour, belles de leur passé, belles de leur avenir.

La duchesse s'instruisit des plaisirs de sa nouvelle vie en sentant avec une sorte d'ivresse ces flagellations de l'amour ; puis, en changeant de sentiments, elle trouva d'autres destinations et un meilleur sens aux choses de la vie. En se précipitant dans son cabinet de toilette, elle comprit ce que sont les recherches de la parure, les soins corporels les plus minutieux, quand ils sont commandés par l'amour et non par la vanité ; déjà, ces apprêts lui aidèrent à supporter la longueur du temps. Sa toilette finie, elle retomba dans les excessives agitations, dans les foudroiements nerveux de cette horrible puissance qui met en fermentation toutes les idées, et qui n'est peut-être qu'une maladie dont on aime les souffrances. La duchesse était prête à deux heures de l'après-midi ; M. de Montriveau n'était pas encore arrivé à onze heures et demie du soir. Expliquer les angoisses de cette femme, qui pouvait

---

1. Plante recherchée pour les parterres en raison de ses fleurs de couleur jaune, pourpre et brune, mais qui ne dégage pas de parfum. — **2.** Arbuste dont les belles fleurs blanches exhalent un parfum délicat.

passer pour l'enfant gâté de la civilisation, ce serait vouloir dire combien le cœur peut concentrer de poésies dans
une pensée ; vouloir peser la force exhalée par l'âme au
bruit d'une sonnette, ou estimer ce que consomme de vie
l'abattement causé par une voiture dont le roulement
continue sans s'arrêter.

« Se jouerait-il de moi ? » dit-elle en écoutant sonner
minuit.

Elle pâlit, ses dents se heurtèrent, et elle se frappa les
mains en bondissant dans ce boudoir, où jadis, pensait-
elle, il apparaissait sans être appelé. Mais elle se résigna.
Ne l'avait-elle pas fait pâlir et bondir sous les piquantes
flèches de son ironie ? Mme de Langeais comprit l'horreur de la destinée des femmes, qui, privées de tous les
moyens d'action que possèdent les hommes, doivent
attendre quand elles aiment. Aller au-devant de son aimé
est une faute que peu d'hommes savent pardonner. La
plupart d'entre eux voient une dégradation dans cette
céleste flatterie ; mais Armand avait une grande âme, et
devait faire partie du petit nombre d'hommes qui savent
acquitter par un éternel amour un tel excès d'amour.

« Hé bien, j'irai, se dit-elle en se tournant dans son lit
sans pouvoir y trouver le sommeil, j'irai vers lui, je lui
tendrai la main sans me fatiguer de la lui tendre. Un
homme d'élite voit dans chacun des pas que fait une
femme vers lui des promesses d'amour et de constance.
Oui, les anges doivent descendre des cieux pour venir aux
hommes, et je veux être un ange pour lui. »

Le lendemain elle écrivit un de ces billets où excelle
l'esprit des dix mille Sévignés[1] que compte maintenant
Paris. Cependant, savoir se plaindre sans s'abaisser, voler
à plein de ses deux ailes sans se traîner humblement,
gronder sans offenser, se révolter avec grâce, pardonner
sans compromettre la dignité personnelle, tout dire et ne
rien avouer, il fallait être la duchesse de Langeais et avoir
été élevée par Mme la princesse de Blamont-Chauvry,
pour écrire ce délicieux billet. Julien partit. Julien était,

---

1. Mme de Sévigné (1626-1696) est l'auteur d'une riche correspondance dont la célébrité tient à l'esprit de l'épistolière ainsi qu'à la
passion qu'elle y exprime pour sa fille, Mme de Grignan.

comme tous les valets de chambre, la victime des marches et contremarches de l'amour.

« Que vous a répondu M. de Montriveau ? dit-elle aussi indifféremment qu'elle le put à Julien quand il vint lui rendre compte de sa mission.

— M. le marquis m'a prié de dire à madame la duchesse que c'était bien. »

Affreuse réaction de l'âme sur elle-même ! recevoir devant de curieux témoins la question du cœur, et ne pas murmurer, et se voir forcée au silence. Une des mille douleurs du riche !

Pendant vingt-deux jours Mme de Langeais écrivit à M. de Montriveau sans obtenir de réponse. Elle avait fini par se dire malade pour se dispenser de ses devoirs, soit envers la princesse à laquelle elle était attachée, soit envers le monde. Elle ne recevait que son père, le duc de Navarreins, sa tante la princesse de Blamont-Chauvry, le vieux vidame de Pamiers, son grand-oncle maternel, et l'oncle de son mari, le duc de Grandlieu. Ces personnes crurent facilement à la maladie de Mme de Langeais, en la trouvant de jour en jour plus abattue, plus pâle, plus amaigrie. Les vagues ardeurs d'un amour réel, les irritations de l'orgueil blessé, la constante piqûre du seul mépris qui pût l'atteindre, ses élancements vers des plaisirs perpétuellement souhaités, perpétuellement trahis ; enfin, toutes ses forces inutilement excitées, minaient sa double nature. Elle payait l'arriéré de sa vie trompée. Elle sortit enfin pour assister à une revue où devait se trouver M. de Montriveau. Placée sur le balcon des Tuileries, avec la famille royale, la duchesse eut une de ces fêtes dont l'âme garde un long souvenir. Elle apparut sublime de langueur, et tous les yeux la saluèrent avec admiration. Elle échangea quelques regards avec Montriveau, dont la présence la rendait si belle. Le général défila presque à ses pieds dans toute la splendeur de ce costume militaire dont l'effet sur l'imagination féminine est avoué même par les plus prudes personnes. Pour une femme bien éprise, qui n'avait pas vu son amant depuis deux mois, ce rapide moment ne dut-il pas ressembler à cette phase de nos rêves où, fugitivement, notre vue embrasse une nature sans horizon ? Aussi, les femmes ou les jeunes gens peuvent-ils seuls imaginer l'avidité stupide

« *Placée sur le balcon des Tuileries, avec la famille royale...* »
Louis Ducis, *Le Retour des troupes après la guerre d'Espagne*, 1823.
Versailles. Musée du Château.

et délirante qu'exprimèrent les yeux de la duchesse. Quant aux hommes, si, pendant leur jeunesse, ils ont éprouvé, dans le paroxysme de leurs premières passions, ces phénomènes de la puissance nerveuse, plus tard ils les oublient si complètement, qu'ils arrivent à nier ces luxuriantes extases, le seul nom possible de ces magnifiques intuitions. L'extase religieuse est la folie de la pensée dégagée de ses liens corporels ; tandis que, dans l'extase amoureuse, se confondent, s'unissent et s'embrassent les forces de nos deux natures. Quand une femme est en proie aux tyrannies furieuses sous lesquelles ployait Mme de Langeais, les résolutions définitives se succèdent si rapidement, qu'il est impossible d'en rendre compte. Les pensées naissent alors les unes des autres, et courent dans l'âme comme ces nuages emportés par le vent sur un fond grisâtre qui voile le soleil. Dès lors, les faits disent tout. Voici donc les faits. Le lendemain de la revue, Mme de Langeais envoya sa voiture et sa livrée attendre à la porte du marquis de Montriveau depuis huit heures du matin jusqu'à trois heures après midi. Armand demeurait rue de Seine, à quelques pas de la Chambre des pairs[1], où il devait y avoir une séance ce jour-là. Mais longtemps avant que les pairs ne se rendissent à leur palais, quelques personnes aperçurent la voiture et la livrée de la duchesse. Un jeune officier dédaigné par Mme de Langeais, et recueilli par Mme de Sérizy, le baron de Maulincour, fut le premier qui reconnut les gens. Il alla sur-le-champ chez sa maîtresse lui raconter sous le secret cette étrange folie. Aussitôt, cette nouvelle fut télégraphiquement portée à la connaissance de toutes les coteries[2] du faubourg Saint-Germain, parvint au château, à l'Élysée-Bourbon[3], devint le bruit du jour, le sujet de tous les entretiens, depuis midi jusqu'au soir. Presque toutes les femmes niaient le fait, mais de manière à le faire croire ; et les hommes le croyaient en témoignant à Mme de Langeais le plus indulgent intérêt.

---

1. La chambre des Pairs siégeait au palais du Luxembourg (lequel se trouve en effet dans le prolongement de la rue de Seine). — 2. Petits groupes de personnes soutenant ensemble leurs intérêts. — 3. Actuel palais de l'Élysée, l'Élysée-Bourbon était la résidence du duc et de la duchesse de Berry.

« Ce sauvage de Montriveau a un caractère de bronze, il aura sans doute exigé cet éclat, disaient les uns en rejetant la faute sur Armand.

— Hé bien, disaient les autres, Mme de Langeais a commis la plus noble des imprudences ! En face de tout Paris, renoncer, pour son amant, au monde, à son rang, à sa fortune, à la considération, est un coup d'État féminin beau comme le coup de couteau de ce perruquier qui a tant ému Canning à la cour d'assises[1]. Pas une des femmes qui blâment la duchesse ne ferait cette déclaration digne de l'ancien temps. Mme de Langeais est une femme héroïque de s'afficher ainsi franchement elle-même. Maintenant, elle ne peut plus aimer que Montriveau. N'y a-t-il pas quelque grandeur chez une femme à dire : Je n'aurai qu'une passion ?

— Que va donc devenir la société, monsieur, si vous honorez ainsi le vice, sans respect pour la vertu ? » dit la femme du procureur général, la comtesse de Grandville.

Pendant que le château, le faubourg et la Chaussée d'Antin[2] s'entretenaient du naufrage de cette aristocratique vertu ; que d'empressés jeunes gens couraient à cheval s'assurer, en voyant la voiture dans la rue de Seine, que la duchesse était bien réellement chez M. de Montriveau, elle gisait palpitante au fond de son boudoir. Armand, qui n'avait pas couché chez lui, se promenait aux Tuileries avec M. de Marsay. Puis, les grands-parents de Mme de Langeais se visitaient les uns les autres en se donnant rendez-vous chez elle pour la semondre[3] et aviser aux moyens d'arrêter le scandale causé par sa conduite. À trois heures, M. le duc de Navarreins, le vidame de Pamiers, la vieille princesse de Blamont-Chauvry et le duc de Grandlieu se trouvaient réunis dans le salon de Mme de Langeais, et l'y attendaient. À eux, comme à plusieurs curieux, les gens avaient dit que leur maîtresse était sortie. La duchesse n'avait excepté personne de la consigne. Ces quatre personnages, illustres

---

1. Allusion mystérieuse à la vie de l'homme d'État anglais Canning (1770-1827). — 2. C'est-à-dire la Cour, l'aristocratie et la Banque. — 3. Réprimander (terme tombé en désuétude).

dans la sphère aristocratique dont l'almanach de Gotha[1] consacre annuellement les révolutions et les prétentions héréditaires, veulent une rapide esquisse sans laquelle cette peinture sociale serait incomplète.

La princesse de Blamont-Chauvry était, dans le monde féminin, le plus poétique débris du règne de Louis XV, au surnom[2] duquel, durant sa belle jeunesse, elle avait, dit-on, contribué pour sa quote-part. De ses anciens agréments, il ne lui restait qu'un nez remarquablement saillant, mince, recourbé comme une lame turque, et principal ornement d'une figure semblable à un vieux gant blanc ; puis quelques cheveux crêpés et poudrés ; des mules[3] à talons, le bonnet de dentelles à coques[4], des mitaines[5] noires et des *parfaits contentements*[6]. Mais, pour lui rendre entièrement justice, il est nécessaire d'ajouter qu'elle avait une si haute idée de ses ruines, qu'elle se décolletait le soir, portait des gants longs, et se teignait encore les joues avec le rouge classique de Martin[7]. Dans ses rides une amabilité redoutable, un feu prodigieux dans ses yeux, une dignité profonde dans toute sa personne, sur sa langue un esprit à triple dard, dans sa tête une mémoire infaillible faisaient de cette vieille femme une véritable puissance. Elle avait dans le parchemin de sa cervelle tout celui du cabinet des chartes et connaissait les alliances des maisons princières, ducales et comtales de l'Europe, à savoir où étaient les derniers germains de Charlemagne. Aussi nulle usurpation de titre ne pouvait-elle lui échapper. Les jeunes gens qui voulaient être bien vus, les ambitieux, les jeunes femmes lui rendaient de constants hommages. Son salon faisait autorité dans le faubourg Saint-Germain. Les mots de ce Talleyrand femelle restaient comme des arrêts. Certaines personnes venaient prendre chez elle des avis sur l'étiquette ou les usages, et y chercher des leçons de bon goût. Certes, nulle vieille femme ne savait comme elle

---

1. Annuaire généalogique et diplomatique. — 2. Le surnom de Louis XV est « le Bien-Aimé ». — 3. Pantoufles de femme à talons hauts. — 4. Nœuds. — 5. Petits gants ne couvrant que les premières phalanges des doigts. — 6. Parure de cou de cinq diamants. — 7. Martin avait fabriqué et commercialisé un « rouge pour toilette » qui eut beaucoup de succès.

empocher sa tabatière ; et elle avait, en s'asseyant ou en
se croisant les jambes, des mouvements de jupe d'une
précision, d'une grâce qui désespérait les jeunes femmes
les plus élégantes. Sa voix lui était demeurée dans la tête
pendant le tiers de sa vie, mais elle n'avait pu l'empêcher
de descendre dans les membranes du nez, ce qui la rendait
étrangement significative. De sa grande fortune il lui restait cent cinquante mille *livres* en bois, généreusement
rendus par Napoléon. Ainsi, biens et personne, tout en
elle était considérable. Cette curieuse antique[1] était dans
une bergère[2] au coin de la cheminée et causait avec le
vidame de Pamiers, autre ruine contemporaine. Ce vieux
seigneur, ancien commandeur de l'ordre de Malte[3], était
un homme grand, long et fluet, dont le col était toujours
serré de manière à lui comprimer les joues qui débor-
daient légèrement la cravate et à lui maintenir la tête haute ; attitude pleine de suffisance chez certaines gens, mais
justifiée chez lui par un esprit voltairien[4]. Ses yeux à fleur
de tête semblaient tout voir et avaient effectivement tout
vu. Il mettait du coton dans ses oreilles. Enfin sa personne
offrait dans l'ensemble un modèle parfait des lignes aristocratiques, lignes menues et frêles, souples et agréables,
qui, semblables à celles du serpent, peuvent à volonté se
courber, se dresser, devenir coulantes ou roides.

Le duc de Navarreins se promenait de long en large
dans le salon avec M. le duc de Grandlieu. Tous deux
étaient des hommes âgés de cinquante-cinq ans, encore
verts, gros et courts, bien nourris, le teint un peu rouge,
les yeux fatigués, les lèvres inférieures déjà pendantes.
Sans le ton exquis de leur langage, sans l'affable politesse
de leurs manières, sans leur aisance qui pouvait tout à
coup se changer en impertinence, un observateur superfi-
ciel aurait pu les prendre pour des banquiers. Mais toute
erreur devait cesser en écoutant leur conversation armée
de précautions avec ceux qu'ils redoutaient, sèche ou vide
avec leurs égaux, perfide pour les inférieurs que les gens

---

1. Curiosité, objet d'art antique. — **2.** Grand fauteuil garni d'un
coussin épais. — **3.** Ordre de chevaliers, religieux et militaires, dont
la mission d'origine était la défense des pèlerins allant en Terre sainte.
— **4.** Qui rappelle Voltaire par son incrédulité.

de Cour ou les hommes d'État savent apprivoiser par de verbeuses délicatesses et blesser par un mot inattendu. Tels étaient les représentants de cette grande noblesse qui voulait mourir ou rester tout entière, qui méritait autant d'éloge que de blâme, et sera toujours imparfaitement jugée jusqu'à ce qu'un poète l'ait montrée heureuse d'obéir au Roi en expirant sous la hache de Richelieu [1], et méprisant la guillotine de 89 comme une sale vengeance.

Ces quatre personnages se distinguaient tous par une voix grêle, particulièrement en harmonie avec leurs idées et leur maintien. D'ailleurs, la plus parfaite égalité régnait entre eux. L'habitude prise par eux à la Cour de cacher leurs émotions les empêchait sans doute de manifester le déplaisir que leur causait l'incartade de leur jeune parente.

Pour empêcher les critiques de taxer de puérilité le commencement de la scène suivante, peut-être est-il nécessaire de faire observer ici que Locke, se trouvant dans la compagnie de seigneurs anglais renommés pour leur esprit, distingués autant par leurs manières que par leur consistance politique, s'amusa méchamment à sténographier leur conversation par un procédé particulier, et les fit éclater de rire en la leur lisant, afin de savoir d'eux ce qu'on en pouvait tirer [2]. En effet, les classes élevées ont en tout pays un jargon de clinquant qui, lavé dans les cendres littéraires ou philosophiques, donne infiniment peu d'or au creuset. À tous les étages de la société, sauf quelques salons parisiens, l'observateur retrouve les mêmes ridicules que différencient seulement la transparence ou l'épaisseur du vernis. Ainsi, les conversations substantielles [3] sont l'exception sociale, et le béotianisme [4] défraie habituellement les diverses zones du monde. Si forcément on parle beaucoup dans les hautes sphères, on y pense peu. Penser est une fatigue, et les riches aiment à voir couler la vie sans grand effort. Aussi est-ce en comparant le fond des plaisanteries par échelons,

---

1. Durant le ministère de Richelieu, sous le règne de Louis XIII, plusieurs membres de la haute aristocratie furent exécutés pour crime de lèse-majesté. — **2.** Locke (1632-1704) est un philosophe anglais. L'origine de cette anecdote reste mystérieuse. — **3.** Essentielles, importantes. — **4.** Néologisme balzacien pour « béotisme », tour d'esprit béotien, c'est-à-dire stupide et grossier.

depuis le gamin de Paris jusqu'au pair de France, que l'observateur comprend le mot de M. de Talleyrand : *Les manières sont tout*, traduction élégante de cet axiome judiciaire : *La forme emporte le fond*. Aux yeux du poète, l'avantage restera aux classes inférieures qui ne manquent jamais à donner un rude cachet de poésie à leurs pensées. Cette observation fera peut-être aussi comprendre l'infertilité des salons, leur vide, leur peu de profondeur, et la répugnance que les gens supérieurs éprouvent à faire le méchant commerce d'y échanger leurs pensées.

Le duc s'arrêta soudain, comme s'il concevait une idée lumineuse, et dit à son voisin : « Vous avez donc vendu Thornthon ?

— Non, il est malade. J'ai bien peur de le perdre, et j'en serais désolé ; c'est un cheval excellent à la chasse. Savez-vous comment va la duchesse de Marigny ?

— Non, je n'y suis pas allé ce matin. Je sortais pour la voir, quand vous êtes venu me parler d'Antoinette. Mais elle avait été fort mal hier, l'on en désespérait, elle a été administrée[1].

— Sa mort changera la position de votre cousin.

— En rien, elle a fait ses partages de son vivant et s'était réservé une pension que lui paye sa nièce, Mme de Soulanges, à laquelle elle a donné sa terre de Guébriant à rente viagère[2].

— Ce sera une grande perte pour la société. Elle était bonne femme. Sa famille aura de moins une personne dont les conseils et l'expérience avaient de la portée. Entre nous soit dit, elle était le chef de la maison. Son fils, Marigny, est un aimable homme ; il a du trait ; il sait causer. Il est agréable, très agréable ; oh ! pour agréable, il l'est sans contredit ; mais... aucun esprit de conduite. Eh bien ! c'est extraordinaire, il est très fin. L'autre jour, il dînait au Cercle[3] avec tous ces richards de la Chaussée d'Antin, et votre oncle (qui va toujours y faire sa partie[4])

---

1. *Administrer* : donner les derniers sacrements de l'Église, la confession, le viatique, l'extrême-onction. — 2. Rente qui dure pendant la vie d'une personne et pas au-delà. — 3. Sans doute le Jockey-Club, plus bourgeois, moins aristocratique que le Cercle de l'Union ou le Cercle agricole. — 4. *Faire sa partie* : jouer.

le voit. Étonné de le rencontrer là, il lui demande s'il est du Cercle. "Oui, je ne vais plus dans le monde, je vis avec les banquiers." Vous savez pourquoi ? dit le marquis en jetant au duc un fin sourire.

— Non.

— Il est amouraché d'une nouvelle mariée, cette petite Mme Keller, la fille de Gondreville, une femme que l'on dit fort à la mode dans ce monde-là.

— Mais Antoinette ne s'ennuie pas, à ce qu'il paraît, dit le vieux vidame.

— L'affection que je porte à cette petite femme me fait prendre en ce moment un singulier passe-temps, lui répondit la princesse en empochant sa tabatière.

— Ma chère tante, dit le duc en s'arrêtant, je suis désespéré. Il n'y avait qu'un homme de Bonaparte capable d'exiger d'une femme comme il faut de semblables inconvenances. Entre nous soit dit, Antoinette aurait dû choisir mieux.

— Mon cher, répondit la princesse, les Montriveau sont anciens et fort bien alliés, ils tiennent à toute la haute noblesse de Bourgogne. Si les Rivaudoult d'Arschoot, de la branche Dulmen, finissaient en Galicie, les Montriveau succéderaient aux biens et aux titres d'Arschoot ; ils en héritent par leur bisaïeul [1].

— Vous en êtes sûre ?...

— Je le sais mieux que ne le savait le père de celui-ci, que je voyais beaucoup et à qui je l'ai appris. Quoique chevalier des ordres [2], il s'en moqua ; c'était un encyclopédiste [3]. Mais son frère en a bien profité dans l'émigration. J'ai ouï dire que ses parents du nord avaient été parfaits pour lui...

— Oui, certes. Le comte de Montriveau est mort à Pétersbourg où je l'ai rencontré, dit le vidame. C'était un gros homme qui avait une incroyable passion pour les huîtres.

— Combien en mangeait-il donc ? dit le duc de Grandlieu.

---

1. Arrière-grand-père. — 2. L'ordre de Saint-Michel et celui du Saint-Esprit. — 3. Qui incarne une attitude intellectuelle typique de l'esprit des Lumières tel qu'on le trouve exprimé dans l'*Encyclopédie*.

— Tous les jours dix douzaines.

— Sans être incommodé ?

— Pas le moins du monde.

— Oh ! mais c'est extraordinaire ! Ce goût ne lui a donné ni la pierre [1], ni la goutte [2], ni aucune incommodité ?

— Non, il s'est parfaitement porté, il est mort par accident.

— Par accident ! La nature lui avait dit de manger des huîtres, elles lui étaient probablement nécessaires, car, jusqu'à un certain point, nos goûts prédominants sont des conditions de notre existence.

— Je suis de votre avis, dit la princesse en souriant.

— Madame, vous entendez toujours malicieusement les choses, dit le marquis.

— Je veux seulement vous faire comprendre que ces choses seraient très mal entendues par une jeune femme », répondit-elle.

Elle s'interrompit pour dire : « Mais ma nièce ! ma nièce !

— Chère tante, dit M. de Navarreins, je ne peux pas encore croire qu'elle soit allée chez M. de Montriveau.

— Bah ! fit la princesse.

— Quelle est votre idée, vidame ? demanda le marquis.

— Si la duchesse était naïve, je croirais...

— Mais une femme qui aime devient naïve, mon pauvre vidame. Vous vieillissez donc ?

— Enfin, que faire ? dit le duc.

— Si ma chère nièce est sage, répondit la princesse, elle ira ce soir à la Cour, puisque, par bonheur, nous sommes un lundi, jour de réception ; vous verrez à la bien entourer et à démentir ce bruit ridicule. Il y a mille moyens d'expliquer les choses ; et si le marquis de Montriveau est un galant homme, il s'y prêtera. Nous ferons entendre raison à ces enfants-là...

---

1. Corps dur se formant dans la vessie. — **2.** Maladie touchant les articulations.

— Mais il est difficile de rompre en visière[1] à M. de Montriveau, chère tante, c'est un élève de Bonaparte, et il a une position. Comment donc ! c'est un seigneur du jour, il a un commandement important dans la Garde, où il est très utile. Il n'a pas la moindre ambition. Au premier mot qui lui déplairait, il est homme à dire au Roi : "Voilà ma démission, laissez-moi tranquille."

— Comment pense-t-il donc ?

— Très mal.

— Vraiment, dit la princesse, le Roi reste ce qu'il a toujours été, un jacobin fleurdelisé[2].

— Oh ! un peu modéré, dit le vidame.

— Non, je le connais de longue date. L'homme qui disait à sa femme, le jour où elle assista au premier grand couvert[3] : "Voilà nos gens !" en lui montrant la Cour, ne pouvait être qu'un noir scélérat. Je retrouve parfaitement MONSIEUR dans le Roi. Le mauvais frère qui votait si mal dans son bureau de l'Assemblée constituante[4] doit pactiser avec les Libéraux, les laisser parler, discuter. Ce cagot[5] de philosophie sera tout aussi dangereux pour son cadet qu'il l'a été pour l'aîné ; car je ne sais si son successeur pourra se tirer des embarras que se plaît à lui créer ce gros homme de petit esprit ; d'ailleurs il l'exècre, et serait heureux de se dire en mourant : Il ne régnera pas longtemps.

— Ma tante, c'est le Roi, j'ai l'honneur de lui appartenir, et...

— Mais, mon cher, votre charge vous ôte-t-elle votre franc-parler ! Vous êtes d'aussi bonne maison que les Bourbons. Si les Guise[6] avaient eu un peu plus de résolu-

---

1. Contredire en face, brusquement. — **2.** C'est-à-dire qu'il serait républicain de conviction (« jacobin ») et royaliste d'apparence (« fleurdelisé »). — **3.** Repas qu'un monarque fait en public avec un certain cérémonial. — **4.** Monsieur est le titre du frère cadet du roi. Ce fut donc, sous le règne de Louis XVI, le titre du futur Louis XVIII. Contrairement à ce que dit la princesse, ce dernier ne fit pas partie de l'Assemblée Constituante, mais en 1788 siégeait à l'Assemblée des Notables. Il vota en faveur d'une double représentation du Tiers État. — **5.** Faux dévot. — **6.** Branche cadette de la famille de Lorraine. Au XVIe siècle, Henri de Guise, prétendant qu'en 987 la couronne de France aurait dû revenir à un prince lorrain et non à Hugues Capet, aspira à détrôner Henri III pour prendre sa place. Il reçut l'appui des Parisiens. Mais Henri III le fit assassiner à Blois.

tion, Sa Majesté serait un pauvre sire aujourd'hui. Je m'en vais de ce monde à temps, la noblesse est morte. Oui, tout est perdu pour vous, mes enfants, dit-elle en regardant le vidame. Est-ce que la conduite de ma nièce devrait occuper la ville ? Elle a eu tort, je ne l'approuve pas, un scandale inutile est une faute ; aussi douté-je encore de ce manque aux convenances, je l'ai élevée et je sais que... »

En ce moment la duchesse sortit de son boudoir. Elle avait reconnu la voix de sa tante et entendu prononcer le nom de Montriveau. Elle était dans un déshabillé[1] du matin, et, quand elle se montra, M. de Grandlieu, qui regardait insouciamment par la croisée, vit revenir la voiture de sa nièce sans elle.

« Ma chère fille, lui dit le duc en lui prenant la tête et l'embrassant au front, tu ne sais donc pas ce qui se passe ?

— Que se passe-t-il d'extraordinaire, cher père ?

— Mais tout Paris te croit chez M. de Montriveau.

— Ma chère Antoinette, tu n'es pas sortie, n'est-ce pas ? dit la princesse en lui tendant la main que la duchesse baisa avec une respectueuse affection.

— Non, chère mère, je ne suis pas sortie. Et, dit-elle en se retournant pour saluer le vidame et le marquis, j'ai voulu que tout Paris me crût chez M. de Montriveau. »

Le duc leva les mains au ciel, se les frappa désespérément et se croisa les bras.

« Mais vous ne savez donc pas ce qui résultera de ce coup de tête ? » dit-il enfin.

La vieille princesse s'était subitement dressée sur ces talons, et regardait la duchesse qui se prit à rougir et baissa les yeux ; Mme de Chauvry l'attira doucement et lui dit : « Laissez-moi vous baiser, mon petit ange. » Puis, elle l'embrassa sur le front fort affectueusement, lui serra la main et reprit en souriant : « Nous ne sommes plus sous les Valois[2], ma chère fille. Vous avez compromis votre mari, votre état dans le monde ; cependant, nous allons aviser à tout réparer.

---

1. Vêtement féminin d'intérieur. — 2. Maison royale qui a régné en France de 1328 à 1589, période considérée comme l'âge d'or de la galanterie.

— Mais, ma chère tante, je ne veux rien réparer. Je désire que tout Paris sache ou dise que j'étais ce matin chez M. de Montriveau. Détruire cette croyance, quelque fausse qu'elle soit, est me nuire étrangement.

— Ma fille, vous voulez donc vous perdre, et affliger votre famille ?

— Mon père, ma famille, en me sacrifiant à des intérêts, m'a, sans le vouloir, condamnée à d'irréparables malheurs. Vous pouvez me blâmer d'y chercher des adoucissements, mais certes vous me plaindrez. »

« Donnez-vous donc mille peines pour établir convenablement des filles ! » dit en murmurant M. de Navarreins au vidame.

« Chère petite, dit la princesse en secouant les grains de tabac tombés sur sa robe, soyez heureuse si vous pouvez ; il ne s'agit pas de troubler votre bonheur, mais de l'accorder avec les usages. Nous savons tous, ici, que le mariage est une défectueuse institution tempérée par l'amour. Mais est-il besoin, en prenant un amant, de faire son lit sur le Carrousel [1] ? Voyons, ayez un peu de raison, écoutez-nous.

— J'écoute.

— Madame la duchesse, dit le duc de Grandlieu, si les oncles étaient obligés de garder leurs nièces, ils auraient un état dans le monde ; la société leur devrait des honneurs, des récompenses, des traitements comme elle en donne aux gens du Roi. Aussi ne suis-je pas venu pour vous parler de mon neveu, mais de vos intérêts. Calculons un peu. Si vous tenez à faire un éclat, je connais le sire [2], je ne l'aime guère. Langeais est assez avare, personnel en diable ; il se séparera de vous, gardera votre fortune, vous laissera pauvre, et conséquemment sans considération. Les cent mille livres de rente que vous avez héritées dernièrement de votre grand-tante maternelle payeront les plaisirs de ses maîtresses, et vous serez liée, garrottée par les lois, obligée de dire *amen* à ces arrangements-là. Que M. de Montriveau vous quitte ! Mon Dieu, chère nièce,

---

1. La place du Carrousel, située entre le Louvre et le Palais des Tuileries, était un lieu très fréquenté par la société élégante. — **2.** Individu.

ne nous colérons point[1], un homme ne vous abandonnera
pas jeune et belle ; cependant nous avons vu tant de jolies
femmes délaissées, même parmi les princesses, que vous
me permettrez une supposition presque impossible, je
veux le croire ; alors que deviendrez-vous sans mari ?
Ménagez donc le vôtre au même titre que vous soignez
votre beauté, qui est après tout le parachute des femmes,
aussi bien qu'un mari. Je vous fais toujours heureuse et
aimée ; je ne tiens compte d'aucun événement malheureux. Cela étant, par bonheur ou par malheur vous aurez
des enfants ? Qu'en ferez-vous ? Des Montriveau ? Hé
bien, ils ne succéderont point à toute la fortune de leur
père. Vous voudrez leur donner toute la vôtre et lui toute
la sienne. Mon Dieu, rien n'est plus naturel. Vous trouverez les lois contre vous. Combien avons-nous vu de procès faits par les héritiers légitimes aux enfants de
l'amour ! J'en entends retentir dans tous les tribunaux du
monde. Aurez-vous recours à quelque *fidéicommis*[2] : si
la personne en qui vous mettrez votre confiance vous
trompe, à la vérité la justice humaine n'en saura rien ;
mais vos enfants seront ruinés. Choisissez donc bien !
Voyez en quelles perplexités vous êtes. De toute manière
vos enfants seront nécessairement sacrifiés aux fantaisies
de votre cœur et privés de leur état. Mon Dieu, tant qu'ils
seront petits, ils seront charmants ; mais ils vous repro-
cheront un jour d'avoir songé plus à vous qu'à eux. Nous
savons tout cela, nous autres vieux gentilshommes. Les
enfants deviennent des hommes, et les hommes sont
ingrats. N'ai-je pas entendu le jeune de Horn[3], en Allemagne, disant après souper : "Si ma mère avait été honnête femme, je serais prince régnant." Mais ce si, nous
avons passé notre vie à l'entendre dire aux roturiers, et il
a fait la révolution. Quand les hommes ne peuvent accuser ni leur père, ni leur mère, ils s'en prennent à Dieu de
leur mauvais sort. En somme, chère enfant, nous sommes
ici pour vous éclairer. Hé bien, je me résume par un mot

---

1. *Se colérer* : se mettre en colère (sorti d'usage dès le XVIIe siècle).
— 2. Homme de confiance désigné par un testateur pour gérer un legs
et le transmettre ensuite au véritable héritier. — 3. Favori de Gustave III de Suède, qui prit part à l'assassinat du roi en 1792.

que vous devez méditer : une femme ne doit jamais donner raison à son mari.

— Mon oncle, j'ai calculé tant que je n'aimais pas. Alors je voyais comme vous des intérêts là où il n'y a plus pour moi que des sentiments, dit la duchesse.

— Mais, ma chère petite, la vie est tout bonnement une complication d'intérêts et de sentiments, lui répliqua le vidame ; et pour être heureux, surtout dans la position où vous êtes, il faut tâcher d'accorder ses sentiments avec ses intérêts. Qu'une grisette fasse l'amour à sa fantaisie, cela se conçoit ; mais vous avez une jolie fortune, une famille, un titre, une place à la Cour, et vous ne devez pas les jeter par la fenêtre. Pour tout concilier, que venons-nous vous demander ? De tourner habilement la loi des convenances au lieu de la violer. Hé, mon Dieu, j'ai bientôt quatre-vingts ans, je ne me souviens pas d'avoir rencontré, sous aucun régime, un amour qui valût le prix dont vous voulez payer celui de cet heureux jeune homme. »

La duchesse imposa silence au vidame par un regard ; et si Montriveau l'avait pu voir, il aurait tout pardonné...

« Ceci serait d'un bel effet au théâtre, dit le duc de Grandlieu, et ne signifie rien quand il s'agit de vos paraphernaux [1], de votre position et de votre indépendance. Vous n'êtes pas reconnaissante, ma chère nièce. Vous ne trouverez pas beaucoup de familles où les parents soient assez courageux pour apporter les enseignements de l'expérience et faire entendre le langage de la raison à de jeunes têtes folles. Renoncez à votre salut en deux minutes, s'il vous plaît de vous damner ; d'accord ! Mais réfléchissez bien quand il s'agit de renoncer à vos rentes. Je ne connais pas de confesseur qui nous absolve de la misère. Je me crois le droit de vous parler ainsi ; car, si vous vous perdez, moi seul je pourrai vous offrir un asile. Je suis presque l'oncle de Langeais, et moi seul aurai raison en lui donnant tort.

---

1. Les paraphernaux sont les biens d'une femme mariée dont la jouissance et l'administration lui sont laissées, à la différence des biens constitués en dot qui reviennent au mari.

— Ma fille, dit le duc de Navarreins en se réveillant d'une douloureuse méditation, puisque vous parlez de sentiments, laissez-moi vous faire observer qu'une femme qui porte votre nom se doit à des sentiments autres que ceux des gens du commun. Vous voulez donc donner gain de cause aux Libéraux, à ces jésuites de Robespierre qui s'efforcent de honnir la noblesse. Il est certaines choses qu'une Navarreins ne saurait faire sans manquer à toute sa maison. Vous ne seriez pas seule déshonorée.

— Allons, dit la princesse, voilà le déshonneur. Mes enfants, ne faites pas tant de bruit pour la promenade d'une voiture vide, et laissez-moi seule avec Antoinette. Vous viendrez dîner avec moi tous trois. Je me charge d'arranger convenablement les choses. Vous n'y entendez rien, vous autres hommes, vous mettez déjà de l'aigreur dans vos paroles, et je ne veux pas vous voir brouillés avec ma chère fille. Faites-moi donc le plaisir de vous en aller. »

Les trois gentilshommes devinèrent sans doute les intentions de la princesse, ils saluèrent leurs parentes ; et M. de Navarreins vint embrasser sa fille au front, en lui disant : « Allons, chère enfant, sois sage. Si tu veux, il en est encore temps. »

« Est-ce que nous ne pourrions pas trouver dans la famille quelque bon garçon qui chercherait dispute à ce Montriveau ? » dit le vidame en descendant les escaliers.

« Mon bijou, dit la princesse, en faisant signe à son élève de s'asseoir sur une petite chaise basse, près d'elle, quand elles furent seules, je ne sais rien de plus calomnié dans ce bas monde que Dieu et le dix-huitième siècle, car, en me remémorant les choses de ma jeunesse, je ne me rappelle pas qu'une seule duchesse ait foulé aux pieds les convenances comme vous venez de le faire. Les romanciers et les écrivailleurs ont déshonoré le règne de Louis XV, ne les croyez pas. La Dubarry[1], ma chère, valait bien la veuve Scarron[2], et elle était meilleure personne. Dans mon temps, une femme savait, au milieu de

---

1. La Dubarry (1743-1793) fut la dernière maîtresse de Louis XV. — **2.** Françoise d'Aubigné (1635-1719), future Mme de Maintenon, fut l'épouse du poète Scarron (1610-1660), avant de devenir la maîtresse de Louis XIV.

ses galanteries, garder sa dignité. Les indiscrétions nous
ont perdues. De là vient tout le mal. Les philosophes, ces
gens de rien que nous mettions dans nos salons, ont eu
l'inconvenance et l'ingratitude, pour prix de nos bontés,
de faire l'inventaire de nos cœurs, de nous décrier en
masse, en détail, et de déblatérer contre le siècle. Le
peuple, qui est très mal placé pour juger quoi que ce soit,
a vu le fond des choses, sans en voir la forme. Mais dans
ce temps-là, mon cœur, les hommes et les femmes ont
été tout aussi remarquables qu'aux autres époques de la
monarchie. Pas un de vos Werther[1], aucune de vos nota-
bilités, comme ça s'appelle, pas un de vos hommes en
gants jaunes et dont les pantalons dissimulent la pauvreté
de leurs jambes, ne traverserait l'Europe, déguisé en col-
porteur, pour aller s'enfermer, au risque de la vie et en
bravant les poignards du duc de Modène[2], dans le cabinet
de toilette de la fille du régent. Aucun de vos petits poitri-
naires[3] à lunettes d'écaille ne se cacherait comme Lauzun, durant six semaines, dans une armoire pour donner
du courage à sa maîtresse pendant qu'elle accouchait[4]. Il
y avait plus de passion dans le petit doigt de M. de Jaucourt[5] que dans toute votre race de disputailleurs qui laissent les femmes pour des amendements ! Trouvez-moi
donc aujourd'hui des pages qui se fassent hacher et ense-
velir sous un plancher pour venir baiser le doigt ganté
d'une Kœnigsmarck[6] ? Aujourd'hui, vraiment, il semble-
rait que les rôles soient changés, et que les femmes doivent se dévouer pour les hommes. Ces messieurs valent
moins et s'estiment davantage. Croyez-moi, ma chère,

---

1. Héros romantique de Goethe dans *Les Souffrances du jeune Werther* (1774). — 2. Le maréchal de Richelieu serait allé retrouver son
ancienne maîtresse, devenue l'épouse du duc de Modène, en se dégui-
sant en marchand ambulant. — 3. Personnes atteintes de tuberculose.
— 4. Anecdote rapportée par le duc de Lauzun dans ses mémoires.
— 5. Le marquis de Jaucourt, surpris par le retour du mari de sa maîtresse, se réfugia dans un cabinet et ne cria pas quand son petit doigt
fut pris et brisé dans la charnière de la porte. — 6. Souvenir confus de
Balzac. L'anecdote à laquelle il fait allusion a en réalité pour personnage principal le comte de Kœnigsmarck, qui était l'amant de Sophie
de Zell, femme du futur George Iᵉʳ d'Angleterre. L'amant fut surpris
par le mari et sauvagement assassiné. Selon certains, on dissimula son
corps sous un parquet.

toutes ces aventures qui sont devenues publiques et dont
on s'arme aujourd'hui pour assassiner notre bon
Louis XV, étaient d'abord secrètes. Sans un tas de poé-
triaux [1], de rimailleurs, de moralistes qui entretenaient nos
femmes de chambre et en écrivaient les calomnies, notre
époque aurait eu littérairement des mœurs. Je justifie le
siècle et non sa lisière. Peut-être y a-t-il eu cent femmes
de qualité perdues ; mais les drôles en ont mis un millier,
ainsi que font les gazetiers quand ils évaluent les morts
du parti battu. D'ailleurs, je ne sais pas ce que la Révolution et l'Empire peuvent nous reprocher : ces temps-là
ont été licencieux, sans esprit, grossiers, fi ! tout cela me
révolte. Ce sont les mauvais lieux de notre histoire ! Ce
préambule, ma chère enfant, reprit-elle après une pause,
est pour arriver à te dire que si Montriveau te plaît, tu es
bien la maîtresse de l'aimer à ton aise, et tant que tu
pourras. Je sais, moi, par expérience (à moins de t'enfermer, mais on n'enferme plus aujourd'hui), que tu feras ce
qui te plaira ; et c'est ce que j'aurais fait à ton âge. Seulement, mon cher bijou, je n'aurais pas abdiqué le droit de
faire des ducs de Langeais. Ainsi comporte-toi décem-
ment. Le vidame a raison, aucun homme ne vaut un seul
des sacrifices par lesquels nous sommes assez folles pour
payer leur amour. Mets-toi donc dans la position de pouvoir, si tu avais le malheur d'en être à te repentir, te trouver encore la femme de M. de Langeais. Quand tu seras
vieille, tu seras bien aise d'entendre la messe à la Cour
et non dans un couvent de province, voilà toute la question. Une imprudence, c'est une pension, une vie errante,
être à la merci de son amant ; c'est l'ennui causé par les
impertinences des femmes qui vaudront moins que toi,
précisément parce qu'elles auront été très ignoblement
adroites. Il valait cent fois mieux aller chez Montriveau,
le soir, en fiacre [2], déguisée, que d'y envoyer ta voiture
en plein jour. Tu es une petite sotte, ma chère enfant ! Ta
voiture a flatté sa vanité, ta personne lui aurait pris le
cœur. Je t'ai dit ce qui est juste et vrai, mais je ne t'en
veux pas, moi. Tu es de deux siècles en arrière avec ta
fausse grandeur. Allons, laisse-nous arranger tes affaires,

---

1. Mauvais poètes. — 2. Taxi de l'époque.

dire que le Montriveau aura grisé tes gens, pour satisfaire
son amour-propre et te compromettre...

— Au nom du ciel, ma tante, s'écria la duchesse en
bondissant, ne le calomniez pas.

— Oh ! chère enfant, dit la princesse dont les yeux
s'animèrent, je voudrais te voir des illusions qui ne te
fussent pas funestes, mais toute illusion doit cesser. Tu
m'attendrirais, n'était mon âge. Allons, ne fais de chagrin
à personne, ni à lui, ni à nous. Je me charge de contenter
tout le monde ; mais promets-moi de ne pas te permettre
désormais une seule démarche sans me consulter. Conte-
moi tout, je te mènerai peut-être à bien.

— Ma tante, je vous promets...

— De me dire tout...

— Oui, tout, tout ce qui pourra se dire.

— Mais, mon cœur, c'est précisément ce qui ne pourra
pas se dire que je veux savoir. Entendons-nous bien.
Allons, laisse-moi appuyer mes lèvres sèches sur ton beau
front. Non, laisse-moi faire, je te défends de baiser mes
os. Les vieillards ont une politesse à eux... Allons,
conduis-moi jusqu'à mon carrosse, dit-elle après avoir
embrassé sa nièce.

— Chère tante, je puis donc aller chez lui déguisée ?

— Mais, oui, ça peut toujours se nier », dit la vieille.

La duchesse n'avait clairement perçu que cette idée
dans le sermon que la princesse venait de lui faire. Quand
Mme de Chauvry fut assise dans le coin de sa voiture,
Mme de Langeais lui dit un gracieux adieu, et remonta
chez elle tout heureuse.

« Ma personne lui aurait pris le cœur ; elle a raison, ma
tante. Un homme ne doit pas refuser une jolie femme,
quand elle sait se bien offrir. »

Le soir, au cercle de Mme la duchesse de Berri, le
duc de Navarreins, M. de Pamiers, M. de Marsay, M. de
Grandlieu, le duc de Maufrigneuse démentirent victorieu-
sement les bruits offensants qui couraient sur la duchesse
de Langeais. Tant d'officiers et de personnes attestèrent
avoir vu Montriveau se promenant aux Tuileries pendant
la matinée, que cette sotte histoire fut mise sur le compte
du hasard, qui prend tout ce qu'on lui donne. Aussi le
lendemain la réputation de la duchesse devint-elle, malgré

la station de sa voiture, nette et claire comme l'armet de Mambrin après avoir été fourbi par Sancho [1]. Seulement, à deux heures, au bois de Boulogne, M. de Ronquerolles, passant à côté de Montriveau dans une allée déserte, lui dit en souriant : « Elle va bien, ta duchesse ! — Encore et toujours », ajouta-t-il en appliquant un coup de cravache significatif à sa jument qui fila comme un boulet.

Deux jours après son éclat inutile, Mme de Langeais écrivit à M. de Montriveau une lettre qui resta sans réponse comme les précédentes. Cette fois elle avait pris ses mesures, et corrompu Auguste, le valet de chambre d'Armand. Aussi, le soir, à huit heures, fut-elle introduite chez Armand, dans une chambre tout autre que celle où s'était passée la scène demeurée secrète. La duchesse apprit que le général ne rentrerait pas. Avait-il deux domiciles ? Le valet ne voulut pas répondre. Mme de Langeais avait acheté la clef de cette chambre, et non toute la probité de cet homme. Restée seule, elle vit ses quatorze lettres posées sur un vieux guéridon ; elles n'étaient ni froissées, ni décachetées ; elles n'avaient pas été lues. À cet aspect, elle tomba sur un fauteuil, et perdit pendant un moment toute connaissance. En se réveillant, elle aperçut Auguste, qui lui faisait respirer du vinaigre.

« Une voiture, vite », dit-elle.

La voiture venue, elle descendit avec une rapidité convulsive, revint chez elle, se mit au lit, et fit défendre sa porte. Elle resta vingt-quatre heures couchée, ne laissant approcher d'elle que sa femme de chambre qui lui apporta quelques tasses d'infusion de feuilles d'oranger. Suzette entendit sa maîtresse faisant quelques plaintes, et surprit des larmes dans ses yeux éclatants mais cernés. Le surlendemain, après avoir médité dans les larmes du désespoir le parti qu'elle voulait prendre, Mme de Langeais eut une conférence avec son homme d'affaires, et le chargea sans doute de quelques préparatifs. Puis elle envoya chercher le vieux vidame de Pamiers. En attendant le commandeur,

---

1. Allusion au passage du roman de Cervantès, *Don Quichotte* (1605-1615), dans lequel Don Quichotte, croyant s'emparer du casque enchanté (ou *armet*) de Mambrin, ne prend en réalité qu'un vulgaire plat à barbe.

elle écrivit à M. de Montriveau. Le vidame fut exact. Il trouva sa jeune cousine pâle, abattue, mais résignée. Il était environ deux heures après midi. Jamais cette divine créature n'avait été plus poétique qu'elle ne l'était alors dans les langueurs de son agonie.

« Mon cher cousin, dit-elle au vidame, vos quatre-vingts ans vous valent ce rendez-vous. Oh ! ne souriez pas, je vous en supplie, devant une pauvre femme au comble du malheur. Vous êtes un galant homme, et les aventures de votre jeunesse vous ont, j'aime à le croire, inspiré quelque indulgence pour les femmes.

— Pas la moindre, dit-il.

— Vraiment !

— Elles sont heureuses de tout, reprit-il.

— Ah ! Eh bien, vous êtes au cœur de ma famille ; vous serez peut-être le dernier parent, le dernier ami de qui j'aurai serré la main ; je puis donc réclamer de vous un bon office. Rendez-moi, mon cher vidame, un service que je ne saurais demander à mon père, ni à mon oncle Grandlieu, ni à aucune femme. Vous devez me comprendre. Je vous supplie de m'obéir, et d'oublier que vous m'avez obéi, quelle que soit l'issue de vos démarches. Il s'agit d'aller, muni de cette lettre, chez M. de Montriveau, de le voir, de la lui montrer, de lui demander, comme vous savez d'homme à homme demander les choses, car vous avez entre vous une probité, des sentiments que vous oubliez avec nous, de lui demander s'il voudra bien la lire, non pas en votre présence, les hommes se cachent certaines émotions. Je vous autorise, pour le décider, et si vous le jugez nécessaire, à lui dire qu'il s'en va de ma vie ou de ma mort. S'il daigne...

— Daigne ! fit le commandeur.

— S'il daigne la lire, reprit avec dignité la duchesse, faites-lui une dernière observation. Vous le verrez à cinq heures, il dîne à cette heure, chez lui, aujourd'hui, je le sais ; eh bien, il doit, pour toute réponse, venir me voir. Si trois heures après, si à huit heures, il n'est pas sorti, tout sera dit. La duchesse de Langeais aura disparu de ce monde. Je ne serai pas morte, cher, non ; mais aucun pouvoir humain ne me retrouvera sur cette terre. Venez dîner avec moi, j'aurai du moins un ami pour m'assister dans mes dernières angoisses. Oui, ce soir, mon cher cousin, ma vie sera décidée ; et quoi qu'il arrive, elle ne peut être que cruellement ardente. Allez, silence, je ne veux rien entendre qui ressemble soit à des observations, soit à des avis. — Causons, rions, dit-elle en lui tendant une main qu'il baisa. Soyons comme deux vieillards philosophes qui savent jouir de la vie jusqu'au moment de leur mort. Je me parerai, je serai bien coquette pour vous. Vous serez peut-être le dernier homme qui aura vu la duchesse de Langeais. »

Le vidame ne répondit rien, il salua, prit la lettre et fit la commission. Il revint à cinq heures, trouva sa parente mise avec recherche, délicieuse enfin. Le salon était paré de fleurs comme pour une fête. Le repas fut exquis. Pour ce vieillard, la duchesse fit jouer tous les brillants de son esprit, et se montra plus attrayante qu'elle ne l'avait jamais été. Le commandeur voulut d'abord voir une plaisanterie de jeune femme dans tous ces apprêts ; mais, de temps à autre, la fausse magie des séductions déployées par sa cousine pâlissait. Tantôt il la surprenait à tressaillir, émue par une sorte de terreur soudaine ; et tantôt elle semblait écouter dans le silence. Alors, s'il lui disait : « Qu'avez-vous ?

— Chut ! » répondait-elle.

À sept heures, la duchesse quitta le vieillard, et revint promptement, mais habillée comme aurait pu l'être sa femme de chambre pour un voyage ; elle réclama le bras de son convive qu'elle voulut pour compagnon, se jeta dans une voiture de louage [1]. Tous deux, ils furent, vers les huit heures moins un quart, à la porte de M. de Montriveau.

Armand, lui, pendant ce temps, avait médité sur la lettre suivante :

« Mon ami, j'ai passé quelques moments chez vous, à votre insu ; j'y ai repris mes lettres. Oh ! Armand, de vous à moi, ce ne peut être indifférence, et la haine procède autrement. Si vous m'aimez, cessez un jeu cruel. Vous me tueriez. Plus tard, vous en seriez au désespoir, en

—————————
1. Sorte de taxi.

apprenant combien vous êtes aimé. Si je vous ai malheureusement compris, si vous n'avez pour moi que de
l'aversion, l'aversion comporte et mépris et dégoût ;
alors, tout espoir m'abandonne : les hommes ne reviennent pas de ces deux sentiments. Quelque terrible qu'elle
puisse être, cette pensée apportera des consolations à ma
longue douleur. Vous n'aurez pas de regrets un jour. Des
regrets ! ah, mon Armand, que je les ignore. Si je vous
en causais un seul ?... Non je ne veux pas vous dire quels
ravages il ferait en moi. Je vivrais et ne pourrais plus être
votre femme. Après m'être entièrement donnée à vous en
pensée, à qui donc me donner ?... à Dieu. Oui, les yeux
que vous avez aimés pendant un moment ne verront plus
aucun visage d'homme ; et puisse la gloire de Dieu les
fermer ! Je n'entendrai plus de voix humaine, après avoir
entendu la vôtre, si douce d'abord, si terrible hier, car je
suis toujours au lendemain de votre vengeance ; puisse
donc la parole de Dieu me consumer ! Entre sa colère et
la vôtre, mon ami, il n'y aura pour moi que larmes et que
prières. Vous vous demanderez peut-être pourquoi vous
écrire ? Hélas ! ne m'en voulez pas de conserver une
lueur d'espérance, de jeter encore un soupir sur la vie
heureuse avant de la quitter pour un jamais. Je suis dans
une horrible situation. J'ai toute la sérénité que communique à l'âme une grande résolution, et sens encore les
derniers grondements de l'orage. Dans cette terrible aventure qui m'a tant attachée à vous, Armand, vous alliez du
désert à l'oasis, mené par un bon guide. Eh bien, moi, je
me traîne de l'oasis au désert, et vous m'êtes un guide
sans pitié. Néanmoins, vous seul, mon ami, pouvez
comprendre la mélancolie des derniers regards que je jette
au bonheur, et vous êtes le seul auquel je puisse me
plaindre sans rougir. Si vous m'exaucez, je serai heureuse ; si vous êtes inexorable, j'expierai mes torts. Enfin,
n'est-il pas naturel à une femme de vouloir rester dans la
mémoire de son aimé, revêtue de tous les sentiments
nobles ? Oh ! seul cher à moi ! laissez votre créature s'en-
sevelir avec la croyance que vous la trouverez grande.
Vos sévérités m'ont fait réfléchir ; et depuis que je vous
aime bien, je me suis trouvée moins coupable que vous
ne le pensez. Écoutez donc ma justification, je vous la

dois ; et vous, qui êtes tout pour moi dans le monde, vous me devez au moins un instant de justice.

« J'ai su, par mes propres douleurs, combien mes coquetteries vous ont fait souffrir ; mais alors, j'étais dans une complète ignorance de l'amour. Vous êtes, vous, dans le secret de ces tortures, et vous me les imposez. Pendant les huit premiers mois que vous m'avez accordés, vous ne vous êtes point fait aimer. Pourquoi, mon ami ? Je ne sais pas plus vous le dire, que je ne puis vous expliquer pourquoi je vous aime. Ah ! certes, j'étais flattée de me voir l'objet de vos discours passionnés, de recevoir vos regards de feu ; mais vous me laissiez froide et sans désirs. Non, je n'étais point femme, je ne concevais ni le dévouement ni le bonheur de notre sexe. À qui la faute ! Ne m'auriez-vous pas méprisée, si je m'étais livrée sans entraînement ? Peut-être est-ce le sublime de notre sexe, de se donner sans recevoir aucun plaisir ; peut-être n'y a-t-il aucun mérite à s'abandonner à des jouissances connues et ardemment désirées ? Hélas ! mon ami, je puis vous le dire, ces pensées me sont venues quand j'étais si coquette pour vous ; mais je vous trouvais déjà si grand, que je ne voulais pas que vous me dussiez à la pitié... Quel mot viens-je d'écrire ? Ah ! j'ai repris chez vous toutes mes lettres, je les jette au feu ! Elles brûlent. Tu ne sauras jamais ce qu'elles accusaient d'amour, de passion, de folie... Je me tais, Armand, je m'arrête, je ne veux plus rien vous dire de mes sentiments. Si mes vœux n'ont pas été entendus d'âme à âme, je ne pourrais donc plus, moi aussi, moi la femme, ne devoir votre amour qu'à votre pitié. Je veux être aimée irrésistiblement ou laissée impitoyablement. Si vous refusez de lire cette lettre, elle sera brûlée. Si, l'ayant lue, vous n'êtes pas trois heures après, pour toujours, mon seul époux, je n'aurai point de honte à vous la savoir entre les mains : la fierté de mon désespoir garantira ma mémoire de toute injure, et ma fin sera digne de mon amour. Vous-même, ne me rencontrant plus sur cette terre, quoique vivante, vous ne penserez pas sans frémir à une femme qui, dans trois heures, ne respirera plus que pour vous accabler de sa tendresse, à une femme consumée par un amour sans espoir, et fidèle, non pas à des plaisirs partagés, mais à des sentiments méconnus. La duchesse de La Vallière[1] pleurait un bonheur perdu, sa puissance évanouie ; tandis que la duchesse de Langeais sera heureuse de ses pleurs et restera pour vous un pouvoir. Oui, vous me regretterez. Je sens bien que je n'étais pas de ce monde, et vous remercie de me l'avoir prouvé. Adieu, vous ne toucherez point à ma hache ; la vôtre était celle du bourreau, la mienne est celle de Dieu ; la vôtre tue, et la mienne sauve. Votre amour était mortel, il ne savait supporter ni le dédain ni la raillerie ; le mien peut tout endurer sans faiblir, il est immortellement vivace. Ah ! j'éprouve une joie sombre à vous écraser, vous qui vous croyez si grand, à vous humilier par le sourire calme et protecteur des anges faibles qui prennent, en se couchant aux pieds de Dieu, le droit et la force de veiller en son nom sur les hommes. Vous n'avez eu que de passagers désirs ; tandis que la pauvre religieuse vous éclairera sans cesse de ses ardentes prières, et vous couvrira toujours des ailes de l'amour divin. Je pressens votre réponse, Armand, et vous donne rendez-vous... dans le ciel. Ami, la force et la faiblesse y sont également admises ; toutes deux sont des souffrances. Cette pensée apaise les agitations de ma dernière épreuve. Me voilà si calme, que je craindrais de ne plus t'aimer, si ce n'était pour toi que je quitte le monde.

                                             « ANTOINETTE. »

    « Cher vidame, dit la duchesse en arrivant à la maison de Montriveau, faites-moi la grâce de demander à la porte s'il est chez lui. »
    Le commandeur, obéissant à la manière des hommes du dix-huitième siècle, descendit et revint dire à sa cousine un oui qui la fit frissonner. À ce mot, elle prit le commandeur, lui serra la main, se laissa baiser par lui sur les deux joues, et le pria de s'en aller sans l'espionner ni vouloir la protéger.
    « Mais les passants ? dit-il.

---

1. La duchesse de La Vallière (1644-1710), après avoir été la maîtresse de Louis XIV, entra en 1674 au Carmel de Paris où elle vécut 36 ans.

— Personne ne peut me manquer de respect », répondit-elle.

Ce fut le dernier mot de la femme à la mode et de la duchesse. Le commandeur s'en alla. Mme de Langeais resta sur le seuil de cette porte en s'enveloppant de son manteau, et attendit que huit heures sonnassent. L'heure expira. Cette malheureuse femme se donna dix minutes, un quart d'heure ; enfin, elle voulut voir une nouvelle humiliation dans ce retard, et la foi l'abandonna. Elle ne put retenir cette exclamation : « Ô mon Dieu ! » puis quitta ce funeste seuil. Ce fut le premier mot de la carmélite.

Montriveau avait une conférence avec quelques amis, il les pressa de finir, mais sa pendule retardait, et il ne sortit pour aller à l'hôtel de Langeais qu'au moment où la duchesse, emportée par une rage froide, fuyait à pied dans les rues de Paris. Elle pleura quand elle atteignit le boulevard d'Enfer[1]. Là, pour la dernière fois, elle regarda Paris fumeux, bruyant, couvert de la rouge atmosphère produite par ses lumières ; puis elle monta dans une voiture de place[2], et sortit de cette ville pour n'y jamais rentrer. Quand le marquis de Montriveau vint à l'hôtel de Langeais, il n'y trouva point sa maîtresse, et se crut joué. Il courut alors chez le vidame, et y fut reçu au moment où le bonhomme passait sa robe de chambre en pensant au bonheur de sa jolie parente. Montriveau lui jeta ce regard terrible dont la commotion électrique frappait également les hommes et les femmes.

« Monsieur, vous seriez-vous prêté à quelque cruelle plaisanterie ? s'écria-t-il. Je viens de chez Mme de Langeais, et ses gens la disent sortie.

— Il est sans doute arrivé, par votre faute, un grand malheur, répondit le vidame. J'ai laissé la duchesse à votre porte...

— À quelle heure ?

— À huit heures moins un quart.

— Je vous salue », dit Montriveau qui revint précipi-

---

1. Actuel boulevard Raspail. — 2. Voiture qui stationne dans la rue et que l'on peut emprunter moyennant une rétribution.

tamment chez lui pour demander à son portier s'il n'avait pas vu dans la soirée une dame à la porte.

« Oui, monsieur, une belle femme qui paraissait avoir bien du désagrément. Elle pleurait comme une Madeleine, sans faire de bruit, et se tenait droit comme un piquet. Enfin, elle a dit un : Ô mon Dieu ! en s'en allant, qui nous a, sous votre respect, crevé le cœur à mon épouse et à moi, qu'étions là sans qu'elle s'en aperçût. »

Ce peu de mots fit pâlir cet homme si ferme. Il écrivit quelques lignes à M. de Ronquerolles, chez lequel il envoya sur-le-champ, et remonta dans son appartement. Vers minuit, le marquis de Ronquerolles arriva.

« Qu'as-tu, mon bon ami ? » dit-il en voyant le général.

Armand lui donna la lettre de la duchesse à lire.

« Eh bien ? lui demanda Ronquerolles.

— Elle était à ma porte à huit heures, et à huit heures un quart elle a disparu. Je l'ai perdue, et je l'aime ! Ah ! si ma vie m'appartenait, je me serais déjà fait sauter la cervelle !

— Bah ! bah ! dit Ronquerolles, calme-toi. Les duchesses ne s'envolent pas comme des bergeronnettes. Elle ne fera pas plus de trois lieues à l'heure[1] ; demain, nous en ferons six, nous autres.

« Ah ! peste ! reprit-il, Mme de Langeais n'est pas une femme ordinaire. Nous serons tous à cheval demain. Dans la journée, nous saurons par la police où elle est allée. Il lui faut une voiture, ces anges-là n'ont pas d'ailes. Qu'elle soit en route ou cachée dans Paris, nous la trouverons. N'avons-nous pas le télégraphe pour l'arrêter sans la suivre ? Tu seras heureux. Mais, mon cher frère, tu as commis la faute dont sont plus ou moins coupables les hommes de ton énergie. Ils jugent les autres âmes d'après la leur, et ne savent pas où casse l'humanité quand ils en tendent les cordes. Que ne me disais-tu donc un mot tantôt ? Je t'aurais dit : "Sois exact."

« À demain, donc, ajouta-t-il en serrant la main de Montriveau qui restait muet. Dors, si tu peux. »

Mais les plus immenses ressources dont jamais hommes d'État, souverains, ministres, banquiers, enfin

_____

1. Soit 12 km/h.

dont tout pouvoir humain se soit socialement investi, furent en vain déployées. Ni Montriveau ni ses amis ne purent trouver la trace de la duchesse. Elle s'était évidemment cloîtrée. Montriveau résolut de fouiller ou de faire fouiller tous les couvents du monde. Il lui fallait la duchesse, quand même il en aurait coûté la vie à toute une ville. Pour rendre justice à cet homme extraordinaire, il est nécessaire de dire que sa fureur passionnée se leva également ardente chaque jour, et dura cinq années. En 1829 seulement, le duc de Navarreins apprit, par hasard, que sa fille était partie pour l'Espagne, comme femme de chambre de lady Julia Hopwood, et qu'elle avait quitté cette dame à Cadix, sans que lady Julia se fût aperçue que Mlle Caroline était l'illustre duchesse dont la disparition occupait la haute société parisienne.

Les sentiments qui animèrent les deux amants quand ils se retrouvèrent à la grille des Carmélites et en présence d'une Mère Supérieure doivent être maintenant compris dans toute leur étendue, et leur violence, réveillée de part et d'autre, expliquera sans doute le dénouement de cette aventure.

CHAPITRE IV

DIEU FAIT LES DÉNOUEMENTS [1]

Donc, en 1823, le duc de Langeais mort, sa femme était libre. Antoinette de Navarreins vivait consumée par l'amour sur un banc de la Méditerranée ; mais le pape pouvait casser les vœux de la sœur Thérèse. Le bonheur acheté par tant d'amour pouvait éclore pour les deux amants. Ces pensées firent voler Montriveau de Cadix à Marseille, de Marseille à Paris. Quelques mois après son arrivée en France, un brick [2] de commerce armé en guerre partit du port de Marseille et fit route pour l'Espagne. Ce bâtiment était frété par plusieurs hommes de distinction, presque tous Français qui, épris de belle passion pour l'Orient, voulaient en visiter les contrées. Les grandes connaissances de Montriveau sur les mœurs de ces pays en faisaient un précieux compagnon de voyage pour ces personnes, qui le prièrent d'être des leurs, et il y consentit. Le ministre de la Guerre le nomma lieutenant général et le mit au comité d'artillerie [3] pour lui faciliter cette partie de plaisir.

Le brick s'arrêta, vingt-quatre heures après son départ, au nord-ouest d'une île en vue des côtes d'Espagne. Le bâtiment avait été choisi assez fin de carène [4], assez léger de mâture pour qu'il pût sans danger s'ancrer à une demi-

---

1. L'épigraphe de ce chapitre était dans l'édition originale : « C'était un nœud gordien, auquel ne devait pas manquer le glaive qui dénoue les liens les plus fortement serrés » (*Ferragus, chef des Dévorants*). — **2.** Voilier à deux mâts. — **3.** Comité institué en 1822 et chargé de donner son avis sur les questions d'organisation, d'administration et de surveillance de l'armée. — **4.** Quille d'un navire jusqu'à la ligne de flottaison.

lieue environ des récifs qui, de ce côté, défendaient sûre-
ment l'abordage de l'île. Si des barques ou des habitants
apercevaient le brick dans ce mouillage, ils ne pouvaient
d'abord en concevoir aucune inquiétude. Puis il fut facile
d'en justifier aussitôt le stationnement. Avant d'arriver en
vue de l'île, Montriveau fit arborer le pavillon des États-
Unis. Les matelots engagés pour le service du bâtiment
étaient américains et ne parlaient que la langue anglaise.
L'un des compagnons de M. de Montriveau les embarqua
tous sur une chaloupe et les amena dans une auberge de
la petite ville, où il les maintint à une hauteur d'ivresse
qui ne leur laissa pas la langue libre. Puis il dit que le
brick était monté par des chercheurs de trésors, gens
connus aux États-Unis pour leur fanatisme, et dont un des
écrivains de ce pays a écrit l'histoire[1]. Ainsi la présence
du vaisseau dans les récifs fut suffisamment expliquée.
Les armateurs[2] et les passagers y cherchaient, dit le prétendu contremaître[3] des matelots, les débris d'un galion[4]
échoué en 1778 avec les trésors envoyés du Mexique. Les
aubergistes et les autorités du pays n'en demandèrent pas
davantage.

Armand et les amis dévoués qui le secondaient dans sa
difficile entreprise pensèrent tout d'abord que ni la ruse
ni la force ne pouvaient faire réussir la délivrance ou l'enlèvement de la sœur Thérèse du côté de la petite ville.
Alors, d'un commun accord, ces hommes d'audace réso-
lurent d'attaquer le taureau par les cornes. Ils voulurent
se frayer un chemin jusqu'au couvent par les lieux mêmes
où tout accès y semblait impraticable, et vaincre la nature,
comme le général Lamarque l'avait vaincue à l'assaut de
Caprée[5]. En cette circonstance, les tables de granit taillées
à pic, au bout de l'île, leur offraient moins de prise que
celles de Caprée n'en avaient offert à Montriveau, qui fut

---

1. Fenimore Cooper, romancier américain, auteur de plusieurs
romans maritimes très appréciés de Balzac. — 2. Personnes qui équi-
pent un navire. — 3. Second maître d'équipage. — 4. Grand bâtiment
utilisé autrefois par les Espagnols pour le transport de l'or et de l'argent
qu'ils ramenaient de leurs colonies d'Amérique. — 5. En 1808, après
une difficile escalade et un siège de douze jours, le général Lamarque
(1770-1832) prit l'île de Capri (Caprée) aux Anglais que commandait
sir Hudson Lowe, futur gouverneur de Sainte-Hélène.

de cette incroyable expédition, et les nonnes lui semblaient plus redoutables que ne le fut sir Hudson Lowe. Enlever la duchesse avec fracas couvrait ces hommes de honte. Autant aurait valu faire le siège de la ville, du couvent, et ne pas laisser un seul témoin de leur victoire, à la manière des pirates. Pour eux cette entreprise n'avait donc que deux faces. Ou quelque incendie, quelque fait d'armes qui effrayât l'Europe en y laissant ignorer la raison du crime ; ou quelque enlèvement aérien, mystérieux, qui persuadât aux nonnes que le diable leur avait rendu visite. Ce dernier parti triompha dans le conseil secret tenu à Paris avant le départ. Puis, tout avait été prévu pour le succès d'une entreprise qui offrait à ces hommes blasés des plaisirs de Paris un véritable amusement.

Une espèce de pirogue d'une excessive légèreté, fabriquée à Marseille d'après un modèle malais, permit de naviguer dans les récifs jusqu'à l'endroit où ils cessaient d'être praticables. Deux cordes en fil de fer, tendues parallèlement à une distance de quelques pieds sur des inclinaisons inverses, et sur lesquelles devaient glisser les paniers également en fil de fer, servirent de pont, comme en Chine, pour aller d'un rocher à l'autre. Les écueils furent ainsi unis les uns aux autres par un système de cordes et de paniers qui ressemblaient à ces fils sur lesquels voyagent certaines araignées, et par lesquels elles enveloppent un arbre ; œuvre d'instinct que les Chinois, ce peuple essentiellement imitateur, a copiée le premier, historiquement parlant. Ni les lames ni les caprices de la mer ne pouvaient déranger ces fragiles constructions. Les cordes avaient assez de jeu pour offrir aux fureurs des vagues cette courbure étudiée par un ingénieur, feu Cachin[1], l'immortel créateur du port de Cherbourg, la ligne savante au-delà de laquelle cesse le pouvoir de l'eau courroucée ; courbe établie d'après une loi dérobée aux secrets de la nature par le génie de l'observation, qui est presque tout le génie humain.

Les compagnons de M. de Montriveau étaient seuls sur ce vaisseau. Les yeux de l'homme ne pouvaient arriver

---

1. Joseph Cachin (1757-1825), ingénieur français, créateur du port auxiliaire de Cherbourg.

jusqu'à eux. Les meilleures longues-vues braquées du haut des tillacs [1] par les marins des bâtiments à leur passage n'eussent laissé découvrir ni les cordes perdues dans les récifs ni les hommes cachés dans les rochers. Après onze jours de travaux préparatoires, ces treize démons humains arrivèrent au pied du promontoire élevé d'une trentaine de toises [2] au-dessus de la mer, bloc aussi difficile à gravir par des hommes qu'il peut l'être à une souris de grimper sur les contours polis du ventre en porcelaine d'un vase uni. Cette table de granit était heureusement fendue. Sa fissure, dont les deux lèvres avaient la roideur de la ligne droite, permit d'y attacher, à un pied de distance, de gros coins de bois dans lesquels ces hardis travailleurs enfoncèrent des crampons de fer. Ces crampons, préparés à l'avance, étaient terminés par une palette trouée sur laquelle ils fixèrent une marche faite avec une planche de sapin extrêmement légère qui venait s'adapter aux entailles d'un mât aussi haut que le promontoire et qui fut assujettie dans le roc au bas de la grève. Avec une habileté digne de ces hommes d'exécution, l'un d'eux, profond mathématicien, avait calculé l'angle nécessaire pour écarter graduellement les marches en haut et en bas du mât, de manière à placer dans son milieu le point à partir duquel les marches de la partie supérieure gagnaient en éventail le haut du rocher ; figure également représentée, mais en sens inverse, par les marches d'en bas. Cet escalier, d'une légèreté miraculeuse et d'une solidité parfaite, coûta vingt-deux jours de travail. Un briquet phosphorique [3], une nuit et le ressac de la mer suffisaient à en faire disparaître éternellement les traces. Ainsi nulle indiscrétion n'était possible, et nulle recherche contre les violateurs du couvent ne pouvait avoir de succès.

Sur le haut du rocher se trouvait une plate-forme, bordée de tous côtés par le précipice taillé à pic. Les treize inconnus, en examinant le terrain avec leurs lunettes du

---

1. Ponts de navire. — **2.** Environ 60 m (une toise est une ancienne mesure de longueur équivalant à 1,949 m). — **3.** Flacon contenant du phosphore à l'aide duquel on allumait — par une réaction du phosphore à l'air — des allumettes soufrées.

haut de la hune [1], s'étaient assurés que, malgré quelques
aspérités, ils pourraient facilement arriver aux jardins du
couvent, dont les arbres suffisamment touffus offraient
de sûrs abris. Là, sans doute, ils devaient ultérieurement
décider par quels moyens se consommerait le rapt de la
religieuse. Après de si grands efforts, ils ne voulurent pas
compromettre le succès de leur entreprise en risquant
d'être aperçus, et furent obligés d'attendre que le dernier
quartier de la lune expirât.

Montriveau resta, pendant deux nuits, enveloppé dans
son manteau, couché sur le roc. Les chants du soir et ceux
du matin lui causèrent d'inexprimables délices. Il alla jusqu'au mur, pour pouvoir entendre la musique des orgues,
et s'efforça de distinguer une voix dans cette masse de
voix. Mais, malgré le silence, l'espace ne laissait parvenir
à ses oreilles que les effets confus de la musique. C'était
de suaves harmonies où les défauts de l'exécution ne se
faisaient plus sentir, et d'où la pure pensée de l'art se
dégageait en se communiquant à l'âme, sans lui demander
ni les efforts de l'attention ni les fatigues de l'entende-
ment. Terribles souvenirs pour Armand, dont l'amour
reflorissait tout entier dans cette brise de musique, où il
voulut trouver d'aériennes promesses de bonheur. Le lendemain de la dernière nuit, il descendit avant le lever du
soleil, après être resté durant plusieurs heures les yeux
attachés sur la fenêtre d'une cellule sans grille. Les grilles
n'étaient pas nécessaires au-dessus de ces abîmes. Il y
avait vu de la lumière pendant toute la nuit. Or, cet instinct du cœur, qui trompe aussi souvent qu'il dit vrai, lui
avait crié : « Elle est là ! »

« Elle est certainement là, et demain je l'aurai », se dit-
il en mêlant de joyeuses pensées aux tintements d'une
cloche qui sonnait lentement. Étrange bizarrerie du cœur !
il aimait avec plus de passion la religieuse dépérie dans
les élancements de l'amour, consumée par les larmes,
les jeûnes, les veilles et la prière, la femme de vingt-

---

1. Plate-forme semi-circulaire située sur un mât.

« Il y avait vu de la lumière pendant toute la nuit.
Or cet instinct du cœur, qui trompe
aussi souvent qu'il dit vrai, lui avait crié : "Elle est là !" »
Gravure de Devéria.

neuf ans fortement éprouvée, qu'il n'avait aimé la jeune
fille légère, la femme de vingt-quatre ans, la sylphide[1]. Mais les hommes d'âme vigoureuse n'ont-ils pas
un penchant qui les entraîne vers les sublimes expressions
que de nobles malheurs ou d'impétueux mouvements de
pensées ont gravées sur le visage d'une femme ? La
beauté d'une femme endolorie n'est-elle pas la plus atta-
chante de toutes pour les hommes qui se sentent au cœur
un trésor inépuisable de consolations et de tendresses à
répandre sur une créature gracieuse de faiblesse et forte
par le sentiment. La beauté fraîche, colorée, unie, le *joli*

---

1. Esprit vivant dans l'air. Se dit d'une femme à l'allure gracieuse
et aérienne.

en un mot, est l'attrait vulgaire auquel se prend la médiocrité. Montriveau devait aimer ces visages où l'amour se réveille au milieu des plis de la douleur et des ruines de la mélancolie. Un amant ne fait-il pas alors saillir, à la voix de ses puissants désirs, un être tout nouveau, jeune, palpitant, qui brise pour lui seul une enveloppe belle pour lui, détruite pour le monde ? Ne possède-t-il pas deux femmes : celle qui se présente aux autres pâle, décolorée, triste ; puis celle du cœur que personne ne voit, un ange qui comprend la vie par le sentiment, et ne paraît dans toute sa gloire que pour les solennités de l'amour ? Avant de quitter son poste, le général entendit de faibles accords qui partaient de cette cellule, douces voix pleines de tendresse. En revenant sous le rocher au bas duquel se tenaient ses amis, il leur dit en quelques mots, empreints de cette passion communicative quoique discrète dont les hommes respectent toujours l'expression grandiose, que jamais, en sa vie, il n'avait éprouvé de si captivantes félicités.

Le lendemain soir, onze compagnons dévoués se hissèrent dans l'ombre en haut de ces rochers, ayant chacun sur eux un poignard, une provision de chocolat et tous les instruments que comporte le métier des voleurs. Arrivés au mur d'enceinte, ils le franchirent au moyen d'échelles qu'ils avaient fabriquées, et se trouvèrent dans le cimetière du couvent. Montriveau reconnut et la longue galerie voûtée par laquelle il était venu naguère au parloir, et les fenêtres de cette salle. Sur-le-champ, son plan fut fait et adopté. S'ouvrir un passage par la fenêtre de ce parloir qui en éclairait la partie affectée aux carmélites, pénétrer dans les corridors, voir si les noms étaient inscrits sur chaque cellule, aller à celle de la sœur Thérèse, y surprendre et bâillonner la religieuse pendant son sommeil, la lier et l'enlever, toutes ces parties du programme étaient faciles pour des hommes qui, à l'audace, à l'adresse des forçats, joignaient les connaissances particulières aux gens du monde, et auxquels il était indifférent de donner un coup de poignard pour acheter le silence.

La grille de la fenêtre fut sciée en deux heures. Trois hommes se mirent en faction au-dehors, et deux autres restèrent dans le parloir. Le reste, pieds nus, se posta de distance en distance à travers le cloître où s'engagea

Montriveau, caché derrière un jeune homme, le plus adroit d'entre eux, Henri de Marsay, qui, par prudence, s'était vêtu d'un costume de carmélite absolument semblable à celui du couvent. L'horloge sonna trois heures quand la fausse religieuse et Montriveau parvinrent au dortoir. Ils eurent bientôt reconnu la situation des cellules. Puis, n'entendant aucun bruit, ils lurent, à l'aide d'une lanterne sourde, les noms heureusement écrits sur chaque porte, et accompagnés de ces devises mystiques, de ces portraits de saints ou de saintes que chaque religieuse inscrit en forme d'épigraphe sur le nouveau rôle [1] de sa vie, et où elle révèle sa dernière pensée. Arrivé à la cellule de la sœur Thérèse, Montriveau lut cette inscription : *Sub invocatione sanctae matris Theresae !* [2] La devise était : *Adoremus in aeternum* [3]. Tout à coup son compagnon lui mit la main sur l'épaule, et lui fit voir une vive lueur qui éclairait les dalles du corridor par la fente de la porte. En ce moment, M. de Ronquerolles les rejoignit.

« Toutes les religieuses sont à l'église et commencent l'office des morts, dit-il.

— Je reste, répondit Montriveau ; repliez-vous dans le parloir, et fermez la porte de ce corridor. »

Il entra vivement en se faisant précéder de la fausse religieuse, qui rabattit son voile. Ils virent alors, dans l'antichambre de la cellule, la duchesse morte, posée à terre sur la planche de son lit, et éclairée par deux cierges. Ni Montriveau ni de Marsay ne dirent une parole, ne jetèrent un cri ; mais ils se regardèrent. Puis le général fit un geste qui voulait dire : « Emportons-la. »

« Sauvez-vous, cria Ronquerolles, la procession des religieuses se met en marche, vous allez être surpris. »

Avec la rapidité magique que communique aux mouvements un extrême désir, la morte fut apportée dans le parloir, passée par la fenêtre et transportée au pied des murs, au moment où l'abbesse, suivie des religieuses,

---

1. Feuille ou registre sur lequel on inscrivait des actes ou des titres. — 2. « Sous l'invocation de la sainte Mère Thérèse. » — 3. « Adorons pour l'éternité. » Dans sa correspondance, Balzac dit faire de cette phrase, qu'il avait lue lors d'une visite au monastère de la Grande Chartreuse, sa devise personnelle.

arrivait pour prendre le corps de la sœur Thérèse. La sœur
chargée de garder la morte avait eu l'imprudence de fouiller dans sa chambre pour en connaître les secrets, et
s'était si fort occupée à cette recherche qu'elle n'entendit
rien et sortait alors épouvantée de ne plus trouver le corps.
Avant que ces femmes stupéfiées n'eussent la pensée de
faire des recherches, la duchesse avait été descendue par
une corde en bas des rochers et les compagnons de Montriveau avaient détruit leur ouvrage. A neuf heures du
matin, nulle trace n'existait ni de l'escalier ni des ponts
de cordes ; le corps de la sœur Thérèse était à bord ; le
brick vint au port embarquer ses matelots, et disparut dans
la journée. Montriveau resta seul dans sa cabine avec
Antoinette de Navarreins, dont, pendant quelques heures,
le visage resplendit complaisamment pour lui des
sublimes beautés dues au calme particulier que prête la
mort à nos dépouilles mortelles.

« Ah ! çà, dit Ronquerolles à Montriveau quand celui-
ci reparut sur le tillac, c'était une femme, maintenant ce
n'est rien. Attachons un boulet à chacun de ses pieds,
jetons-la dans la mer, et n'y pense plus que comme nous
pensons à un livre lu pendant notre enfance.

— Oui, dit Montriveau [1], car ce n'est plus qu'un poème.

— Te voilà sage. Désormais aie des passions ; mais de

---

1. Dans l'édition originale, la fin était la suivante :
— Oui, dit Montriveau.
— Te voilà sage. Désormais aie des passions, mais de l'amour, fi...
— C'est de la niaiserie ! dit Henry de Marsay. Il ne faut l'introduire
en nous que comme une drogue qui, à certaine dose, augmente le plaisir, sinon, autant lire Kant, Fitche, Shelling ou Hegel.
— Voilà un homme ! s'écria Ronquerolles en frappant sur l'épaule
de de Marsay.
— Oui, ça n'a été pour moi qu'un poème ! dit Montriveau lorsque
les tournoiements de l'onde s'effacèrent dans le sillage du brick.
— On t'accorde le poème, pour satisfaire à ce qui te reste de faiblesse humaine, camarade, dit de Marsay en lâchant avec grâce la
fumée de son cigare. Ta duchesse !... je l'ai connue. Elle ne valait pas
ma fille aux yeux d'or. Et cependant je suis sorti tranquillement un soir
de chez moi pour aller lui planter mon poignard dans le cœur. Tu
n'étais pas encore des nôtres !
— Ronquerolles, dit-il en se tournant vers le marquis, conte-lui donc
cette affaire-là pour le distraire ; tu sais mieux que moi en faire valoir
les détails. »

l'amour, il faut savoir le bien placer, et il n'y a que le dernier amour d'une femme qui satisfasse le premier amour d'un homme[1]. »

Genève, au Pré-Lévêque, 26 janvier 1834[2].

---

1. Hommage discret à Mme de Berny, qui fut à partir de 1822 la maîtresse de Balzac. Elle était deux fois plus âgée que lui, et son prénom usuel était Antoinette. — 2. Cette date est fausse (le roman sera terminé deux mois plus tard), mais hautement symbolique : elle est une allusion au « jour inoubliable » où Mme Hanska est devenue la maîtresse de Balzac. Le romancier signifie ainsi sa revanche sur les mauvais souvenirs de son précédent séjour à Genève en compagnie de la marquise de Castries.

DOSSIER

LA GENÈSE

Nous reproduisons ici les deux textes (mentionnés dans l'introduction) que Balzac écrivit avant *La Duchesse de Langeais,* en s'inspirant déjà de sa déconvenue sentimentale auprès de la marquise de Castries. Le premier, la confession du médecin de campagne, devait rester inédit, puisque Balzac allait finalement prêter à son héros une faute de jeunesse qu'il s'agira pour lui d'expier à travers son action civilisatrice dans un canton de Savoie. Le second appartient au recueil des *Contes drolatiques* pour lequel Balzac croyait passer à la postérité : « C'est un monument littéraire bâti pour quelques connaisseurs », écrit-il à Mme Hanska. « Si vous n'aimez pas les *Contes* de La Fontaine, ni ceux de Boccace, et si vous n'êtes pas folle de l'Arioste, il faut laisser les *Contes drolatiques* de côté, quoique ce soit ma plus belle part de gloire dans l'avenir [1]. » « Dézespérance d'amour » est le dernier conte du deuxième dixain.

1. LA CONFESSION INÉDITE
DU MÉDECIN DE CAMPAGNE

« [...] Enfin, Monsieur, j'atteignis à l'âge de trente-quatre ans, sans avoir pu bien complètement satisfaire les appétits de ma nature toute artiste, ardente, amoureuse d'une perfection chimérique dans la vie du cœur, mais toujours plus affamée d'affection, à mesure que cette vie

---

1. Lettre à Mme Hanska, du 19 août 1833 (*op. cit.*, t. I, p. 49).

se refroidissait extérieurement pour moi. Sans avoir rencontré personne à qui je pusse dire mon secret, j'avais
deviné les délicatesses les plus fugitives des sentiments.
J'avais la faculté d'épouser les émotions des autres, de
réaliser leurs joies inespérées ; je pouvais disputer à une
femme la faculté de sentir ou d'apprécier mieux que moi
ces plaisirs ou ces chagrins. En ce moment de ma vie,
j'étais donc fatigué de malheur, lassé de sensations superficielles, plus ennuyé que flatté par des succès creux qui
ne me faisaient point arriver au but où tendaient tous mes
désirs ; je répondais aux railleries par un froid mépris. En
me sentant toujours en désaccord avec moi, j'étais toujours prêt à prendre une résolution désespérée que l'espoir
retardait toujours. — Enfin, dans un jour où je pliais sous
le fardeau de tant de misères secrètes, où j'avais longtemps contemplé les scènes de malheur et de tristesse qui,
depuis le berceau jusqu'alors s'étaient succédé dans ma
vie, je rencontrai la seule créature qui jamais ait réalisé
les idées que j'avais préconçues de la femme. Depuis dix
années que je me laissais aller au torrent des fêtes, au
tourbillon des plaisirs du monde, j'avais étudié les
femmes sous l'empire d'une passion sans bornes ; je les
avais vues à travers les feux du désir ; et, quoique très
indulgent à leurs beautés, aucune d'elles ne m'était appa-
rue douée des avantages ou des défauts que je voulais
trouver dans une femme ; indices de passion, observés
avec bonheur, mais épars chez toutes les créatures fugitives que les hasards du monde me présentèrent par milliers. Cette perfection idéale qu'elles se partageaient, pour
la première fois, je pus l'admirer tout entière dans une
seule d'entre elles. Il n'y avait pas un sentiment auquel
cette femme ne répondît ou qu'elle ne réveillât. N'attri-
buez pas cet éloge à l'aveugle enthousiasme de la passion.
Sa grâce, son esprit, sa beauté l'avaient déjà rendue
célèbre dans le monde. Elle avait inspiré bien des regrets,
causé plusieurs malheurs, à son insu peut-être, et fait
éclore un grand nombre de ces amours éphémères qui
naissent sous les feux d'un lustre au bal, et meurent le
lendemain, emportés par les dévorantes préoccupations de
Paris, ce gouffre où tout s'engloutit sans retentissement.
    Je suis certain que vous avez entendu parler de cette

femme, que vous l'avez vue peut-être, et même que vous
connaissez l'autre moi-même auquel j'ai renoncé. Après
avoir souffert pendant douze années par cette femme,
après l'avoir maudite et adorée tous les soirs, je trouve
que les femmes avaient raison de l'envier et les hommes
de l'aimer : il ne lui manquait rien de ce qui peut inspirer
l'amour, de ce qui le justifie, de ce qui le perpétue. La
nature l'avait douée de cette coquetterie douce et naïve
qui, chez la femme, est, en quelque sorte, la conscience
de son pouvoir. Tout en elle s'harmoniait. Ses moindres
mouvements étaient d'accord avec la tournure particulière
de ses phrases, le son de sa voix qui vibrait dans les cœurs
et la manière dont elle jetait son regard pour bouleverser
toutes les idées. Type admirable de noblesse et d'élégance, sa noblesse n'avait rien de cherché ni de contraint,
son élégance était tout instinctive. Le hasard avait été prodigue envers elle. Je ne vous dirai rien de sa naissance ni
de sa fortune. En amour, ce sont des niaiseries qui souvent lui donnent du relief, mais qui, plus souvent encore,
le tuent. Ce qu'elle avait de plus précieux était une belle
âme, qui ne l'a pas empêchée de commettre un crime, un
caractère délicieux en apparence. Elle pouvait être mélancolique, gaie dans la même heure, sans jouer ni la mélancolie, ni la gaieté. Elle paraissait vraie en tout, du moins
je l'ai cru ; et ce fut le principe de mes malheurs. Elle
savait être imposante, affable ou impertinente à son gré.
Elle semblait être bonne et elle l'était ; mais elle s'est
préférée à moi, sans savoir si je ne me serais pas immolé
pour elle. Elle était sans défiance, et rusée ; tendre à faire
venir des larmes aux yeux les plus secs et dure à vous
briser le cœur le plus ferme. Mais, pour peindre ce caractère, il faudrait accumuler tous les contrastes. Elle était
femme, et tout ce qu'elle voulait être. Un homme au
désespoir s'était, dit-on, tué pour elle. Après l'avoir vue,
ce désespoir paraissait naturel.

Eh bien, Monsieur, cette femme m'accueillit avec plaisir ; et, dans un court espace de temps, après quatre ou
cinq soirées passées près d'elle, je devins la proie d'une
passion que je puis en ce moment dire éternelle, en mesu-
rant la valeur de ce mot à la durée de notre vie. Elle
était alors dans une de ces situations sociales qui, selon

la complaisante jurisprudence de nos mœurs, doit permettre à une femme de se laisser aimer sans trop de scandale. Il est reçu dans le monde qu'une première faute
excuse, autorise, justifie une seconde. Je n'ai certes point
espéré devoir son amour aux maximes de la corruption,
mais j'avoue que j'étais enchanté de la trouver déjà séparée de la société, de rencontrer en elle un être tout à part.
Je n'ai pas à me reprocher de l'avoir flétrie par une seule
pensée mauvaise, et ce fut toujours pour moi la plus pure
de toutes les femmes. J'ai une opinion consolante pour
nous autres, faibles créatures. L'homme a le pouvoir de
se faire une vie nouvelle à chaque nouveau progrès de sa
vie ; il a le don de ne plus ressembler à lui-même par le
changement de ses pensées ; il peut devenir meilleur ou
plus mauvais ; j'ai peut-être été victime d'une transformation de ce genre ; mais elle a pour effet de permettre à
une femme de reconquérir sa sainte innocence par un
amour vrai. Pour moi, la vie d'une femme, et pour elle
aussi peut-être, commence au premier regard par lequel
ils se créent l'un pour l'autre. Je ne jetai donc jamais un
seul coup d'œil sur sa vie passée, pas même pour y puiser
une pensée d'espoir. Je l'aimai de tous les sentiments
humains. Ma passion se trouva forte de mes désespoirs
secrets, de mes illusions déçues, de tous mes songes
d'amitié, d'amour évanouis qui se réveillèrent pour elle...
  — Ah ! Monsieur, s'écria le médecin, je vous raconte
une bien fatale histoire, bien épouvantable et bien ridicule...
  Il resta pendant un moment silencieux, agité.
  — Non seulement, reprit-il, cette femme m'accueillit,
mais encore, elle déploya pour moi, sciemment, les ressources les plus captivantes de sa redoutable coquetterie,
elle voulut me plaire, et prit d'incroyables soins pour for-
tifier, pour accroître mon ivresse. Elle usa de tout son
pouvoir pour faire déclarer un amour timide. Elle fut heureuse de m'entendre lui dire que je l'aimais [après avoir]
longtemps joui de mon silence qui lui avait déjà tout dit.
Joyeuse de mes paroles, elle ne m'a jamais fait taire et
ses regards insatiables m'arrachaient tous mes secrets.
Ayant la crainte de ressentir près d'elle des félicités que
je n'inspirasse pas et de rêver à moi seul pour nous deux,
désespérant de pouvoir jamais l'initier aux délices de mes

espérances, jugez de mon éloquence dans ces moments délicieux où tout homme est éloquent. Pendant ces heureux jours, Monsieur, je n'ai rien rêvé. Ses aveux eussent donné de la fatuité à l'homme le plus modeste. Elle eut toutes les jalousies qui nous flattent ; elle me rendit par des paroles plus délicieuses les mille discours que me suggérait une passion vraie, un ardent amour de poète. Elle s'éleva certes au-dessus de mes idées, de mes désirs et de mes croyances, et m'attira chaque jour plus haut dans le ciel. Puis, elle me promit et me donna tout ce qu'une femme peut donner en restant chaste et pure. Ce fut alors l'infini des cieux, l'amour des anges, des délices que je n'ai pas même aujourd'hui le courage de lui reprocher. Mais que sont toutes ces choses sans la confiance qui les éternise, sans le témoignage sacré qui rend l'amour indissoluble ? Vous, Monsieur, vous auquel je confesse les plus cruelles angoisses de ma vie, soyez le seul juge entre nous ; justifiez-la..., je mourrai tranquille !... Croyez-vous qu'un seul baiser, plus furtif il est et plus il engage, croyez-vous que les plus caressantes délices que puisse accorder une femme sans compromettre sa vertu, l'obligent à quelque chose ? Croyez-vous qu'il lui soit permis de demander un amour sans bornes, une croyance aveugle en elle, un sentiment vrai, une vie entière, de l'accepter, de nourrir avec bonheur toutes les espérances d'un homme, de l'encourager d'une main flatteuse à aller plus avant dans un abîme, et de l'y laisser ?... Là est toute mon histoire. Histoire horrible ! C'est celle d'un homme qui a joui pendant quelques mois de la nature entière, de tous les effets du soleil dans un riche pays et qui perd la vue. Oui, Monsieur, quelques mois de délices et puis rien. Pourquoi m'avoir donné tant de fêtes ?... Pourquoi m'a-t-elle nommé pendant quelques jours son bien-aimé, si elle devait me ravir ce titre, le seul dont le cœur se soucie ? Était-il en son pouvoir d'effacer la trace profonde que cette parole a laissée dans mon âme ? Peut-elle faire que ce mot n'ait pas été dit ? Devait-elle le dire sans y joindre le cortège des pensées délicieuses qu'il exprime ? Elle a tout confirmé par un baiser, cette suave et sainte promesse que, par une distinction spéciale, Dieu nous a laissée en souvenir des cieux, et dont nous sommes investis seuls parmi les créatures, pour nous donner l'orgueil de la pensée. Un baiser ne s'efface jamais. Si le cœur était d'accord avec la voix, les yeux, l'abandon de la personne, pourquoi m'a-t-elle fui ? Quand a-t-elle menti ? Lorsqu'elle m'enivrait de ses regards en murmurant un nom donné, gardé par l'amour, ou lorsqu'elle a brisé seule le contrat qui obligeait nos deux cœurs ? qui mêlait à jamais deux pensées en une même vie ? Elle a menti quelque part. Et son mensonge a été le plus homicide de tous les mensonges ! Elle peut prier pour les meurtriers ! Elle est la sœur de tous, la sœur admirée par le monde qui ne connaît pas les invisibles liens de leur parenté. La pauvre femme, toute faible qu'elle se dise, a tué une âme heureuse. Elle a flétri toute une vie. Les autres sont plus charitables ; ils tuent plus promptement.

Pendant quelques heures le démon de la vengeance m'a tenté. Je pouvais la faire haïr du monde entier, la livrer à tous les regards, attachée à un poteau d'infamie, la mettre, à l'aide du talent de Juvénal, au-dessous de Messaline, et jeter la terreur dans l'âme de toutes les femmes, en leur donnant la crainte de lui ressembler. Mais il eût été plus généreux de la tuer d'un coup que de la tuer tous les jours et dans chaque siècle. Je ne l'ai pas fait. J'ai été dupe d'un amour vrai. J'ai porté l'orgueil plus loin, et je lui ai fait la magnifique aumône de mon silence. Elle ne méritait rien : ni pitié, ni amour, ni vengeance même, je lui ai tout donné. C'est une femme... une femme qui me fait vivre par le souvenir de quelques heures délicieuses, souvenirs purs et célestes : conversations de cœur à cœur, entremêlées de sourires gracieux comme des fleurs, heures coloriées, parfumées, pleines de soleil ; je me perds souvent dans les abîmes de ma mémoire, en tâchant de ne pas penser au dénouement triste et glacial qui a flétri les plus suaves caresses. Néanmoins, encore aujourd'hui, mon cœur se déchire plus vivement, à chaque nuit nouvelle, quand je me reporte à ces belles heures. Je suis fidèle à une femme qui ne m'aimait pas ; je l'aime avec orgueil, même oublié par elle. Où sera ma récompense ? J'ai peur que Dieu ne la punisse et je me flatte de pouvoir lui obtenir dans l'autre vie un pardon qu'elle ne mérite

pas, en offrant à Dieu les souffrances qu'elle m'a causées.
Elle ne sait pas que, dans ma sollitude, je prie pour elle.
Et cela est vrai, Monsieur ; je suis assez lâche pour faire
ici tout en son nom, pendant que légère, rieuse, elle me
calomnie, en pensant que je l'ai oubliée !... Car elle s'est
conduite d'après les maximes du monde : elle a été fidèle
à son éducation, au jésuitisme de sa société qui permet à
une femme de tout accorder, de tout dire, de tout penser,
moins un dernier témoignage qui n'est rien et dont le
monde fait tout, auquel il donne un prix qu'il n'a pas.
Eh ! certes, personne n'a demandé plus ardemment à Dieu
de créer une autre preuve pour l'alliance des cœurs.
Hélas, l'amour divin n'est que dans les cieux !...

Cette pauvre femme, habituée, dès son entrée au grand
bal de Paris, à jouer avec les sentiments, à juger superfi-
ciellement les passions des hommes, parce qu'autour
d'elle les hommes en changeaient comme de vêtement,
ou se consolaient en se jetant dans le torrent des intérêts,
dans les occupations d'une vie ambitieuse, qu'elle ignorait ce que c'est qu'un amour vrai, profond !...

Que la justice humaine envoie une tête au bourreau,
cela se conçoit ; mais ce qui a toujours fait frémir la
société tout entière, ce fut de voir la Justice apprivoiser
une victime pour la livrer au supplice. Que j'eusse aimé
cette femme, que je ne lui eusse jamais plu ; qu'elle m'eût
chassé, elle était dans son droit, mais m'attirer dans un
désert et m'y laisser tout seul quand elle en connaissait
l'issue !... Et, après m'y avoir enterré, s'en aller de par le
monde se plaindre du froid de la vie, des hommes et des
choses, du peu d'affection qu'on trouve ici-bas !... que de
crimes pour lesquels il n'y a point d'échafauds !...

Monsieur, vous me demandez comment s'est passée
cette affreuse catastrophe ?... De la manière la plus
simple. La veille, j'étais tout pour elle, le lendemain, je
n'étais plus rien ! La veille, sa voix était harmonieuse et
tendre, son regard plein d'enchantements ; le lendemain,
sa voix a été dure, son regard froid, ses manières sèches ;
pendant la nuit, une femme était morte ; c'était celle que
j'aimais. Comment cela s'est-il fait ? Je l'ignore. Et,
Monsieur, j'ai été, dans ce temps, assez grand, assez spirituel, assez aimant, assez supérieur pour chercher les rai-

sons de ce changement auquel je ne me suis pas fié tout
d'abord. Elle m'offrait, suivant l'exécrable coutume des
femmes de bonne compagnie, son amitié. Mais, accepter
son amitié, c'était l'absoudre de son crime. Je n'ai rien
voulu. Ce ne devait pas être une épreuve, car c'eût été
certes une insulte, une défiance. Je suis donc encore à
chercher la cause de mon malheur. J'ignore si, négligeant
par orgueil de la séduire, je l'ai perdue pour ne pas lui
avoir assez plu ; si elle s'est offensée d'être trop ou pas
assez aimée ; ou aimée comme elle ne voulait pas l'être.
Je ne sais si j'ai blessé sa fierté, si j'ai mécontenté son
orgueil, si j'étais trop petit ou trop grand pour elle ; si
elle a frémi d'appartenir à un homme qui l'aimerait toujours ou si elle a voulu humilier une supériorité qui l'hu-
miliait. Peut-être aussi n'ai-je pas répondu aux idées
qu'elle se faisait de moi, comme elle répondait à toutes
mes croyances ; a-t-elle trouvé qu'il fallait me sacrifier
trop de choses ; mais alors, elle ne m'aimait pas.

— Ai-je eu trop de foi dans ses paroles négatives, ai-
je trahi ses désirs secrets, l'ai-je mal comprise ? Je me
suis fait ces questions en pure perte. En effet, j'avais
devant moi un immense avenir pour dot. Je ne voulais
rien que pour elle, je voulais justifier son choix, à tous
les yeux. Dans mon ivresse, j'espérais la rendre fière de
moi, je croyais avoir l'instinct de son bonheur. Près
d'elle, je m'abandonnais à des songes magnifiques dont,
par timidité, par pudeur d'amour, je ne lui disais que peu
de chose, ayant peur de la devoir à une séduction, ne
voulant la tenir que d'elle-même. J'ai dépouillé le moi ;
j'ai tâché de me rendre digne de ses premières paroles.
— Monsieur, c'est un abîme où je me perds. — Peut-être
suis-je, sans le savoir, accablé de son mépris pour avoir
cru à sa cruauté froide comme j'ai cru à son amour. —
Peut-être devais-je avoir de la hardiesse, peut-être cette
froideur mortelle avait-elle un sens que je n'ai pas saisi.
Mais quel triste jeu jouait-elle ? Je ne m'arrête jamais à
cette pensée, car alors, je ne l'estimerais plus. Une femme
est trop belle dans ses aveux, et elle était trop femme pour
employer les ruses des prudes ou des laides. Maintenant,
Monsieur, tout ce dont je ne doute pas est d'avoir aimé
cette femme, c'est de l'aimer encore et de l'aimer assez

pour mourir si j'apprenais que sa forme s'est évanouie
sous terre ; je crois à son existence, je vis avec elle,
malgré elle, sans qu'elle en sache rien. Elle est dans ma
pensée, la source de toutes mes pensées.

Quand ce coup de foudre me terrassa, monsieur, car
venons au dénouement et la nuit ne me suffirait pas s'il
fallait vous dire les détails de ma passion, et vous trouve-
riez cette femme par trop mauvaise... Alors, je fus accablé
d'une douleur si vive que je me renfermai pour pleurer
comme un enfant [...]. »

(Texte cité d'après B. Guyon, *La Création littéraire
chez Balzac,* A. Colin, 1969, pp. 246-257.)

2. « Dézespérance d'amour »

En le temps où le roy Charles huictiesme eust la phan-
taizie d'aurner le chasteau d'Amboyse, vinrent avecque
luy aulcuns ouvriers ittalians, maystres sculpteurs, bons
peintres et massons ou architectes. Lesquels firent ez
guallleries de beaulx ouvraiges qui, par délaissement, ont
esté prou guastez.

Et duncques, la Court estoyt lors en ce playsant seiour ;
et, comme ung chascun scayt, le bon ieune sire aymoit
moult à voir ces gens elabourer leurs inventions. Estoyt
lors parmy ces sievrs estrangiers ung Florentin, ayant
nom Messer Angelo Cappara, lequel avoyt ung grant
meritte, faysoit des sculpteures et engraveures comme pas
ung, nonobstant son eage, vu que aulcuns s'esbaudis-
soyent de le voir en son apvril et déjà si sçavant. De faict
à poine frizotoit en son guernon les poils qui empreignent
ung homme de sa maiesté virile. De cettuy Angelo, les
dames estoyent vrayment toutes picquéez, pour ce qu'il
estoyt ioly comme ung resve, mélancholique comme est
la palumbe seule en son nid par mort du compaignon.
Et vecy comme. Cettuy sculpteur avoyt le grant mal de
paouvreté, qui gehenne la vie en ses mouvemens. De
faict, il vivoyt durement, mangiant peu, honteulx de ne

rien avoir, et s'adonnoyt à ses talens par grant dézespoir,
voulant, à toute force, gaigner la vie oysive qui est la plus
belle de touttes pour ceulx dont l'asme est occupée. Par
braverie, le florentin venoyt en la Court gualamment vestu ; puis, par grant timidité de ieunesse et de maleheur,
n'ozoit demander ses denniers au roy qui, le voyant ainsy
vestu, le cuydoit bien fourni de tout. Courtizans, dames,
ung chascun souloyt admirer ses beaulx ouvraiges et
aussy le faiseur ; mais, de carolus, nullement. Tous, et les
dames sur tout, le treuvant riche de natture, l'estimoient
suffisamment guarny de sa belle ieunesse, de ses longs
cheveux noirs, yeux clairs, et ne songioyent poinct à des
carolus en songiant à ces choses et au demourant. De
faict, elles avoyent grandement rayson, vu que ces advan-
taiges donnoyent à maint braguard de la court, beaulx
domaines, carolus et tout.

Maulgré sa semblance de ieunesse, Messer Angelo
avoyt vingt années d'eage et n'estoyt poinct sot, avoyt
ung grant cueur, de belles poëzies en la teste ; et de plus,
estoyt homme de haulte imaginacion. Mais en grant
humilité en luy-mesme, et comme tous paouvres et souf-
freteux, restoyt esbahis, en voyant le succez des ignares.
Puis se cuydoit mal fassonné, de corps ou d'asme, et
guardoyt en luy-même ses pensers : ie faulx, vu que il les
disoyt, en ses fresches nuictées, à l'umbre, à Dieu, au
dyable, à tout. Lors, se lamentoyt de porter ung cueur si
chauld que, sans doubte aulcun, les femmes s'en garoient
comme d'ung fer rouge ; puis, se racomptoyt à luy-
mesme en quelle ferveur auroyt une belle maytresse ; en
quel honneur seroyt elle en sa vie ; en quelle fidelitez il
s'attacheroyt à elle ; de quelle affection la serviroyt ; en
quelle estude auroyt ses commandemens ; de quelz ieux
dissiperoyt les legiers nuages de sa tristesse melancho-
lique aux iours où le ciel s'embruneroyt. Brief, s'en pour-
traictant une par imagination figuline, il se rouloyt à ses
piés, les baysoyt, amignottoyt, caressoyt, mangioit, sug-
çoit aussi réallement que ung prizonnier court à travers
champs, en voyant les prées par ung trou. Puys, luy par-
loyt à l'attendrir ; puys, en grant perprinse, la serroyt à
l'estouffer, la violoit ung petit maulgré son respect, et
mordoyt tout en son lict de raige, quérant cette dame

absente, pleine de couraige à luy seul, et quinaut l'ende-
main alors qu'il en passoyt une. Néanmoins, tout flambant de ses amours phantasques, il tapoyt derechef sur ses
figures marmorines et engravoyt de iolis tettins à faire
venir l'eaue en la bousche de ces beaulx fruicts d'amour,
sans compter les autres chozes qu'il bomboyt, amenui-
zoit, caressoyt de son ciseau, purifioit de sa lime, et
contournoyt à faire comprendre l'usaige parfaict de ces
choses, à ung coquebin et le décocquebiner dans le iour.
Et les dames souloyent se recognoistre en ces beaultez,
et de Messer Cappara toutes s'encapparassonnoyent. Et
messer Cappara les frosloit de l'œil iurant que le iour où
l'une d'elles luy donneroyt son doigt à bayser, il en auroyt
tout.

Entre ces dames de hault lignaige, une s'enquit ung
iour de ce gentil florentin à luy-mesme, luy demandant
pourquoy se faisoit il si farouche ? Et si nulle femme de
la court ne le scauroyt apprivoiser ? Puis l'invita gratieul-
sement à venir chez elle, à la vesprée.

Messer Angelo, de se perfumer, d'achepter ung manteau de veloux à crepines doublé de sattin, d'emprunter à
ung amy une saye à grandes manches, pourpoint tailladez,
chausses de soye, et de venir et de monter les desgrez
d'ung pied chauld, respirant l'espoir à plain gozier, ne
saichant que fayre de son cueur qui bondissoit et sursaul-
toit comme chievre ; et, pour toust dire d'ung coup, ayant
par advance de l'amour de la teste aux pieds à en suer
dedans le dos.

Faites estat que la dame estoyt belle. Or, messer Cappara le scavoyt d'aultant mieux que, en son mettier, il se
cognoissoyt aux emmanchemens des bras, lignes du
corps, secrètes entourneures de la callipygie et autres
mystères. Doncques, ceste dame satisfaysoit aux règles
especialles de l'art, outre que elle estoit blanche et mince ; avoyt une voix à remuer la vie là où elle est, à four-
gonner le cueur, la cervelle et le reste ; brief, elle mettoit
en l'imagination les délicieuses images de la chose sans
faire mine d'y songier, ce qui est le propre de ces dam-
nées femelles.

Le sculpteur la trouva size au coin du feu, dedans une
haute chaire, et vecy la dame de devizer à son aize, alors

que messer Angelo n'ozoit dire aultre francois que oui et
non, ne pouvoit rencrenstrer aulcunes parolles en son
gozier, ne aulcune idée en sa cervelle, et se seroyt brizé
la teste en la cheminée, si n'avoyt eu tant d'heur à voir
et ouïr sa belle maytresse, qui se iouoit là comme ung
mouscheron en ung rais de soleil.

Pour ce que, obstant cette muette admiration, tous deux
demourèrent iusques au mitant de la nuit, en s'engluant à
petits pas dedans les voyes fleuries de l'amour, le bon
sculpteur s'en alla bien heureux. Chemin faisant, il
conclud à part luy, que si une femme noble le guardoyt
ung peu prest de sa iuppe, durant quatre heures de nuict,
il ne s'en falloyt pas d'ung festu qu'elle ne le laissast là
iusques au matin. Or, tirant de ces prémisses, plusieurs
iolys corollaires, il se rezolut à la requérir de ce que vous
scavez, comme simple femme. Doncques il se deslibéra
de toust tuer, le mary, la femme ou luy, faulte de filer
une heure de ioie à l'ayde de sa quenouille. De faict, il
s'estoyt si sérieusement enchargié d'amour, que il cuydoit
la vie estre ung foyble enjeu dans la partie de l'amour,
vu que un seul iour y valloit mille vies.

Le Florentin tailla sa pierre en pensant à sa soirée, et,
par ainsy, guasta bien des nez en songiant à aultre choze.
Voyant ceste malefasson, il lairra l'ouvraige ; puis se per-
fuma et vint gouster aux gentils propos de sa dame
avecque espérance de les faire tourner en actions. Mais
quand il fut en prezence de sa souveraine, la maiesté
féminine fit ses rayonnemens, et paouvre Cappara si tueur
en la rue, se moutonna soudain en voïant sa victime.

Ce néanmoins, devers l'heure où les dézirs s'entre-
chauffent, il se estoyt coulé presque sur la dame et la
tenoyt bien. Il avoyt marchanddé ung baizer, l'avoyt
prins, bien à son heur ; car, quand elles le donnent, les
dames guardent le droit de reffuser ; mais alors qu'elles
le lairrent robber, l'amoureux peut en voller mille. Cecy
est la rayson pour laquelle, sont accoustumées toutes de
se lairrer prendre. Et le florentin en avoyt desrobbé ung
bon compte et déià les choses s'entrefiloyent parfaicte-
ment, alors que la dame qui avoyt mesnagié l'estoffe,
s'escria :

— Vécy mon mary !

De faict monseigneur revenoyt de iouer à la paulme, et sculpteur de quitter la place non sans recueillir la riche œillade de femme interrompue en son heur. Cecy feut toute sa chevance, pitance et rejouissance durant ung mois ; vu que, sur le bord de sa ioie, touiours vennoyt mon dict sieur mary, et touiours advenoyt saigement entre ung refuz net, et ces adoulcissemens dont les femmes assaisonnent leurs refuz ; menuz suffraiges, qui raniment l'amour et le rendent pluz fort. Et alors que sculpteur impacienté commençoyt vistement dès sa venue la bat-taille de la iuppe, à ceste fin d'arriver à la victoire avant le mary, auquel sans doute ce remumesnaige prouffictoyt, ma iolye dame, voyant ce dezir escript ez yeulx de son sculpteur, entamoyt querelles et noizes sans fin. D'abord, elle se faysoit ialouze à faulx, pour s'entendre dire de bonnes iniures d'amour ; puis appaisoyt la cholère du petit par l'eaue d'ung baiser ; puis, prenoyt la parolle pour ne la poinct quitter, et alloyt disant : comme quoi son amant à elle, debvoyt se tennir saige ; estre à ses voulen-tez, faulte de quoy elle ne scauroyt lui donner son asme et sa vie ; et que ce estoyt peu de chose que d'offrir à sa maytresse ung dézir ; et que, elle estoyt pluz couraigeuze pourceque aymant pluz, elle sacrifioit davantaige ; puis, à propos, vous laschoyt ung : — Laissez cela ! dict d'un air de royne. Puis elle prenoyt à temps ung air fasché pour respondre aux repproches de Cappara :

— Si vous n'estes comme ie veulx que vous soyez, ie ne vous aimerai plus.

Brief, ung peu tard, le paouvre italien vid bien que ce ne estoyt poinct ung noble amour, ung de ceulx qui ne mezurent pas la ioye comme ung avare ses excuz, et que enfin ceste dame prennoyt plaisir à le faire saulter sur la couverture ; et à le lairrer maystre de toust, pourvu qu'il ne touchiast poinct au ioly plessis de l'amour. A ce met-tier, le Cappara devint furieux à tout tuer, et print avecque lui de bons compaignons, ses amis auxquelz il bailla la charge d'attaquer le mary pendant le chemin qu'il faysoit pour vennir se couchier en son logis, aprest la partie de paulme du roy. Luy vint à sa dame, en l'heure accoustu-mée. Quand les doulx ieulx de leur amour feurent en bon train, lesquels ieulx estoyent baisers bien dégustez, cheveulx bien enroulez, desroulez, les mains mordeues de raige, les aureilles aussi, enfin tout le traficq, moins ceste chose especialle que les bons autheurs treuvent abominable, avecque rayson ; vecy florentin de dire entre deux baysers qui alloyent ung peu loin :

— Ma mye, n'aymez-vous plus que toust ?

— Oui ! fit-elle. Vu que les parolles ne leur coustent jamais rien.

— Hé bien ! respartit l'amoureux, soyez toute à moy.

— Mays, fit-elle, mon mary va vennir.

— N'est-ce que cela ?

— Ouy.

— I'ay des amys qui l'arresteront et ne le lairreront aller que si ie mets ung flambeau en ceste croissée. Puis, s'il se plaint au Roy, mes amys diront que ils cuydoient faire le tour à ung des nostres.

— Ha ! mon amy, dit-elle, lairrez-moi voir si toust est bien céans, muet et couchié.

Elle se leva et mit la lumière à la croissée. Ce que voyant, messer Cappara souffle la chandelle, prend son espée, et se plassant en face de ceste femme dont il cogneut le mépris et l'asme feslonne :

— Ie ne vous tueray pas, Madame, fit-il, mays ie vais vous estafiller le visaige, en sorte que vous ne cocquetterez plus avec de paouvres ieunes amoureux dont vous iouez la vie ! Vous m'avez truphé honteusement, et n'estes poinct une femme de bien. Vous sçaurez que ung bayser ne se peut essuyer iamays en la vie d'ung amant de cueur, et que bouche baysée vault le reste. Vous m'avez rendeu la vie poisante et maulvaise à toujours ; doncques, je veux vous faire esternellement songier à ma mort, que vous cauzez. Et, de faict, vous ne vous mirerez onques en vostre mirouer sans y voir aussi ma face.

Puis il leva le bras, et fit mouvoir l'espée pour tollir ung bon morceau de ces belles ioues fresches en lesquelles il y avoyt trace de ses baysers.

Lors la dame luy dict qu'il estoyt ung desloyal.

— Taysez-vous, fit-il, vous m'avez dict que vous m'aimiez plus que tout. Maintenant vous dictes aultre chose. Vous me avez attiré en chasque vesprée ung peu plus hault dans le Ciel, vous me gettez d'ung coup en

Enfer, et vous cuidez que vostre iuppe vous saulvera de
la cholère d'ung amant... Non.

— Ha mon Angelo, je suis à toy ! fit-elle emmerveillée
de cet homme flambant de raige.

Mais luy se tirant à trois pas :

— Ha robbe de cour et maulvais cœur, tu aimes
mieulx ton visaige que ton amant !... Tiens !

Elle blesmit, et tendit humblement le visaige ; car elle
comprint que, à ceste heure, sa faulseté passée faisoit tort
à son amour prezent. Puis, d'ung seul coup Angelo l'esta-
fila, quitta la maison, et vuyda le pays. Le mary n'ayant
point esté inquietté, pour cause de ceste lumière qui feut
veue des Florentins, trouva sa femme sans sa ioue senes-
tre ; mais elle ne souffla mot, maulgré sa douleur, vu que,
deppuys l'estaffilade, elle aymoit son Cappara plus que
la vie et toust. Nonobstant ce, le mary voulut sçavoir d'où
proccedoyt ceste blessure. Or, nul n'estant venu fors le
florentin, il se plaignit au roy, qui fit courir sus à son
ouvrier, et commanda de le pendre, ce qui feut faict à
Bloys. Le iour de la pendaison, une dame noble, eust
envie de saulver cet homme de couraige, qu'elle cuydoit
estre ung amant de bonne trempe ; elle pria le roy de le
luy accorder, ce qu'il fit voulentiers. Mais Cappara se
desclaira de tout poinct acquis à sa dame dont il ne pouvoyt chasser le soubvenir, se fit relligieux, devint cardinal, grant sçavant, et souloyt dire, en ses vieux iours :
qu'il avoyt vescu par la remembrance des ioyes prinses
en ces paouvres heures souffreteulses, où il estoit à la
foys trez bien et trez mal traicté de sa dame. Il y ha des
autheurs qui disent que, deppuys, il alla pluz loing que la
iuppe avec sa dame, dont la ioue se refit ; mays ie ne
sçauroys croire à cecy, veu que ce estoyt ung homme de
cueur qui avoyt haulte imaginacion des sainctes délices
de l'amour.

Cecy ne nous enseigne rien de bon, si ce n'est qu'il y
ha dans la vie de maulvaises renconstres ; vu que ce conte
est vray de tout poinct. Si, en d'aultres endroicts, l'au-
theur avoit, par caz fortuict, oultrepassé le vray, cettuy lui
vauldra des indulgences prest des amoureulx conclaves.

Armand de Pontmartin

Armand de Pontmartin, dans *Causeries du samedi,* dénonce l'immoralité des romans de Balzac, et en particulier de l'*Histoire des Treize.*

« La première de ces histoires, *Ferragus,* est insensée, ennuyeuse et incompréhensible ; la troisième, *La Fille aux yeux d'or,* est immonde ; la seconde, *L'Amour à Saint-Thomas d'Aquin,* a seule quelque valeur, et nous met en présence d'une des immoralités les plus dangereuses et d'une des prétentions les plus exorbitantes de M. de Balzac : l'amour platonique, entendu à sa manière, et la peinture exacte de la grande dame du faubourg Saint-Germain pendant la Restauration.
[...] La duchesse de Langeais fut une des plus chatoyantes figures de cette galerie où M. de Balzac a prétendu mettre les derniers portraits de nos dernières grandes dames. Ses amours avec le général Armand de Montriveau forment le second épisode de cette *Histoire des Treize.* On nous saura gré de ne pas les suivre dans le dédale de leur métaphysique subtile, raffinée, quintessenciée, mélangée de musc et de poivre rouge, compliquée de trappes, de portes secrètes et d'enlèvements : Marivaux à l'eau-de-vie, raconté par un grognard de la grande armée au chevalier de Faublas. Quelques teintes locales, prises au hasard, peuvent donner une idée du ton général de cette peinture. "Madame de Langeais faisait

voir qu'il y avait en elle une *noble courtisane,* que démentaient vainement les religions de la duchesse." Cette phrase, avec des milliers de variantes, a été, pour M. de Balzac, toute la poétique du genre. Un peu plus loin, M. de Montriveau adresse à la duchesse, qu'il voit pour la seconde fois, ce compliment délicieusement tourné : "Madame, en Asie, vos pieds vaudraient *presque* dix mille sequins." En homme qui a traversé le désert et s'est battu contre des lions, M. de Montriveau, peu au fait des minauderies parisiennes, propose à sa maîtresse d'user du mystérieux pouvoir des Treize pour *supprimer* le pauvre M. de Langeais. À quoi elle répond, dans un français que le faubourg Saint-Germain n'avait pas prévu : "Grand Dieu ! croyez-vous que je puisse être le *gain* d'un crime ?" [...] C'est dans *La Duchesse de Langeais* que M. de Balzac inaugura cette scolastique amoureuse, sentimentale, platonique, dépravée, à demi mystique, à demi sensuelle, plus immorale mille fois qu'une franche licence, dernier assaisonnement de la corruption des sens à l'usage des sociétés vieillies et des palais émoussés. »

Causeries du samedi,
Paris, Michel Lévy, 1857, pp. 55-60.

*

Émile Faguet

« Un autre défaut, plus grave, ce sont ces digressions, ces *excursus,* ces parabases et les mots les plus pédants seront ici les mots justes, par quoi Balzac interrompt à tout moment le récit et qui, le récit fût-il bien proportionné et composé avec art, en altérerait encore toutes les proportions. Ces dissertations et soutenances, George Sand, au moins, les mettait dans la bouche de ses personnages, ce qui les faisait rentrer un peu dans le récit et dans la peinture de l'âme des personnages. Balzac suspend le récit, prend la parole pour son compte et nous fait une conférence. On dirait que, tourmenté du démon du journalisme – on sait qu'il a fondé une revue et souvent essayé d'en fonder d'autres – il avait des articles de réserve au fond de son tiroir et que, ne pouvant les faire passer dans les journaux du temps, il les écoulait dans ses romans. »

Balzac, Hachette, Paris, 1913, p. 61.

*

Sainte-Beuve

« Si rapide et si grand qu'ait été le succès de M. de Balzac en France, il fut peut-être plus grand encore et plus incontesté en Europe. Les détails qu'on pourrait donner à cet égard sembleraient fabuleux, et ne seraient que vrais. [...] Il y eut un moment où, à Venise, par exemple, la société qui s'y trouvait réunie imagina de prendre les noms de ses principaux personnages, et de jouer leur jeu. On ne vit, pendant toute une saison, que Rastignacs, duchesses de Langeais, duchesses de Maufrigneuse, et l'on assure que plus d'un acteur ou actrice de cette comédie de société tint à pousser son rôle jusqu'au bout. Telle est la loi assez ordinaire dans ces influences réciproques entre le peintre et ses modèles : le romancier commence, il touche le vif, il l'exagère un peu ; la société se pique d'honneur et exécute ; et c'est ainsi que ce qui avait pu paraître d'abord exagéré finit par n'être plus que vraisemblable. »

Causeries du lundi, [1851],
Garnier frères, 4e édition, 1883, t. II, p. 447.

*

Marcel Proust

« Le style est tellement la marque de la transformation que la pensée de l'écrivain fait subir à la réalité, que, dans Balzac, il n'y a pas à proprement parler de style. [...] Dans Balzac, [...] coexistent, non digérés, non encore transformés, tous les éléments d'un style à venir qui n'existe pas. Ce style ne suggère pas, ne reflète pas : il explique. Il explique d'ailleurs à l'aide des images les plus saisissantes, mais non fondues avec le reste, qui font comprendre ce qu'il veut dire comme on le fait comprendre dans la conversation si on a une conversation géniale, mais sans se préoccuper de l'harmonie du tout et de ne pas intervenir. Si dans sa correspondance, il dira : « les bons mariages sont comme la crème : un rien les fait manquer », c'est par des images de ce genre, c'est-à-dire frappantes, justes, mais qui détonnent, qui expliquent au lieu de suggérer, qui ne se subordonnent à aucun but de beauté et d'harmonie qu'il emploiera : [...] "son teint avait pris le ton chaud d'une porcelaine dans laquelle est enfermée une lumière[1]."

« Ne concevant pas la phrase comme faite d'une substance spéciale où doit s'abîmer et ne plus être reconnaissable tout ce qui fait l'objet de la conversation, du savoir, etc., il ajoute à chaque mot la notion qu'il en a, la réflexion qu'elle lui inspire. [...] Et quand il y a une explication à donner, Balzac n'y met pas de façons ; il écrit : "voici pourquoi." Suit un chapitre. De même, il a des résumés où il affirme tout ce que nous devons savoir, sans donner d'air, de place : [...] "La religieuse donna au *Magnificat* de riches, de gracieux développements dont les différents rythmes accusaient une gaieté humaine. Ses motifs eurent le brillant des roulades d'une cantatrice, etc. Ses chants sautillèrent comme l'oiseau", etc., etc.

« Il ne cache rien, il dit tout. Aussi est-on étonné de voir que cependant il y a de beaux effets de *silence* dans son œuvre. Goncourt s'étonnait pour *L'Éducation*, moi, je m'étonne bien plus des *dessous* de l'œuvre de Balzac. [...].

« Balzac ayant gardé par certains côtés un style inorganisé, on pourrait croire qu'il n'a pas cherché à objectiver le langage de ses personnages, ou, quand il l'a fait objectif, qu'il n'a pu se tenir de faire à toute minute remarquer ce qu'il avait de particulier. Or, c'est tout le contraire. Ce

---

1. La citation exacte est : « Son teint [...] avait pris le ton chaud d'une coupe de porcelaine sous laquelle est enfermée une faible lumière. »

même homme qui étale naïvement ses vues historiques, artistiques, etc., cache les plus profonds desseins, et laisse parler d'elle-même la vérité de la peinture du langage de ses personnages, si finement qu'elle peut passer inaperçue, et il ne cherche en rien à la signaler. [...] Quand la duchesse de Langeais cause avec Montriveau, elle a de ces "Vrais !"[1], et Montriveau, des banalités de soldat : "[ ]"[2]. Le chant de Vautrin, les plaisanteries des clercs : "Trinn la la trinn trinn !", la nullité de la conversation du duc de Grandlieu et du vidame de Pamiers : "Le comte de Montriveau est mort, dit le vidame, c'était un gros homme qui avait une incroyable passion pour les huîtres. – Combien en mangeait-il donc ? dit le duc de Grandlieu. – Tous les jours dix douzaines. – Sans être incommodé ?– Pas le moins du monde. – Oh ! mais c'est extraordinaire ! Ce goût ne lui a pas donné la pierre ? – Non, il s'est parfaitement porté, il est mort par accident. – Par accident ! La nature lui avait dit de manger des huîtres, elles lui étaient probablement nécessaires." »

Contre Sainte-Beuve, [1908-1910],
Gallimard, coll. la Pléiade, éd. P. Clarac, 1971,
pp. 269-272.

*

Théophile Gautier

« De cette *modernité* sur laquelle nous appuyons à dessein, provenait, sans qu'il s'en doutât, la difficulté de travail qu'éprouvait Balzac dans l'accomplissement de son œuvre [...]. Pour exprimer cette multiplicité de détails, de caractères, de types, d'architectures, d'ameublements, Balzac fut obligé de se forger une langue spéciale, composée de toutes les technologies, de tous les argots de la science, de l'atelier, des coulisses, de l'amphithéâtre

---

1. Allusion à la phrase : « J'aime à participer aux souffrances ressenties par un homme de courage, car je les ressens, vrai ! » — **2.** Proust a laissé ici un blanc.

même. Chaque mot qui disait quelque chose était le bien-venu, et la phrase, pour le recevoir, ouvrait une incise, une parenthèse, et s'allongeait complaisamment. C'est ce qui a fait dire aux critiques superficiels que Balzac ne savait pas écrire. Il avait, bien qu'il ne le crût pas, un style et un très beau style, – le style nécessaire, fatal, et mathématique de son idée ! »

Honoré de Balzac,
Poulet-Malassis et de Broise, Paris, 1859, pp. 134-135.

Table des illustrations

Table

Composition réalisée par NORD COMPO

Achevé d'imprimer en décembre 2008 en Espagne par
LITOGRAFIA ROSÉS S.A.
Gava (08850)
Dépôt légal 1ère publication : juin 1998
Édition 08 - décembre 2008
LIBRAIRIE GÉNÉRALE FRANÇAISE – 31, rue de Fleurus – 75278 Paris Cedex 06

30/9629/4